EL ECOSISTEMA COMUNICATIVO VALENCIANO:
Características y tendencias de la primera década del Siglo XXI

EL ECOSISTEMA COMUNICATIVO VALENCIANO:
Características y tendencias de la primera década del Siglo XXI

GUILLERMO LÓPEZ GARCÍA

(ed.)

tirant lo blanch

Valencia, 2010

©   GUILLERMO LÓPEZ GARCÍA y otros

©   TIRANT LO BLANCH
     EDITA: TIRANT LO BLANCH
     C/ Artes Gráficas, 14 - 46010 - Valencia
     TELFS.: 96/361 00 48 - 50
     FAX: 96/369 41 51
     Email:tlb@tirant.com
     http://www.tirant.com
     Librería virtual: http://www.tirant.es
     DEPOSITO LEGAL: V-1368-2010
     I.S.B.N.: 978-84-9876-809-1
     IMPRIME: GUADA IMPRESORES, S.L.
     MAQUETA: PMc Media

Si tiene alguna queja o sugerencia envíenos un mail a: *atencioncliente@tirant.com*. En caso de no ser atendida su sugerencia por favor lea en *www.tirant.net/index.php/empresa/politicas-de-empresa* nuestro Procedimiento de quejas.

ÍNDICE

PRÓLOGO

El presente libro aborda la estructura comunicativa valenciana de la primera década del siglo XXI. Supone un planteamiento novedoso en un doble sentido. Por un lado, porque como su nombre indica pretende abordar el tema desde el concepto de ecosistema comunicativo[1], mucho más complejo y ambicioso que el de sistema comunicativo; y, por otro, porque la mayoría de sus autores representan en gran parte la nueva generación de investigadores valencianos.

La aparición hace apenas un par de años del primer estado crítico de la investigación en comunicación en la Comunidad Valenciana[2], coordinado por quien esto escribe, puso de manifiesto entre otras cosas la mayoría de edad de esta comunidad científica que podría cifrarse en un centenar de investigadores procedentes no tan sólo de doctores en Ciencias de la Información o Comunicación, sino también en Sociología, Historia, Derecho, Teoría de la Literatura o Lingüística. Su labor docente e investigadora procede sobre todo de la media docena de facultades valencianas de Comunicación que, desde el último cuarto de siglo, se han puesto en funcionamiento.

Este texto, por tanto, no nace de la nada, sino que cuenta con algunos interesantes antecedentes, elaborados por los respectivos especialistas de los diversos aspectos que componen la estructura comunicativa, mayoritariamente hasta el presente siglo del Centro Universitario San Pablo-CEU

---

[1] Tal como ya hace bastantes años consideramos este concepto —inicialmente propuesto por Abraham Moles— y en diversas investigaciones de historia de la comunicación social hemos desarrollado, entendemos por *ecosistema comunicativo* la forma histórica en la que las sociedades organizan su producción social de comunicación. El concepto de "sistema comunicativo" atañe, especialmente, a la regulación, la estructura y las características sociopolíticas que presenta el funcionamiento comunicativo de una sociedad, mientras que la noción de "ecosistema comunicativo" es bastante más amplia y compleja. Al referirse a la forma histórica en la que las sociedades organizan su producción social de comunicación, el ecosistema no sólo incluye el sistema informativo o comunicativo, sino que es un planteamiento integral que suele conjugar, entre otras cuestiones, medios, sujetos y circunstancias. El ecosistema, por tanto, presta atención a las particularidades, a los procesos y a los cambios, principalmente, de la estructura comunicativa, los medios, la economía y la política comunicativa, el campo mediático y los contextos comunicativos.

[2] *La recerca en comunicació en el País Valencià*, *Treballs de comunicació*, 27, 2008.

(ahora Universidad Cardenal Herrera-CEU) y de la Universidad de Valencia[3].
Si en los escritos anteriores destacan los autores de la primera generación
de investigadores valencianos del campo, a menudo formados en otras universidades españolas (preferentemente en la Autónoma de Barcelona y en
la Complutense de Madrid), ahora —en el texto que presentamos— aparece
la última generación de investigadores surgidos de los distintos centros
universitarios valencianos.

En primer lugar, destaca el coordinador del volumen, el profesor titular
de Periodismo de la Universidad de Valencia Guillermo López, un buen investigador que, pese a su juventud, ya ha demostrado no sólo su talento,
individualmente en los ámbitos de la comunicación política y en el ciberperiodismo, así como en la colaboración con equipos de estudio valencianos
y españoles, sino también su extraordinaria capacidad para el desarrollo
de actividades de I+D, tanto en la coordinación de jornadas como en la
potenciación de estudios como el presente. A su lado encontramos a otros
compañeros del mismo o de otros centros, también egresados de las primeras promociones de Comunicación valencianas.

Junto a esa nueva generación de jóvenes investigadores, de Alicante,
Castellón, Elche y Valencia, aparecen un par de veteranos —en ocasiones,
antiguos profesores suyos, como son José María Bernardo y Francesc A.
Martínez Gallego—, que recuerdan la tradición consolidada. Sin embargo,
en algunos temas se echa a faltar a ciertos especialistas tanto de la primera
generación como de otra relativamente intermedia que, en algunos casos,
representaban hasta ahora al "especialista". La aparición de otros, o de alguna manera el relevo de aquéllos, supone un enriquecimiento del campo
mediático e incluso algún diferente enfoque, lo que sin duda resulta interesante para el propio reforzamiento de la comunidad científica.

Abordar el entorno social y los sectores de la comunicación, como hace
este libro, implica tener en cuenta no sólo el sistema comunicativo valenciano, sino los medios y las circunstancias en los que estos se relacionan
con el contexto. Y en este sentido, la propuesta aquí desarrollada, aunque
no del todo integrada por la variedad y autonomía de los autores, suponía

---

[3]   Entre otras investigaciones, cabe destacar: Laguna Platero, A. (coord.) (2000). *La
       comunicación en los '90. El mercado valenciano*. Universidad Cardenal Herrera-CEU;
       Xambó, R. (2002). "Los medios de comunicación en el País Valenciano", *Arxius de
       Ciències Socials*, 7: 223-247, y coordinado por este mismo investigador el número
       extraordinario de la misma revista *Arxius*, dedicado a la 'sociología de la comunica-
       ción en el País Valenciano', previsto para finales de 2010.

a priori un planteamiento algo menos clásico que el que hasta ahora se había hecho, por ejemplo, en otros estudios de la década anterior. A este respecto, las políticas comunicativas y cierta economía del ámbito aspiran cuanto menos a perfilar el campo mediático. Si bien éste no se explicita suficientemente en el sentido bourdieuano (aquel que atiende a agentes comunicativos, medios dominantes y modalidades hegemónicas), en cualquier caso se explica con suficiencia sus orientaciones principales y las tendencias consolidadas durante el período estudiado.

Sin embargo, en el estudio que presentamos poco se mencionan los sujetos sociales protagonistas, es decir, los profesionales de la comunicación, cuestión que sí se trataba, aunque sin demasiada profundidad, en el estudio valenciano paralelo dedicado a la última década del siglo pasado, coordinado por Antonio Laguna (2000). La razón se explica porque la investigación sobre la sociología de los intermediarios comunicativos y de su cultura profesional, si exceptuamos ciertos estudios de historia del periodismo valenciano, es escasa aún y no muy actual[4].

Mientras que en la mayoría de los artículos aquí recogidos hay no sólo un intento de descripción y cierto análisis de cuál es la situación a día de hoy de la estructura comunicativa, hasta cierto punto —con las diferencias apuntadas— resulta parecido al libro citado de Laguna. En ambos sigue poniéndose en evidencia una investigación sectorial o por medios poco sistemática, sin duda por la ausencia de informes periódicos rigurosos como los editados por Bernardo Díaz Nosty a escala española o los exhaustivos para Cataluña bajo la dirección de Miquel de Moragas.

Ese inconveniente se ponía de manifiesto en el estado de la cuestión investigadora valenciano, ya citado y publicado por *Treballs de la comunicació*, en el cual se señalaba que, salvo determinados estudios sobre todo de carácter histórico de la primera e intermedia generación de investigadores valencianos, algunos de los más jóvenes no parecían hasta ahora inclinarse por investigar lo propio. Estos, a menudo influidos y seguidores de investi-

---

4   *Vid.* Beltrán, A. y Martínez, A. (1993). *Periodistes per a la democràcia. Unió de Periodistes del País Valencià, 1979-1992.* València: Generalitat Valenciana; Cerdán Tato, E. (2005). *De periodistas y periódicos. Historia de la Asociación de la Prensa de Alicante.* Alicante: APA/CAM; Gómez Mompart, J. Ll. (2008). "De la prensa provincial al control audiovisual", en Martínez, F.A. (coord.), *La democracia reconquistada. De la Transición a la normalización democrática,* volumen 10 de La Gran Historia de la Comunidad Valenciana. Valencia: *Levante-emv*: 146-162; y Rius Sanchis, I. (2000). "La profesión periodística; desregulados y desorganizados", en Laguna Platero, A., *op. cit.*: 47-52.

gadores valencianos destacados pero concentrados en trabajos ajenos al propio país, han hecho sus tesis doctorales sobre temas, bien sean de carácter teórico o aplicado, de otros territorios geográficos y simbólicos.

Algunas de las lagunas mencionadas, afortunadamente, parecen ahora irse cubriendo, gracias a la buena iniciativa del editor de este texto y a la estimable dedicación de la mayoría de los autores. Estos, aun a veces no disponiendo de datos suficientes, al menos han explotado con rigor cuanto han podido averiguar. Cabe esperar que buena parte de estos estudiosos, con independencia de que sigan trabajando en otras líneas, no descuiden los ámbitos y temas de los que ya se han ocupado aquí, puesto que de este modo el próximo informe de la estructura de la comunicación valenciana podrá desarrollar unos análisis todavía más finos, dado que partirá no sólo de datos más o menos generales o puntuales sino de más gráficas evolutivas que interrelacionen variables diversas significativas.

De todos modos, si tenemos en cuenta que en el primer estudio estructural de la comunicación valenciana ya se intentaba poner al día el estado de los medios, a partir de la somera evolución histórica que se había trabajado, el presente libro consigue con bastante acierto presentar el ecosistema comunicativo valenciano tras la primera década de este siglo, pese a que sus textos tienen un equilibrio no del todo ponderado, a veces un tanto segmentado, y cuya articulación puede motivar algún interrogante. El reto desarrollado en este estudio, pese a las limitaciones aludidas, es loable y sus aportaciones son interesantes y útiles tanto para la comunidad académica como para los ciudadanos interesados en comunicación. Cabe remarcar como una de las aportaciones más novedosas la descripción y explicación del sistema digital derivado de Internet no sólo coyuntural, sino ya con suficiente perspectiva, debiendo subrayarse además que los citados estudios los llevan a cabo aquellos investigadores que, en este terreno, son "los especialistas" valencianos.

JOSEP LLUÍS GÓMEZ MOMPART
Catedrático de Periodismo de la Universidad de Valencia

INTRODUCCIÓN

GUILLERMO LÓPEZ GARCÍA
Universitat de València

Este libro intenta trazar un mapa completo de la estructura de la comunicación en el territorio valenciano, que integra diversas perspectivas y que desciende a considerar las características de cada sector concreto. Por lo tanto, estamos ante un compendio, un estado de la cuestión, y también ante un trabajo de investigación original, que en algunos casos abarca campos totalmente inexplorados hasta la fecha.

Como cualquier trabajo intelectual, es producto del legado académico y cultural de las personas que lo han escrito. Y conviene empezar hablando, para saber dónde estamos y también hacia dónde queremos llegar, de algunos nombres propios. El primero de ellos es el antecesor inmediato de este estudio, el trabajo coordinado por Antonio Laguna *La comunicación en los 90. El mercado valenciano* (2000), que fue el primer estudio que abarcó el análisis de las características de los medios y de los procesos comunicativos en la Comunidad Valenciana. Y lo hizo, además, con indudable éxito.

La segunda gran deuda de este trabajo es más reciente (2007). Proviene de un número monográfico de la revista *Treballs de Comunicació*, coordinado por Josep Lluís Gómez Mompart y que, bajo el título *La recerca en comunicació en el País Valencià*, permitía hacer, también por primera vez, un completo estado de la cuestión de lo que habían dado de sí en las últimas décadas las investigaciones en los campos de la Comunicación y el Periodismo desarrolladas desde las Universidades valencianas.

Ambos trabajos ponían dos cosas de manifiesto: hacía ya más de diez años que no se había realizado un análisis integral del estado de la comunicación en la Comunidad Valenciana; y que esta indudable carencia no derivaba, sin embargo, de un hipotético estado de precariedad de la investigación en comunicación local, sino que persistía *a pesar* del indudable buen estado de salud de la investigación.

Si a lo anterior unimos los profundos cambios que ha experimentado el sector precisamente en la última década, merced a la generalización de las tecnologías digitales —que, entre otros efectos, ha provocado una multiplicación de la oferta comunicativa existente— y al propio cambio social, creemos sobradamente justificados tanto la oportunidad como el interés de desarrollar un trabajo de estas características, tan necesario como complejo. No en vano, como atinadamente explica el profesor Josep Lluís Gómez Mompart en el prólogo, en ocasiones no contábamos con datos actualizados; en otras, nunca ha habido datos disponibles hasta la fecha y se ha partido prácticamente desde cero.

En su origen, este trabajo proviene de un proyecto de I+D concedido por la Generalitat Valenciana[1], centrado en el espacio específico de la comunicación en Internet; pero muy pronto quedó de manifiesto que, para abordar un estudio así con garantías, era preciso, primero, establecer unas bases sólidas del contexto comunicativo en el que se está produciendo el desarrollo de los cibermedios valencianos; y que, a su vez, una cuestión tan poliédrica y transversal como la comunicación en la Comunidad Valenciana requería un equipo más amplio y plural (tanto por su adscripción a diversas Universidades públicas valencianas como por su especialización).

Afortunadamente la propuesta recibió una respuesta positiva por parte de las personas a las que les propusimos participar, configurando un amplio equipo de 23 investigadores, en su mayoría jóvenes, provenientes de la Universidad Jaume I de Castellón; la Universidad de Valencia; la Universidad de Alicante; y la Universidad Miguel Hernández de Elche. Obviamente, no están todos los que son, pero sin duda sí son todos los que están.

Es un estudio, en resumen, que pretende responder a una necesidad que se nos antoja perentoria: delinear el amplio y confuso panorama de la comunicación en la Comunidad Valenciana, sus componentes y sus criterios de funcionamiento. Dada su naturaleza, el libro está compuesto por capítulos que pueden leerse independientemente (esto genera algunos solapamientos, casi inevitables en un trabajo de estas características, y que en todo caso hemos tratado de reducir a la mínima expresión).

Asimismo, la estructuración del libro, dividido en doce capítulos, permite deslindar dos grandes apartados. En el primero de ellos, compuesto por cinco capítulos, se busca elaborar, desde diversas perspectivas, una visión de conjunto de la evolución y el estado de las cosas en la Comunidad Valenciana en la última década. Así, en el capítulo uno se realiza un completo recorrido histórico de lo que han dado de sí estos diez años en el ámbito local y autonómico. El segundo capítulo pone en relación el espacio comunicativo valenciano con el contexto español e internacional, y analiza tam-

---

[1]   "Los medios de comunicación valencianos en Internet: contenidos digitales y convergencia multimedia". Referencia GV2008/201. Proyecto financiado por la Conselleria d'Educació de la Generalitat Valenciana (2008)

bién la presencia —lamentablemente minoritaria— del valenciano en los medios de comunicación locales. El tercer capítulo estudia la representación identitaria de los valencianos y lo valenciano que se desprende de sus medios de comunicación. El cuarto capítulo efectúa un recorrido por las leyes y disposiciones en materia de comunicación que han afectado poderosamente a la conformación del sector en el territorio valenciano (especialmente en el ámbito audiovisual). Finalmente, el quinto capítulo analiza, como inevitable corolario de lo visto hasta ese momento, las políticas de comunicación generadas desde el Gobierno autonómico valenciano, de importancia manifiesta, de nuevo, en sectores como el audiovisual.

El segundo bloque, que consta de siete capítulos, tiene por objeto realizar un análisis específico de cada uno de los sectores en los que podemos encuadrar la comunicación en el contexto valenciano: la prensa (capítulo seis), la radio (capítulo siete) y la televisión (capítulo ocho), en lo que respecta a los medios convencionales; los cibermedios y la blogosfera valenciana (por lo que se refiere a la presencia de los medios valencianos en Internet) en el capítulo nueve. El capítulo diez estudia los gabinetes de comunicación (el sector que ha experimentado un mayor crecimiento, en términos de inversión y empleo generado, en la última década). El capítulo once analiza las características de la industria cultural (música, artes escénicas, sector editorial y videojuegos). Finalmente, el capítulo doce muestra el impacto del proceso de convergencia en el que se han embarcado algunos grupos mediáticos valencianos particularmente significativos.

Partimos de la base de que nuestro objeto de estudio conforma un panorama en todo momento cambiante, en perpetua evolución, y que requiere de una revisión constante y atenta por parte de los investigadores en el campo de la comunicación, en el marco de unos estudios cuya presencia social y académica no ha hecho más que crecer en la Comunidad Valenciana en la última década. Esperemos, en consecuencia, que no tengan que pasar otros diez años antes de que se publique un nuevo estudio con las características del que el lector tiene en sus manos (o en su pantalla).

1

MEDIOS, POLÍTICA Y SOCIEDAD: HISTORIA DE UNA DÉCADA, 2000-2010

Francesc-Andreu Martínez Gallego
Universitat de València

1. DEL CRECIMIENTO VIRTUAL A LA CRISIS REAL

En una década, el número de salas de exhibición cinematográficas ha aumentado con parquedad y ronda las 500, pero en todo caso con menor número de espectadores: 4 millones menos. La audiencia de la prensa diaria ha crecido un tanto —era de 1.167.000 personas mayores de 14 años en 2001 y en 2007 alcanzó la cifra de 1.374.000—, aunque sigue estando por debajo de la media española. El aumento experimentado tiene mucho que ver con la irrupción de la prensa gratuita, que progresó sobre el estancamiento de la prensa venal. Una y otra se están viendo gravemente afectadas por la crisis económica, también de ingresos publicitarios para los medios, que comenzó en 2008. La audiencia de radio ha experimentado un crecimiento notable, pero sólo en la frecuencia modulada: la onda media ha caído de 175.000 a 151.000 oyentes, pero la frecuencia modulada ha compensado esa caída con un crecimiento notable, pasando de 808.000 a 1.924.000 oyentes. La audiencia de Internet se ha multiplicado por tres —ha pasado de 471.000 en 2001 a 1.583.000 en 2007—, pero partía de niveles muy bajos, lo cual sigue denotando las dificultades de conexión vinculadas al precio del servicio y la fortaleza de la brecha digital. La audiencia de televisión experimenta un leve crecimiento, puesto que partía de cuotas muy elevadas. En 2007 se situó en los 3.640.000 de espectadores. Por otra parte, se ha estancado al final de la década y no por la introducción de la Televisión Digital Terrestre, sino porque, de un lado, resultaba difícil incrementar el número de hogares con aparato de televisión, el número de espectadores y las elevadísimas cifras de exposición al medio y, por otra, los nuevos televidentes comienzan a compartir esta actividad con la de la navegación electrónica en entornos y soportes diversos (IVE, 2002, 2009).

Sin duda, el párrafo anterior es un resumen muy apresurado y poco matizado de las magnitudes que nos ayudan a entender la estructura y el influjo de los medios de comunicación en la primera década del siglo XXI. El lector encontrará análisis detallados, medio a medio, sector por sector, en los capítulos subsiguientes. En el presente se pretende, tan solo, establecer una serie de coordenadas históricas para la mejor comprensión de los análisis en profundidad que sobre la estructura de la comunicación en la Comunidad Valenciana seguirán. Sea como fuere, los elementos relatados parecen converger en un punto: a pesar de que hasta el año 2008, en consonancia con la economía de los países primermundistas, la Comunidad Valenciana vivió una época de crecimiento de su producto interior bruto y de la renta per cápita de sus habitantes, no parece que los medios de comunicación se situasen, ni de lejos, en la vanguardia de ese impulso.

Existe una paradoja en lo relatado hasta aquí. El milenio comenzó con unas cuantas ideas-fuerza sobre la mesa del analista. Una era que el hipersector de la comunicación estaba en condiciones de liderar, como industria de vanguardia, la economía mundial; otra, que el capitalismo se estaba transformando y que convenía, incluso, aplicarle el apelativo de "nuevo" y, en todo caso, doblarlo con apelativos como los de sociedad de la información o sociedad del conocimiento. Ahora sabemos que había mucho de virtual en estas apreciaciones. Para la economía mundial, y más aún para la valenciana.

La presencia del sector económico de los medios de comunicación y las editoriales se situó en España, a lo largo de la década, en una posición intermedia entre los principales sectores económicos. María Jesús Díaz (2005) estudió, con datos de 2003, a las empresas con una facturación superior a los 21 millones de euros y observó que las 5.297 empresas que superaban tal cuantía se estructuraban en 42 sectores de actividad económica, situándose el de "medios de comunicación y editoriales" en el puesto 21 del ranking, con un porcentaje sobre el total del 1,22%, muy por detrás de la automoción (14,7%), el comercio al por menor (9%) y al por mayor (8,9%), la construcción (7,4%), la energía (5%), la alimentación (5%), la química y farmacéutica (5%) o el petróleo y derivados (4,9%). Bien es verdad que el sector de las telecomunicaciones, que se suele sumar al de los medios y las editoriales para configurar el hipersector de la comunicación y la información, figuraba en el 9 puesto del ranking, con el 4,32 % de cuota (Díaz González, 2005).

De modo que si vinculamos medios, editoriales y telecomunicaciones, el hipersector de la comunicación e información, con un 5,5% de cuota, se situaría en el quinto lugar del ranking de los sectores empresariales españoles. Lugar nada desdeñable que, en efecto, indica el enorme auge de las empresas vinculadas a las industrias de la comunicación en los últimos tiempos.

Sin embargo, existe una pequeña trampa conceptual en el llamado hipersector de la comunicación y la información. Vincular las empresas de medios y editoriales y las empresas de telecomunicaciones no parece una agrupación sectorial relevante. Se trata de sectores que se ocupan de actividades, y que prestan o venden servicios, diferentes. Sin duda, a veces se interfieren y se complementan. Pero nadie hubiese puesto en el mismo saco la industria maderada y la telegráfica, pongamos por caso, por el hecho de que los postes de sustentación del tendido telegráfico, de madera, fuesen absolutamente necesarios, como infraestructura, para la difusión de los mensajes eléctricos cifrados en código Morse. Sin duda, también hoy las redes telefónicas y de cable son una infraestructura crucial para la sustentación de determinados medios de comunicación. Pero no conviene confundirlos con ellos. Empresarialmente suelen ser diferentes. La inversión de capital con vistas a la diversificación de negocio y riesgo hace que las empresas de telecomunicaciones inviertan, a veces, en medios de comunicación o editoriales. Pero no más que empresas que tienen su matriz en otros sectores: desde los bancos hasta las constructoras, pasando por otras de muy distinto cariz.

Visto de este modo, el sector de medios de comunicación y editorial tiene un peso relativamente pequeño entre los grandes sectores empresariales españoles y la investigadora antes citada concluye que su importancia "procede, por tanto, por medirlo con otros baremos, relacionados con la capacidad de influencia y poder que está en la misma naturaleza de las actividades de información y comunicación".

Por otra parte, si repasamos la lista de las principales empresas de medios y editoriales por volumen de ventas, no encontramos ninguna con origen o incluso sede en la Comunidad Valenciana. Sólo un matiz: el grupo Moll, que se originó a finales de la década de 1970 e inicios de la siguiente con capital balear, sí tiene dos subempresas valencianas —Editorial Prensa Valenciana y Editorial Prensa Alicantina— con presencia entre las principales del sector, si bien una ocupaba en 2003 el puesto 43 por volumen de ventas y la otra el puesto 61. Aunque a principios de siglo XXI existía una empresa, la editorial Federico Doménech, con entidad como editora del diario *Las Provincias*, de Valencia, lo cierto es que el periódico fue comprado por el Grupo Correo, justo cuando este, tras fusionarse con Prensa Española, devenía en grupo Vocento.

Existe también otra macroetiqueta en la cual se incluyen los medios de comunicación en relación con la sectorialización económica: la cultura, entendida como "vehículo proyectivo de necesidades humanas como son el deseo de expresarse, comunicarse y sentir". Los estudios del profesor Uriel

(Uriel, E., 2007) muestran que los sectores vinculados a las industrias culturales representan el 3% del PIB español, por delante incluso del sector energético, del de la automoción, del químico o del alimentario. Sin embargo, también la Comunidad Valenciana anduvo por debajo de las medias estatales contemplando las cosas desde este punto de vista. En 2005 el empleo generado en España por los sectores culturales representaba el 2,7% sobre el total, mientras en la Comunidad Valenciana alcanzaba sólo el 2,3 %. Estos sectores representaban el 2,5% del PIB valenciano, 0,5 puntos por debajo de la media española (Raussell, 2007).

En todo caso, en el ámbito de estos sectores culturales, los directamente relacionados con medios de comunicación y editoriales no salen especialmente bien parados en el conjunto. El sector editorial, apunta Raussell, "muestra signos evidentes de raquitismo", y lo mismo sucede con el sector audiovisual, "ya que apenas podemos contar con poco más de una media docena de productoras de cine con actividad regular en los últimos 6 años".

En definitiva, desde el punto de vista empresarial, el sector de medios de comunicación y editorial en el panorama económico valenciano es muy reducido, encontrándose muy por debajo de la media española. Los auténticos hipersectores de la economía valenciana han sido otros en la última década...

De modo que si el crecimiento medio de la economía valenciana entre 2000 y 2008 fue del 3,05%, por debajo de la media española, que se situó en el 3,13%, en 2008 sólo creció el 0,5%, situándose a la cola de las autonomías españolas y muy por debajo de la media estatal que fue del 1,2%. También la renta per cápita de los valencianos se situó, en 2008, por debajo de la española[1].

La crisis económica mundial, y más si se observa desde el prisma valenciano, ha demostrado que el "nuevo capitalismo", vinculado a la sociedad de la información y del conocimiento, era la etiqueta nueva de un viejo atuendo. El traje es nuevo; no así el emperador.

---

[1]   "La economía valenciana es la que peor resiste la crisis en España", en *El País*, 16 de julio de 2009. La renta *per capita* valenciana fue de 21.468 euros, mientras la media española quedó fijada en 24.000 euros.

2. POLÍTICAS CULTURALES, POLÍTICAS MEDIÁTICAS

El impulso a los medios no sólo proviene del sector privado. La comunicación es cultura y las políticas culturales, su enfoque y su financiación, son decisivas para el entorno *mediático*. Sucedió, empero, que el gasto en cultura —gasto liquidado— entre 2002 y 2006 pasó de 1 millón a casi 2 millones en España, mientras en la administración autonómica de la Comunidad Valenciana el aumento era irrisorio: de 126.500 a 139.400 euros. Más allá de las ansias de control de los contenidos de los medios de comunicación públicos y de la presión sobre los privados, la administración autonómica valenciana se ha ausentado —metafóricamente— de la cultura mediática y no ha percibido la trascendencia del sector para cualquier proyecto de democracia deliberativa, ni siquiera de la priorización del sector cultural como espoleta del crecimiento económico. Sin duda, este hecho se relaciona tanto con su modelo económico como con su configuración política.

Según las estadísticas que proporciona el Ministerio de Cultura, el gasto en cultura valenciano representa el 27,5 % del gasto total de las administraciones públicas, mientras que en España se sitúa en la franja del 33,2%. Pero eso no es todo. Mientras en España hay un cierto equilibrio entre el gasto en esta materia de las administraciones locales y de las autonómicas, el caso valenciano muestra lo contrario: mientras las administraciones locales acumulan el 72,5% del gasto, la autonómica sólo llega al 27,5%[2]. Y los efectos de esta tipología inversora son muy evidentes. Solo la administración autonómica puede generar inversión con efectos nítidos y positivos sobre la producción de los sectores culturales, puesto que el gasto local está constituido por una miríada de pequeñas intervenciones de impacto mucho menor por definición.

Por otra parte, y como sigue apuntando Raussell, "especialmente desde mediados de los años 90, la política cultural se engarza con una estrategia deliberada de grandes inversiones promovidas por diversos agentes institucionales, pero especialmente liderados por parte de la Generalitat Valenciana, que incluyen desde Terra Mítica en Benidorm, como parque temático, a la Ciudad del Teatro en las instalaciones industriales de Sagunto, la reformulación de la Ciudad de las Artes y las Ciencias de Valencia con la inclusión de un parque Oceanográfico y un Palacio de las Artes para las representaciones operísticas, la Ciudad de la Luz en Alicante como gran equipamiento que

---

[2]   Ministerio de Cultura. *Estadística de Financiación y Gasto Público en Cultura*. http://www.mcu.es

alberga espacios e instalaciones para proyectos cinematográficos, Castellón Cultural y otras propuestas más o menos disparatadas. Naturalmente, de todas estas propuestas, las que se materializaron, lo hicieron sin ningún estudio de viabilidad o planificación previa pero concentraron ingentes inversiones públicas" (Raussell, 2007)

También en el terreno de los grandes acontecimientos deportivos la Comunidad Valenciana, especialmente a través de la Generalitat, ha apostado por las grandes dotaciones: el Circuito del Motor de Cheste, las instalaciones portuarias en Valencia y Alicante para la America's Cup y la Volvo Ocean Race, el Circuito urbano de Fórmula 1 de Valencia o el Ágora de la Ciudad de las Artes y las Ciencias.

Es bien visible cuál ha sido la orientación de la inversión pública en la última década. Los medios de comunicación no han contado, con dos salvedades. Radio Televisión Valenciana ha engullido cantidades astronómicas: en el presupuesto de 2008 se reconocían cerca de 1.200 millones de deuda (acumulados desde 2000), justo cuando la Generalitat anunció un nuevo modelo de financiación a través del cual la administración autonómica asumiría el monto total de esa deuda a partir de la entrada en vigor de los presupuestos autonómicos de 2009. De ser así, el dispendio quedará imputado a los contribuyentes valencianos.

Dos de las causas de la deuda, no únicas desde luego, parecen haber sido la contratación de producción audiovisual externa, a costes muy elevados, y el pago a periodistas, afines a la línea informativa de la entidad y especialmente de su mascaron de proa, Canal 9, participantes en diversos programas de debate y de creación de opinión. Algo muy parecido a lo que hace un siglo se llamaba el "fondo de reptiles", esto es, el dinero que iba a parar a manos de profesionales de la información para que quedasen convertidos en estómagos agradecidos.

La otra salvedad es la del programa "prensa y escuela", de la Generalitat, encargado de proveer a los colegios e institutos de la Comunidad de la prensa diaria. Sin duda, se trata de una forma de subvención indirecta a las empresas de medios escritos que ha funcionado de forma discriminatoria, premiando a los periódicos con líneas editoriales favorables a la política del Consell y castigando a quienes se mostraban críticos con la misma. Resulta casi imposible dar datos concretos sobre este programa, puesto que sus cifras han venido ocultándose de forma sistemática, incluso a los parlamentarios que las han solicitado en las Cortes valencianas.

Sin embargo, cuando la oposición socialista planteó en las Cortes, en junio de 2009, la concesión de ayudas a la prensa, que a causa de la crisis pasa por serios apuros, ayudas materializadas en suscripciones gratuitas de los jóvenes de 18 años al diario de su preferencia, distribución de la prensa en bibliotecas, centros sociales y escuelas a través de procedimientos objetivos y otras similares, el partido mayoritario rechazó la medida arguyendo que ya destinaba importantes cantidades a la promoción de la industria editorial y que los jóvenes pueden acceder a la prensa que le interese a través de Internet y de forma gratuita (*El País*, 11/6/2009).

A la postre, la inversión cultural en la Comunidad Valenciana durante la última década no tuvo en cuenta las voces de muchos economistas y de la Comisión Europea que advirtieron de la enorme potencialidad de la cultura para la creación de riqueza. Y, dentro de los sectores englobados bajo la etiqueta de culturales, los medios de comunicación y editoriales figuran entre los peor parados en el montante total de las inversiones[3]. Sin embargo, ha habido un aspecto en el que la política cultural ha tenido un extraordinario dinamismo. Si la dimensión simbólica de un espacio es un factor relevante para determinar su competitividad, cabe reconocer que la inversión pública, especialmente de la administración autonómica, en cultura ha servido para crear una imagen de marca (la Comunidad Valenciana como líder en grandes eventos y grandes hiperequipamientos) así como para potenciar uno de los elementos centrales de la comunicación política vinculada a los gobiernos de la Generalitat: la identificación entre el partido que la gobierna y los "intereses" de la Comunidad autónoma.

3. BASTIÓN DEL PARTIDO POPULAR

La Comunidad Valenciana está gobernada por el Partido Popular desde las elecciones autonómicas de 1995. Desde esa fecha, y con independencia del color político dominante en el gobierno central (PP desde 1996 hasta 2004 y PSOE desde 2004 hasta la fecha), el Partido Popular ha vencido en todos los comicios generales, autonómicos, locales y europeos, con amplio margen sobre el segundo partido más votado, el Partido Socialista del País Valenciano.

Durante la última década se ha acentuado la tendencia al bipartidismo. En las elecciones generales de 2000, los dos partidos mayoritarios agluti-

---

[3]   En 2006 de los 139.436 euros de gasto liquidado en cultura por la Administración Autonómica valenciana, sólo 5.257 se computaron en la partida de "Libro y audio-visuales".

naron el 87,1% de los sufragios; en las de 2004 el 91% y en las de 2008 el 93,3%. En las elecciones autonómicas esta tendencia apenas si se suaviza: en 2003 sumaron el 84,4% de los votos y en las de 2007 el 88,3%. La tendencia al bipartidismo se vio fortalecida por la marginación política del partido regionalista Unión Valenciana, a partir de 1999, y por el estancamiento de Esquerra Unida del País Valencià. Tampoco el único partido de connotaciones nacionalistas, el Bloc Nacionalista Valencià, ha obtenido resultados relevantes a lo largo de la década (Sanz, 2006).

Elección	Abstención	PP	PSPV	EU	UV	BNV	Otros
G-2000	27,3	52,7	34,4	5,9	2,4	2,4	2,1
A-2003	28,5	47,9	36,5	6,5	3	5,8	1,3
L-2003	28,4	43,7	36,2	6,4	3,6	5,8	4,3
G-2004	22,3	47,5	43,1	4,7		1,6	3,2
E-2004	49,6	50	42.4	3,4	0,5	1,1	2,6
A-2007	29,9	53,3	35	8,1	1		2,7
L-2007	30,2	47,3	35,2	5,7	0,9	4,1	6,8
G-2008	21,2	52	41,3	2,7		1,1	2,8
E-2009	47,2	52,8	38	2,8	0,2	1	5,2

Tabla 1. Procesos electorales en la Comunidad Valenciana, 2000-2009.
Fuente: Presidencia de la Generalitat Valenciana

El hecho de que tanto en las elecciones generales de 2004 como en las de 2008, en las que el PSOE consiguió obtener mayorías suficientes para la gobernación de España, hayan supuesto sendos triunfos para el Partido Popular de la Comunidad Valenciana, han convertido al PP valenciano —y al electorado de la Comunidad— en uno de los más firmes bastiones del PP español. De ahí que las elecciones autonómicas de 2009 se hayan considerado decisivas al respecto, al estar marcadas con connotaciones muy especiales.

En efecto, en las europeas del 26 de julio de 2009, el PP aventajó al PSPV en 14,8 puntos porcentuales, una distancia que sólo había sido mayor (de 18,3 puntos) en las elecciones autonómicas de 2007. Sin embargo, las elecciones europeas de 2009 se celebraron en un clima muy especial, con el presidente de la Generalitat, Francisco Camps, y el Secretario Regional del PPCV, Ricardo Costa, imputados por presuntos delitos de cohecho ante los tribunales, en el denominado caso *Gürtel*.

La campaña electoral en ningún momento fijó su punto de mira en el ámbito europeo que le resultaba propio, sino en los asuntos internos del país. En el caso valenciano, el Partido Popular estableció una agenda de campaña que suponía la búsqueda de refrendo al presidente de la Generalitat, en un momento de debilidad institucional vinculada a su imputación judicial y a los turbios asuntos relacionados con regalos a cambio de favores y contratas de las instituciones públicas, una trama de corrupción que ligaba presuntamente a Camps con una serie de empresas (Orange Market, Special Events, etc.) cuyos directivos se encontraban en prisión.

Consciente del peso del voto valenciano para los resultados electorales finales del PP en España, el líder nacional de esta formación, Mariano Rajoy, se volcó durante la campaña electoral en su apoyo a Camps, en tres mítines multitudinarios celebrados en las capitales provinciales, Alicante, Castellón y Valencia, mítines en los que hizo explícito y contundente el vínculo con Francisco Camps. Como queda dicho, el resultado electoral favoreció la estrategia desarrollada por el PPCV y el peso del voto valenciano fue decisivo para que se produjese la victoria en los comicios europeos, en el ámbito español, del Partido Popular liderado por Rajoy.

La situación electoral descrita no cierra, en absoluto, la incógnita judicial en la que han quedado atrapados los líderes autonómicos del PP valenciano. En un estado democrático de derecho, la justicia es uno de los tres poderes del Estado y actúa —o debiera actuar— en un plano nítidamente diferenciado del político (ejecutivo o legislativo). Ni las urnas absuelven de delitos cometidos, si es el caso, ni la presunción de inocencia se debe ver afectada por el lugar más o menos notorio que, en la esfera pública, ocupe un imputado. Otra cosa son los códigos éticos que acompañan a la práctica política y que, con frecuencia, airean los partidos cuando el afectado es el rival y tienden a esconder cuando la afectación es propia.

De ese modo puede entenderse la aparente paradoja de un presidente autonómico que consigue para su partido uno de los mejores resultados de su historia electoral, al mismo tiempo que, por su situación procesal, sitúa a la institución que preside en la mayor crisis institucional de su historia. La posición que ocupa Camps, en el momento de escribir estas líneas, es pues de máxima debilidad en el plano jurisdiccional —aunque absuelto en primera instancia por el Tribunal Superior de Justicia de la Comunidad Valenciana, la sentencia ha sido apelada y deberá ser revisada por el Tribunal Supremo, al tiempo que el Tribunal Superior de Justicia de la Comunidad de Madrid sigue investigando los posibles vínculos entre regalos recibidos y contratos formalizados— y de extraordinaria solidez en el plano político. Lo segundo no es, sólo, una derivación de sus éxitos electorales. Tiene mucho que ver con los ajustes internos experimentados por el Partido Popular de la Comunidad Valenciana en la última década.

Desde el triunfo autonómico del PP en 1995 hasta julio de 2002, gobernó la Generalitat Valenciana el presidente Eduardo Zaplana. Su acción de gobierno apenas si se vio entorpecida por la crítica del principal partido de la oposición, que se hallaba en situación de guerra fraticida. Zaplana diseñó una estrategia exitosa para la erosión de Unión Valenciana, partido que dejó de tener relevancia electoral a partir de 1999, en buena medida porque sus bases sociales quedaron aglutinadas en el voto al Partido Popular. Por otra parte, la política zaplanista mostró tres grandes líneas de actuación.

En primer lugar, la de un enorme pragmatismo, fuertemente desideologizado, vinculado a los beneficios de la gestión privada de los servicios que hasta entonces habían sido de gestión pública, tales como la enseñanza o la sanidad. Por otro lado, ante la favorable coyuntura económica internacional, se puso el acento en el "poder valencià", una marca que sirvió para la realización de grandes proyectos que dotaban de atractivo turístico a la Comunidad a costa de un endeudamiento rampante. El ejemplo más señero fue el de Terra Mítica, un parque de atracciones situado en las inmediaciones de la turística Benidorm, cuyas pérdidas ascendían a 260 millones de euros en 2002.

Y en tercer lugar, una decida política de control de los medios de comunicación (Gámir, 2005) que tuvo como estrella a la Radiotelevisión pública, pero que pasó también por mecanismos de subvención a medios privados y por las concesiones de frecuencias en el mercado radiofónico vinculadas a grupos económicos cercanos al concesionista. Los presupuestos de RTVV comenzaron a crecer con desafuero a partir de 1996: los 13.000 millones de pesetas de 1996 se convirtieron en 28.000 en el año 2000 y el déficit comenzó a dispararse en paralelo, aproximándose a los 50 mil millones de pesetas en el último año señalado (Laguna, 2006). Detrás de la gestión de los medios de comunicación se situó una bien trabada acción de comunicación política —tanto institucional como partidista— destinada a potenciar la imagen del presidente del Consell.

En julio de 2002 Eduardo Zaplana fue nombrado ministro de Trabajo en el gobierno presidido por José María Aznar. Abandonó la presidencia de la Generalitat, que pasó a manos de su vicepresidente económico, José Luis Olivas, hasta las elecciones autonómicas de 2003. El cabeza de lista en aquellas elecciones por el Partido Popular fue Francisco Camps, la persona en la que había confiado Zaplana para sucederle, en la esperanza de continuar influyendo de forma determinante sobre el partido desde su cargo ministerial. Pero el guión preestablecido se torció. Camps venció en la contienda autonómica de mayo de 2003, pero su ejecutoria como presidente de la Generalitat suponía que los sectores confesionales del Partido Popular, que habían sido postergados en el congreso que este partido celebró en Benidorm en 1993 a favor del sector liberal, tomaban de nuevo la iniciativa.

Pronto surgió el conflicto entre "campsistas" y "zaplanistas" y Camps, desde el poder institucional, fue erosionando las posiciones de los fieles de Zaplana, especialmente en las provincias de Castellón y Valencia, aunque siempre encontró un foco de resistencia bien parapetado en la de Alicante. Más allá de las batallas internas, el gobierno de Camps estableció una nueva agenda de acción política que pasaba por situar el foco en la reforma del Estatuto de Autonomía. No se abandonaron los grandes proyectos vinculados al modelo de crecimiento económico vinculado al turismo y a la construcción. No se soslayó, ni mucho menos, el control de los medios de comunicación y, de hecho, el déficit de RTVV siguió incrementándose a pasos agigantados. No se alteraron los modelos de apoyo a la escuela privada concertada o a la gestión privada de la sanidad y los servicios públicos, ni se disminuyó la intensidad de la política de endeudamiento público vinculada a la promoción del sector servicios. La Comunidad Valenciana pasó a ostentar el dudoso honor de liderar, en términos relativos, tanto la deuda por habitante como la deuda en relación al PIB: en 2008 la deuda ascendía a 12.000 millones de euros, lo que suponía el 11,1% del PIB.

El foco estatutario iba mucho más allá de la redacción y aprobación de un nuevo Estatuto que, pactado con el PSPV, se convirtió en ley a principios de 2005. Supuso también una nueva estrategia, especialmente útil a partir del momento —2004— en el que José Luis Rodríguez Zapatero, con el PSOE, llegó a la presidencia del gobierno de España: la estrategia de la "valencianización" del PPCV, con la intención de hacer confluir los "intereses" de la Comunidad con las líneas de actuación del partido y, por supuesto, del gobierno autonómico.

De ese modo, rescatando el viejo discurso del anticatalanismo y adobándolo con las formas discursivas que en otro tiempo pertenecieron a Unión Valenciana, el gobierno de Camps pasó a imputar al gobierno central la culpa de todos los males que se cernían sobre la Comunidad. Si los valencianos no tenían agua suficiente para regar sus campos era por la suspensión del Plan Hidrológico planeado por el gobierno de Aznar y llevada a cabo por el gobierno de Zapatero. Poco importaba que el nuevo gobierno central aportase más agua, a través de desaladoras y proyectos de recanalización, que la prevista en aquel Plan: el eslogan de "agua para todos" servía para arrojar sobre la ejecutoria del gobierno socialista el "maltrato" hacia los valencianos. Si la Comunidad Valenciana era la más endeudada en términos relativos de España no era por el despilfarro del Consell, sino por la falta de financiación que deparaba el gobierno central, incapaz de reconocer el crecimiento demográfico experimentado por la Comunidad, que hacía crecer las necesidades en servicios. Poco importaba que el modelo de financiación hubiese sido establecido por el gobierno de José María Aznar y aplaudido por la Generalitat Valenciana en su momento.

El discurso plañidero, según el cual el gobierno socialista resultaba el verdadero enemigo de los valencianos, se ha perpetuado en el tiempo, dados los magníficos resultados electorales que ha venido deparando al PPCV. Tal es así, que cualquier medida tomada por el gobierno central, especialmente cuando se trataba de políticas avanzadas en materia social o educativa, ha encontrado la feroz oposición del gobierno autonómico. Así por ejemplo, la implantación de la asignatura de Educación para la Ciudadanía en la ense-ñanza obligatoria o la aplicación de la Ley de Promoción de la Autonomía Personal y Atención a las personas en situación de dependencia y a las fa-milias, conocida como "ley de dependencia". Ante la primera, la Conselleria de Educación estableció una agenda de entorpecimiento de su implantación que pasaba por su impartición en inglés a niños y niñas que no podían com-prender este idioma. Ante la segunda, cuya andadura comenzó en 2007, la Conselleria de Bienestar Social, siempre quejosa de la falta de financiación, estableció la política de demorar o ralentizar las valoraciones de los depen-dientes. De este modo, la Comunidad Valenciana se sitúa en 2009 en la cola de las valoraciones: si su población representa en 11% del total, las valora-ciones efectuadas se sitúan en el 4%. La autonomía ha dejado de ingresar más de 32 millones de euros de los fondos del Estado por tales retrasos.

Sin embargo, hasta la fecha, la estrategia de entorpecimiento de la acción del gobierno central, combinada con el lamento constante por el presunto maltrato a los valencianos por parte del gobierno de Rodríguez Zapatero y con el incremento del déficit público relacionado con "grandes eventos" (el circuito urbano de Fórmula 1 y la celebración del Gran Campeonato de Europa en la ciudad de Valencia en los veranos de 2008 y 2009, por ejem-plo), ha dado buenos resultados a sus promotores. Hasta principios de 2009 la situación política del PPCV parecía particularmente sólida. Dos factores, sin embargo, se han dado cita para alterar potencialmente la situación. La dura crisis económica que, si es una realidad internacional y española, lo es todavía más para la Comunidad Valenciana, que lidera la destrucción de em-pleo en España, dado el estrecho vínculo que se había creado entre empleo y sector de la construcción, el más gravemente afectado por la recesión. Por otro lado, el *caso Gürtel*: caso judicial ya comentado y donde lo peor no es la imputación del presidente de la Generalitat, Francisco Camps, por haber recibido regalos, sino que esos regalos fueron realizados por una trama corrupta que esperaba obtener favores a cambio y que, en el caso de la Comunidad Valenciana, se benefició con contratos de diferentes administraciones autonómicas por un montante superior a los 8.000 millones de euros.

La crisis económica altera el marco de crecimiento económico que había sido la pauta de los gobiernos de Eduardo Zaplana, José Luis Olivas y Francisco Camps hasta 2008. El caso Gürtel propina un varapalo a la imagen ética del principal mandatario de la autonomía valenciana, así como de una parte importante de sus colaboradores. Es imposible saber cómo influirán estos elementos en el devenir de la política valenciana. Sin duda, el control de los medios de comunicación, especialmente de la RTVV, sigue jugando su papel: en la pantalla de Canal 9 la crisis económica no tiene más responsable que Zapatero y el caso Gürtel es una artimaña socialista para desgastar al Partido Popular. Pero sería un error pensar que los medios públicos de comunicación son el resorte que explica, por sí sólo, el indudable éxito electoral del PPCV, incluso en las elecciones europeas de 2009, cuando la crisis y el caso Gürtel ya estaban en marcha. El apoyo al PPCV por parte de la opinión pública valenciana y su traducción electoral tiene mucho que ver con las transformaciones productivas y sociológicas experimentadas por la sociedad valenciana en los últimos tres lustros.

4. SOCIOLOGÍA DEL POSICIONAMIENTO POLÍTICO

Un trabajo reciente de Joaquín Azagra y Joan Romero (2007) ha analizado las bases sociales de los dos principales partidos de la política valenciana comparando la situación a principios de la década de 1980 con la de principios del siglo XXI. Bien documentada, la conclusión es sencilla: la evolución sociológica experimentada por la sociedad valenciana ha jugado a favor del PP, por cuanto este partido ha ampliado los porcentajes de voto entre los sectores sociales que han crecido en los últimos lustros, mientras el PSOE ha mantenido sus apoyos fundamentales entre los sectores sociales que decrecían.

Dicho de otro modo: la tipología social del electorado "fiel" del PP y del PSOE no ha variado en exceso, pero sí ha variado sustantivamente el peso relativo que los sectores sociales de sustentación del voto clasista de estos dos partidos tiene en la sociedad valenciana. Los trabajadores industriales, los asalariados agrarios y los parados eran, a principios de la década de 1980, el núcleo que aglutinaba el voto hacia el PSPV. Lo sigue siendo en la

actualidad, pero su peso relativo en el conjunto de la sociedad ha disminuido. Los sectores agrario e industrial se han visto ampliamente sobrepasados
por el sector servicios. La tercialización de la economía valenciana ha sido
el vector fundamental de su crecimiento en los últimos lustros. En consecuencia, el "núcleo" duro de los votantes socialistas ha disminuido por-
centualmente. Por su parte, empresarios, autónomos, propietarios rurales,
directivos y profesionales eran la base electoral del PP cuando culminaba
la Transición política. También siguen siéndolo hoy. Pero la tercialización
económica ha hecho, por ejemplo, que el número de profesionales, geren-
tes, directivos o altos funcionarios se haya disparado, aumentado un 414%
entre 1977 y 2005.

Es obvio que los grupos sociales con mayor propensión a decantar su
voto por una u otra formación partidista —el vínculo entre voto y clase
social— no explican por sí solos los resultados electorales y, para el caso
que nos ocupa, la consolidación electoral del PP desde 1995 hasta la fecha.
El gran éxito electoral del PP, especialmente desde el año 2000, es el inter-
clasismo de quienes depositan en este partido su confianza. La clave para
arrastrar votos en todos los sectores sociales es plural. En primer lugar, el
PPCV ha conseguido canalizar votos que antes estaban dispersos en opciones de centro, de derecha, de extrema derecha y regionalistas, convirtiéndose en una "marca" casi exclusiva para cubrir un posicionamiento político
de banda extraordinariamente ancha.

En segundo lugar, pero no menos importante, el PPCV ha aprovechado
las pérdidas del voto clasista del PSPV que se localizan, fundamentalmente,
entre las clases medias, con alto nivel educativo y mayoritariamente asalariadas. La hipótesis que lanzan Azagra y Romero al respecto es plausible:
el modelo modernizador y de redistribución de la renta implantado por los
gobiernos autonómicos socialistas con anterioridad a 1995 requirió un aumento de la presión fiscal que recayó sobre el grupo señalado de las clases
medias asalariadas. Sin duda, esa presión fiscal sirvió para construir una
red de servicios públicos que homologaba al país como Estado del Bienestar,
pero fue vista como excesiva o sin contrapartidas suficientes por parte de
quienes la soportaban mayoritariamente. De ahí que la política fiscal de los
gobiernos autonómicos del PP les haya resultado más favorable, puesto que
ha consistido en convertir los impuestos en un "futuro" vía endeudamiento
público. Y la política, ya se sabe, es siempre presente.

Cuando en el 2000 los sociólogos García Ferrando y Ariño (2001) trataron
de radiografiar los valores presentes en la sociedad valenciana, observaron
que se estaba produciendo un cambio hacia lo que Inglehart llamó valores
posmaterialistas vinculados a la satisfacción vital y a la libertad personal.

Pero ese avance era extraordinariamente lento, quedando los valores materialistas, vinculados al crecimiento económico, a la estabilidad, al empleo o a la seguridad, muy por delante. Sin duda, los gobiernos del PP han vinculado sus políticas a estos valores materialistas y, a mayor abundamiento, desde que en 2004 gobierna Rodríguez Zapatero, las han contrastado con las políticas de ampliación de derechos civiles, individuales y colectivos, y en ese sentido posmaterialistas (ley de matrimonios homosexuales, ley de igualdad de género, etc.), que han sido una de las líneas políticas fundamentales de la acción de gobierno socialista. Sin embargo, este contraste no ha supuesto la concreción de una imagen retrógrada o reaccionaria para el PPCV. Antes al contrario, ha conseguido construir una imagen de reivindicación ante el poder central y, al mismo tiempo, a través de los grandes eventos y de los hiperequipamientos ha dado satisfacción a los pespuntes posmaterialistas que, en efecto, asoman en la sociedad valenciana.

El resultado de esta combinación de factores, sumados a la acción de la comunicación política y al estricto control del mensaje en los medios públicos de información, ha deparado la enorme solidez electoral del "bastión" valenciano del Partido Popular. Como ya se observó más arriba, han surgido en los últimos tiempos factores que pueden alterar la situación. La crisis económica puede reestructurar a medio plazo el sistema productivo valenciano, reordenando a su vez la estructura sociológica. Las clases medias, que en época de bonanza económica tendieron a alejarse de los servicios públicos, sustituyéndolos por privados, podrían volver sobre sus pasos. Como dijo un gran historiador, las capas medias de la sociedad son especialmente volátiles en su posicionamiento político en función de la coyuntura económica. Por otro lado, si el PP alcanzó el poder autonómico en 1995 con la promesa de liquidar la corrupción que había afectado al PSOE, en 2009, con el *caso Gürtel* de por medio, esa línea de discurso parece del todo neutralizada. El resto, claro, es incógnito.

5. LA MATERIALIDAD DE LA COMUNICACIÓN

Decía Daniel Jones (2005) que la estructura de la comunicación social es una interdisciplina que se interesa por el análisis de la materialidad de los fenómenos comunicativos y culturales, desde la historia, la economía, la política, la sociología y la tecnología. Y, hasta aquí, hemos esbozado algunas pinceladas de historia reciente, de economía, de política y de sociología para que el lector pueda enmarcar la emergencia de las industrias culturales, en su sentido más amplio, en la Comunidad Valenciana.

En la encuesta que se realizó en 2007 sobre los equipamientos de tecnologías de la información y la comunicación en los hogares valencianos (IVE, 2009) resultó que todos cuentan con televisión, un 92% con teléfono móvil, un 85% con aparato de radio, un 79% con DVD, un 75% con teléfono fijo, un 69% con vídeo, un 65% con cadena musical, un 49% con ordenador de sobremesa y un 19% con ordenador portátil, situándose en un 43% el número de viviendas con acceso a Internet.

Se trata, tan sólo, de una encuesta sobre "canales" de comunicación e información, y ni siquiera están todos representados, puesto que el papel y la imprenta, por ejemplo, ya no se consideran tecnologías de esta naturaleza (¿*goodbye* Gutenberg?) y en todo caso no pueden conceptuarse como equipamientos. Y aunque estuviesen presentes, lo cierto es que el canal no es más que uno de los elementos del proceso comunicativo. Sin duda relevante, en tanto en cuando se relaciona con los conceptos de accesibilidad y de mercancía. Lo primero, porque permiten al usuario acceder a grandes cantidades de información y/o entretenimiento. Lo segundo, porque tienen valor de cambio, un coste económico que los pone a disposición de determinadas rentas familiares y los aleja de otras.

El canal distribuye los contenidos de carácter simbólico, pero ni los produce ni los consume. Estas dos, producción y consumo, son las facetas menos visibles del proceso comunicativo. Pero tienen una extraordinaria relevancia. Sería absurdo olvidar que los emisores están organizados empresarialmente para la producción de mercancías y con el objetivo del lucro. Al menos en su mayoría, puesto que también se incorporan al sistema comunicativo emisores corporativos, de índole institucional, que también buscan beneficios —aunque de otra naturaleza— que conviene, siempre, desentrañar. De hecho, privados o públicos, los emisores son también actores políticos que pueden actuar como activadores del debate en la esfera pública, pero también como promotores de eso que el clásico llamaba la alienación. Desde luego, el empeño del emisor por llegar de una manera u otra a su audiencia no siempre se compagina con el consumo y la recepción que ésta hace del producto simbólico en cuestión. La capacidad para influir socialmente de los emisores, para orientar políticamente, para transmitir valores sociales o ideológicos, topa, a veces, con una audiencia que "lee" los contenidos de forma oblicua, tamizándolos a través de sus propias experiencias vivenciales y de sus otras fuentes informativas, digamos no regladas y vinculadas a sus ámbitos de sociabilidad. El combate entre el ser social y la mercancía simbólica, propio del territorio de la audiencia, no tiene siempre un mismo vencedor.

Lo que desde luego no está escrito es cómo se interrelacionan en un sistema de comunicación dado, por ejemplo el que podemos acotar en el ámbito de la Comunidad Valenciana, todos los elementos señalados y que configuran la estructura de la comunicación social. Parece obvio, llegados a este punto, que resulta absurdo intentar escribir o comprender nuestra "historia del tiempo presente" en ausencia de emisores, canales y audiencias. La comunicación ha de quedar integrada en la explicación. Nunca desde la voraz pretensión omniexplicativa; siempre desde la interrelación con lo económico, lo social, lo político y lo tecnológico.

Bibliografía

AZAGRA, J. y ROMERO, J. (2007). *País complex. Canvi social i polítiques públiques en la societat valenciana (1977-2006)*. Valencia: Universitat de València.

DÍAZ GONZÁLEZ, M.J. (2005). "El sector de medios de comunicación en los sectores empresariales españoles", en *Sphera Publica. Revista de ciencias sociales y de la comunicación*, núm. 5 (Murcia), pp. 99-108.

GAMIR RÍOS, J.V. (2005). "Poder político y estructura mediática: la comunicación en la Comunidad Valenciana durante la presidencia de Eduardo Zaplana (1995-2002)". *Aposta. Revista de Ciencias Sociales*, núm. 23 (diciembre, 2005), http://www.apostadigital.com/revistav3/hemeroteca/gamir.pdf

GARCÍA FERRANDO, M. y ARIÑO, A. (2001). *Posmodernidad y autonomía. Los valores de los valencianos*. Valencia: Tirant lo Blanch.

INSTITUT VALENCIÀ D'ESTADÍSTICA (IVE) (2002). *La Comunidad Valenciana en cifras 2001*. Generalitat Valenciana: Valencia

INSTITUT VALENCIÀ D'ESTADÍSTICA (IVE) (2009). *La Comunidad Valenciana en cifras 2008*. Generalitat Valenciana: Valencia.

JONES, D.E. (2005). "Aproximación teórica a la Estructura de la Comunicación Social". En *Sphera Publica. Revista de ciencias sociales y de la comunicación*, núm. 5 (Murcia), pp. 19-39.

LAGUNA PLATERO, A. (2006). "La comunicació: mitjans, empreses privades i corporació pública". En PIQUERAS, J.A.: *Història del País Valencià. Transició, democràcia i autonomia* Volum 6. Barcelona: Edicions 62; pp. 355-370.

RAUSSELL KÖSTER, Pau (2008). "Cultura en la Comunidad Valenciana", http://www.uv.es/econcult/pdf/CulturaComunidadValencianaPauRausell.pdf

SANZ, V. (2006). "L'etapa de predomini conservador (1995-2006)". En PIQUERAS, J.A.: *Història del País Valencià. Transició, democràcia i autonomia* Volum 6. Barcelona: Edicions 62; pp. 173-214.

URIEL, E. (2007). *El valor económico de la cultura en España*. Ministerio de Cultura: Madrid.

2
LA COMUNICACIÓN EN LA COMUNIDAD VALENCIANA Y SU CONTEXTO

José María Bernardo
Universitat de València

José Vicente Gámir
Universitat de València

Francesc Martínez Sanchis
Universitat de València

Este capítulo pretende abordar fundamentalmente tres cuestiones que entendemos indisociables y complementarias al mismo tiempo. En primer lugar, y como aproximación teórica, revisaremos la relación entre la lógica de la comunicación en un mercado de dimensión global con sus manifestaciones locales. A continuación, revisaremos someramente la configuración del panorama comunicativo valenciano como vía para detectar el grado de influencia de los grandes grupos mediáticos españoles. Por último, analizaremos detalladamente la presencia de la lengua propia de la Comunidad Valenciana, el valenciano, en los medios de comunicación, así como las razones de su minusvaloración con respecto al castellano. Razones que, en buena medida, pueden deducirse a su vez de lo explicado en los dos primeros epígrafes.

1. LA COMUNICACIÓN GLOBAL Y LA COMUNICACIÓN LOCAL. DE LA FRACTURA A LA CONVERGENCIA

1.1. Las paradojas de lo global y lo local

La globalización ha de considerarse más que una realidad, un objetivo perseguido por determinados agentes individuales o institucionales que han diseñado un proceso que, a largo plazo, conduzca a un modelo de sociedad mundial en la que sus miembros, individuos y colectividades, estén interconectados. Lo local, en cambio, es un espacio real de carácter geográfico, social y cultural que define las fronteras espaciales y las identidades socioculturales con respecto a otros territorios y que comporta una forma de convivencia y de comportamiento acorde con determinadas peculiaridades culturales y lingüísticas que se traducen en visiones del mundo, construcciones simbólicas y ritos variados en el transcurso de su cotidianidad.

Desde una perspectiva radical se ha considerado que las relaciones entre lo global y lo local, en cualquiera de las dimensiones de la sociedad, y por supuesto en la comunicativa, comportan la eliminación de lo local como espacio de identidad por parte de lo global, a través de un proceso perfectamente planificado de homogeneización (Herman y Mc Chesney, 1997). Esa perspectiva ha ido adquiriendo matices con el tiempo. Es cierto que la globalización puede comportar el riesgo de borrar o, cuando menos, desdibujar, las peculiaridades de las comunidades sociogeográficas locales, pero no es menos cierto que la propia dinámica social pone de manifiesto la existencia de múltiples interconexiones entre el espacio global y el local, aunque a veces responda a estrategias de los agentes globales para conseguir una acción más eficaz.

Con gran oportunidad teórica y empírica, Ritzer (2006) ha acuñado unos términos cuya delimitación conceptual aporta realismo y rigor intelectual. Según este autor (2006:18): "La globalización es [un concepto] demasiado amplio para nuestros propósitos, pues combina lo que será visto como dos subprocesos que son, al menos hasta cierto punto, contradictorios. El primero es el proceso bien conocido de *glocalización* mediante el cual la interacción de lo global con lo local produce algo nuevo: lo glocal. Sin embargo, éste no incluye los procesos globales que tienden a destruir lo local. Acuñaremos un nuevo término aquí a fin de complementar el concepto de glocalización —*grobalización*— que permitirá describir el proceso que, regido por imperativos de crecimiento, [...] lleva a organizaciones y naciones a expandirse globalmente y a imponerse sobre lo local. Por ello que la globalización involucra una profunda lucha entre lo grobal y lo glocal".

1.2. Las constantes de la globalización comunicativa

El paralelismo entre la dinámica socioeconómica global o local y la comunicativa queda reflejado con claridad en la relación que hace Bustamante (2004: 27-30) de las tendencias más representativas en las industrias culturales[1]:

---

[1]   La tipología de esas industrias más aceptada actualmente se basa en la función de los sectores que han ido configurándose históricamente de acuerdo con los diferen-

1) La *desregulación*, cuyo significado fundamental es la retirada paulatina del Estado y la expansión de una dinámica económica y de mercado, así como el debilitamiento de las fronteras casi autárquicas que definieron en una época los sistemas nacionales, para aumentar sus vinculaciones con el mercado mundial.

2) La *globalización*, en cuanto estrategia mundial volcada hacia un mercado mundial que, no obstante, no siempre supone la homogeneización y estandarización de la oferta y del consumo y donde la tendencia al "localismo" o reivindicación de proximidad mantiene relaciones complejas y, en ocasiones contradictorias, con esa tendencia indudable hacia la mundialización.

3) La *integración*, entendida como un acelerado proceso de integración entre todas sus generaciones, de tal manera que los sectores clásicos del audiovisual dejan de ser departamentos estancos, creativa y económicamente, e incrementan las interrelaciones entre sí y con los nuevos soportes y mercados.

4) La *convergencia*, que, explicada normalmente a partir del desarrollo tecnológico, conduce a la difuminación de los límites precisos que separaban durante décadas a las telecomunicaciones y la televisión, y a ambas con la informática.

La delimitación del sistema de la comunicación como conjunto de industrias culturales y comunicativas concede relevancia especial a determinados aspectos del desarrollo de este trabajo que, a modo de resumen, están reflejados en el diagnóstico que hace Reig (2004) de la lógica dominante en el comportamiento de los conglomerados mediáticos en paralelo con la lógica socioeconómica global. A su entender, dichos conglomerados: 1) están conectados a redes financieras y tecnológicas (telecomunicaciones); 2) se han ido fusionando progresivamente (esta dinámica proseguirá en el futuro); 3) establecen alianzas y acuerdos coyunturales para acciones concretas y para compra-venta de productos mensajísticos; 4) es frecuente que compartan la propiedad de alguna empresa mediática o de otro tipo; 5) fijan el "orden del día" del mundo a través de sus servicios audiovisuales y de prensa; 6) influ-

---

tes tipos de creación, los diversos soportes y técnicas reproductivas, las prácticas de consumo y los modos de financiación que han cristalizado. Acorde con lo anterior, se habla (Bustamante, 2003: 24-25), por una parte, de "los productos editoriales o mercancías culturales, como la edición de libros o fonográfica o el cine-video". Por otra, de "los sectores de la cultura del flujo, como la radio y la televisión, calificados generalmente como medios de comunicación masiva."

yen en mayor o menor medida en las culturas/mentalidades de los pueblos. Desde finales de la segunda guerra mundial vienen construyendo nuestro universo simbólico; 7) son globalmente locales y localmente globales; 8) no tienen un contrapoder o contracultura similar a la de ellos; 9) el receptor está obligado a contrarrestar sus posibles influencias negativas recurriendo a otras fuentes de formación e información.

1.3. Global y local en la comunicación valenciana. Pautas de estudio

Las constantes seleccionadas como más significativas en la dinámica de la globalización comunicativa pueden hacer pensar en el pleno dominio e imposición de lo global sobre lo local. No obstante, también conviene tener presentes las posibles interrelaciones que Segovia (2005: 54) hace explícitas cuando señala que "las estrategias son comunes. Las corporaciones extranjeras prefieren llegar a un nuevo mercado de la mano de una empresa nacional, que aporte conocimientos de referencia necesarios para una implantación exitosa. Mientras que los grupos nacionales, dadas las exigencias inversoras requeridas en los nuevos sectores, sin olvidarnos de la necesidad de contenidos, recurren a las grandes firmas que les proporcionan el capital, la tecnología o la programación precisos. De ahí que las interconexiones entre empresas de medios, grandes o pequeñas, transnacionales o locales, sean moneda corriente."

Teniendo en cuenta lo lo anterior parece, pues, correcto defender la hipótesis de la existencia de interacción y complementación entre la comuniación global que, en este caso, puede verificarse a través de su plasmación en el espacio concreto de la Comunidad Valenciana. Se trata, en cierto modo, de ratificar la existencia de lo que, en términos de Ritzer (2006), constituiría la *glocalización*, sin descartar, por supuesto, la existencia igualmente de procesos de *grobalización* que pongan de manifiesto tanto las acciones de las empresas globales para imponerse en el ámbito comunicativo local como los posibles riesgos que ese comportamiento acarrea para la identidad social, cultural y comunicativa de los miembros de esta comunidad.

Una primera constatación de la interconexión entre global y local en la Comunidad Valenciana se pone de manifiesto con el estudio de la acción de las empresas y de los dueños, ya que en ese espacio comunicativo se ofertan y consumen tanto productos provenientes exclusivamente de conglomerados globales como los que suponen una coparticipación de empresas globales y locales. Como riesgo fundamental encontramos la preponderancia de supuestos e intereses globales no sólo en lo que respecta a la imposición de una lógica económica por encima de la sociocultural y comunicativa, sino también, y quizás de forma muy especial, en la conformación de los imaginarios colectivos con respecto, por ejemplo, al modelo de sociedad y a los valores dominantes que se intenta trasmitir (Muñoz, 2005; Barker, 2003; De Moraes, 2005).

En segundo lugar, es preciso analizar los marcos jurídico-administrativos que rigen las relaciones entre la comunicación global y la local y que hacen referencia a las políticas globales (Mattelart, 1998, 2005) y a la normativa jurídico-administrativa que rige la actividad de las industrias culturales y de la comunicación local o autonómica de la Comunidad Valenciana, que ha de enmarcarse en otros ámbitos legales procedentes de organismos reguladores internacionales, europeos y nacionales (Vidal y Linde, 2009) a los que tiene que atenerse en todo momento la regulación autonómica. Esas pautas legales, reguladoras y normativas están conformadas con criterios e intereses no específicamente locales o autonómicos. Pero, al mismo tiempo, no constituyen necesariamente obstáculos o barreras insalvables (Mattelart, 2005) para la construcción de espacios de identidad social, cultural y comunicativa, siempre y cuando los responsables de las políticas locales y autonómicas tengan una voluntad expresa de reivindicar esa identidad y no se escuden precisamente en la normativa nacional, europea o global para minusvalorar o destruir la identidad social, cultural o lingüística.

Los dueños de las industrias culturales y comunicativas poseen, además, una responsabilidad e incidencia fundamental de los formatos y contenidos de los productos de los medios de comunicación social. De hecho, ese espacio del proceso de producción de las industrias y medios de comunicación escritos, audiovisuales o digitales constituye un ámbito privilegiado para constatar posibles interacciones o complementaciones en aspectos relacionados con la construcción de los productos, especialmente en la selección, jerarquización y tematización de la información que conforma los contenidos de los programas informativos de los medios locales o autonómicos. Por supuesto, esa evaluación debe extenderse a las industrias del cine, de la televisión, de la música o de los videojuegos.

Por último, la recepción y el consumo de los medios, de sus productos y discursos, como fase final de la dinámica comunicativa e informativa, constituye un parámetro fundamental del análisis y verificación, primero porque es una forma de comprobar la circulación de los productos mediáticos globales y locales en la sociedad valenciana y, en segundo lugar, porque permiten conocer la reacción de los receptores/consumidores frente a la comunicación global o local, actitud en la que cumple un papel fundamental el poder y capacidad de las empresas mediáticas con respecto a la circulación de los productos comunicativos, por más que en la decisión del consumo tenga un papel determinante la propia cultura y competencia de los consumidores reales y potenciales.

2. EL SISTEMA MEDIÁTICO VALENCIANO Y SU INSERCIÓN EN EL CONTEXTO ESPAÑOL

La Comunidad Valenciana concentra un gran número de medios de comunicación en todos los formatos y soportes, pero su elevada cuantía no implica en modo alguno una pluralidad informativa real. Como hemos visto, el sistema de medios se caracteriza por la concentración de la propiedad en torno a grandes grupos nacionales, la progresiva homogenización del mensaje, la ausencia de medios netamente locales/autonómicos y el carácter minoritario y minorizado del valenciano. La concentración de la propiedad y la homogeneización del mensaje son rasgos comunes al sistema español en su conjunto, con el que, sin embargo, no comparte la distribución de audiencia entre los diferentes formatos, entre los que la prensa resulta especialmente perjudicada.

La Comunidad Valenciana es, así, la quinta autonomía con un menor porcentaje de población lectora de prensa diaria (34,2%), sólo por detrás de Castilla-La Mancha (26,7), Extremadura (31,2%), Murcia (32,7%) y Andalucía (32,8%), y ocho puntos por debajo de la media española, situada en el 42,1%, según datos de 2008 de la Asociación de Investigación de los Medios de Comunicación, recogidos por el Instituto Nacional de Estadística y referidos a la población de más de 14 años.

A su vez, en 2007, según datos de la revista especializada *Noticias de la Comunicación*, era la quinta autonomía con un menor índice de difusión de prensa, con 65 ejemplares vendidos por cada mil habitantes, sólo por detrás de Castilla-La Mancha (41), Murcia (53), Extremadura (55), y Andalucía (59), y veinte ejemplares por debajo de la media española, situada en 86 periódicos vendidos por cada mil habitantes. Desde 1997, año en el que ostentaba un índice de difusión de prensa de 87,4 ejemplares por millar de habitantes, la comunidad ha perdido 20 ejemplares por cada mil personas. Además, en 2007 se situaba en 35 ejemplares por debajo de los cien en los que la UNESCO sitúa el inicio del subdesarrollo cultural en lectura de prensa.

Asimismo, es la sexta autonomía con un menor porcentaje de oyentes de radio generalista (25,5%), sólo por detrás de Murcia (22,3%), Baleares (23,2%), Canarias (23,5%), Extremadura (24,4%) y Castilla-La Mancha (25,4%), y dos puntos por debajo de la media española, situada en el 27'9%, según datos de la AIMC de 2008 y referidos a la población de más de 14 años.

La autonomía está, en cambio, un punto por encima de la media española en cuanto al porcentaje de espectadores diarios de televisión sobre la población total (89,8% frente a 88'5%), también de acuerdo a los datos de la AIMC.

2.1. Prensa

Todos los diarios de información general distribuidos en la Comunidad Valenciana, gratuitos o de pago, son propiedad de grupos de comunicación que trascienden los límites autonómicos.

Respecto a la prensa generalista de pago, la Comunidad Valenciana dispone de cuatro diarios editados y distribuidos exclusivamente en su territorio, pero que son propiedad de grupos de ámbito nacional. Es el caso de *Levante-EMV, Información, Las Provincias* y *Mediterráneo*. Tanto *Levante-EMV* como *Información*, antiguas cabeceras de la cadena de prensa del Movimiento Nacional en las provincias de Valencia y Alicante, son propiedad del grupo Editorial Prensa Ibérica desde 1984 y presentan una línea editorial progresista. *Las Provincias*, el diario conservador y regionalista por excelencia de la provincia de Valencia, pertenece de forma mayoritaria al grupo Vocento. *Mediterráneo*, cabecera de la cadena de prensa franquista en Castellón, es propiedad del grupo Zeta, que también posee *Ciudad de Alcoy* y el *Periòdic d'Ontinyent,* dos de los periódicos comarcales con mayor difusión y audiencia de la Comunidad Valenciana.

A su vez, los cuatro principales diarios nacionales editados en Madrid disponen de ediciones en la C. Valenciana de ámbito provincial o autonómico. Aunque la extensión de las ediciones regionales varía en función de los casos, tanto *El País* como *El Mundo, ABC* y *La Razón* informan diariamente de la actualidad autonómica. La edicionalización ha servido para consolidar la presencia de sus respectivos grupos (PRISA, Unidad Editorial, Vocento y Planeta) en el territorio.

Asimismo, como en el resto de España, es notable la implantación de los diarios gratuitos. Tras la desaparición de *Metro*, se editan en la actualidad *20 Minutos, Qué,* y *ADN*. Aunque destinan sólo entre dos y tres páginas a la información de la Comunidad Valenciana, es el formato que logra una mayor difusión. Tanto *Qué* como *ADN* son propiedad de grupos de ámbito nacional. El primero pertenece a Vocento. El segundo, a Planeta.

Los tres periódicos generalistas de pago más difundidos son *Levante-EMV*, *Las Provincias* y *El País*, seguidos por *El Mundo* y, a mucha mayor distancia, *ABC* y *La Razón*. En cuanto a la audiencia, el más leído es *Levante-EMV*, seguido por *El País* y *Las Provincias*. El volumen de lectura de *ABC* y *La Razón* es muy escaso. La difusión (según datos globales de la Oficina de Justificación de la Difusión correspondientes a 2008) y la audiencia (según datos de la tercera oleada del Estudio General de Medios de 2008) de dichos periódicos son las siguientes:

	Promedio difusión autonómica	Audiencia autonómica
Levante	40.035	316.200
Las Provincias	38.278	191.000
El País	36.681	222.500
Información	30.088	217.100
El Mundo	30.026	136.800
ABC	15.416	30.700
La Razón	12.525	36.500
Mediterráneo	10.295	97.100
La Verdad	4.218	22.800
20 Minutos	91.655	217.700
Qué	69.240	189.800
ADN	57.341	120.000

Tabla 1. Difusión en la Comunidad Valenciana, diarios impresos.

Fuente: EGM y elaboración propia

2.2. Radio

La Comunidad Valenciana dispone en la actualidad de 197 frecuencias de radio autorizadas, de las que 105 dependen de empresas u organismos públicos y 92 por compañías privadas.

De las 105 frecuencias gestionadas por empresas u organismos públicos, 37 FM están programadas por ayuntamientos; 18 FM por la empresa pública autonómica Radio Autonomía Valenciana (RAV), del grupo Radiotelevisió Valenciana (RTVV), de las que 15 emiten la programación de Ràdio Nou y 3, la de Sí Ràdio; y 50 por la Corporación Radiotelevisión Española (RTVE), de las que 15 emiten los programas de Radio Nacional (12 en FM y 3 en OM),

12, los de Radio Clásica; 12, los de Radio 3, y 11, los de Radio 5 (7 en FM y 3 en OM).

De las 92 emisoras privadas autorizadas, 89 son comerciales y 3 disponen de licencia de emisión cultural. De las comerciales, sólo 3 son independientes, mientras que las 86 restantes son propiedad o están asociadas a cadenas de ámbito nacional. De ellas, 41 emiten alguna de las programaciones de PRISA-Unión Radio (SER AM, 7; SER FM, 17; Los 40, 9; Cadena Dial, 4; M80, 3; Máxima FM, 1); 18 de COPE (COPE AM, 3; COPE FM, 8; Cadena 100, 5; Rock & Gol, 2); 17 de Planeta-Antena3 (Onda Cero, 11; Europa FM, 5; Onda Melodía, 1); 5 de Kiss FM, 3 de Punto Radio, 1 de Radio Marca y 1 de Radio Intereconomía.

El sistema radiofónico privado presenta así un importante predominio de los grupos radiofónicos nacionales, que emiten a través de 86 FM comerciales de las 92 privadas autorizadas (el 93,4%), mientras que sólo 6 emisoras privadas mantienen su independencia: tres comerciales (3,3%) y tres culturales (3,3%). Asimismo, las diferentes programaciones de PRISA-Unión Radio copan el 46% de las 89 frecuencias privadas comerciales, mientras que las de COPE representan el 20% y las de Planeta-Antena3, el 19%.

Respecto a la audiencia de las radios generalistas, y de acuerdo a la tercera oleada del EGM de 2008, la SER es líder de audiencia en la Comunidad Valenciana con 542.000 oyentes. Le siguen COPE, con 214.600; Onda Cero, con 182.500; Radio Nacional, con 107.000; Ràdio Nou, con 59.000; y Punto Radio, con 41.100.

Las cifras muestran las principales características del sistema radiofónico valenciano: la concentración de la propiedad (aunque alguna de las emisoras que emiten programación en cadena son radios asociadas o afiliadas de titularidad independiente), la homogeneización de la oferta programática, la polarización de la audiencia y la ausencia de cadenas radiofónicas autóctonas.

El panorama radiofónico actual es consecuencia de las tres tandas de concesiones efectuadas desde la Transición (1981, 1989 y 1998) y de la herencia recibida del franquismo. Sin embargo, el ejecutivo autonómico tiene ahora una nueva oportunidad de apostar por la pluralidad. El Plan Técnico Nacional de Radiodifusión Sonora en Ondas Métricas con Frecuencia Modulada, aprobado por el Gobierno central en 2006, otorga a la Comunidad Valenciana 31 nuevas emisoras privadas, el 43'6% de las solicitadas. El Consell convocó el concurso el 27 de febrero de 2007, al que optaron ciento once empresas mediante la presentación de 747 ofertas válidas. El gobierno autonómico, que aún no ha resuelto la concesión, debe decidir todavía si revierte la tendencia de concentración de propiedad, homogeneización de la oferta y control de los grupos nacionales, o aprovecha la coyuntura para revertir la situación.

2.3. Televisión

Los orígenes del sistema televisivo valenciano se remontan a 1959, con el inicio de las emisiones de Televisión Española en Valencia y las poblaciones de su alrededor, pero no fue hasta 1974, con la aparición del telenoticias Aitana, cuando empezó a emitirse programación específica en el territorio valenciano. Treinta y tres años más tarde, los ciudadanos de la Comunidad Valenciana pueden recibir emisiones televisivas tanto de forma analógica como digital, tanto a través de ondas hertzianas como de satélite, cable o ADSL; tanto de ámbito local-comarcal, como autonómico, estatal e internacional.

La Comunidad Valenciana era en 2002, el último año en que la Asociación para la Investigación de los Medios de Comunicación editó el Censo de Televisiones Locales, la segunda autonomía española con un mayor número de emisoras televisivas de proximidad. Las 122 emisoras suponían el 13,16% de las 897 existentes en el país. Empezaron a implantarse en 1984 y se desarrollaron en la alegalidad y, por tanto, en la incertidumbre económica, jurídica y profesional. Siete años después de que en 1995 el gobierno central empezara a legislar sobre el sector y dos años antes de que en 2004 lo empezara a regular, diversas redes nacionales se habían implantado ya en el territorio valenciano mediante acuerdos de asociación. Localia disponía de 7 emisoras; UNE, de otras 7; Local Media, de 3; Canal 47, de 2; y el Grupo Correo Prensa Española, de 1. Por otra parte, desde finales de la década de los noventa aparecieron nuevas televisiones con vocación de cobertura provincial, como Valencia TeVe, LP TeVa y Canal 7-Televalencia.

La estructura del sistema quedó alterado de forma notable cuando en 2005 el Gobierno autonómico concedió la gestión de los canales de televisión digital terrestre correspondiente a 14 de las 18 demarcaciones en las que el Plan Técnico Nacional de Televisión Digital Local divide la Comunidad Valenciana. El Ministerio de Industria no había asignado frecuencia a los múltiples de cuatro demarcaciones (Dénia, Vall d'Uixó-Segorbe, Gandía y Utiel-Requena), y el ejecutivo autonómico reservó un programa por múltiple digital a la gestión privada, de forma que la oferta privada pudo optar sólo a la gestión de 42 canales. En el capítulo correspondiente al medio televisivo ahondaremos sobre esta cuestión, pero sí cabe constatar ahora que las empresas que de por sí han obtenido un mayor número de licencias, Homo Virtuales (Intereconomía; en Alcoi, Elda, Orihuela y Sagunt), Unedisa Telecomunicaciones (editora de *El Mundo*; en Benidorm, Elx, Castellón y

Valencia) y Libertad Digital (fundada y vicepresidida por el locutor Federico Jiménez Losantos; en Elx, Alzira, Sagunt y Torrent), con cuatro cada una, pertenecen a grupos de ámbito estatal próximas a los planteamientos del PP, al igual que Uniprex Valencia (participada por el grupo Planeta y propietaria de Antena 3 TV), que ha obtenido una frecuencia (Torrent). También es de ámbito nacional el grupo Editorial Prensa Ibérica, propietario de diferentes diarios regionales en varias comunidades autónomas y que en la Comunidad Valenciana cuenta con las dos licencias concedidas a sus filiales Editorial Prensa Valenciana (Valencia) y Editorial Prensa Alicantina (Alicante), que editan los diarios *Levante-EMV* en Castellón y Valencia e *Información* en Alicante, respectivamente.

Así, la resolución del concurso supuso la consolidación en la Comunidad Valenciana de grandes grupos comunicativos españoles, que obtuvieron 17 de las 42 concesiones, la mayoría de línea editorial conservadora, así como la creación de Mediamed, un nuevo grupo liderado por empresarios afines al Partido Popular y con presencia empresarial en otras comunidades.

En lo referente a las televisiones de ámbito autonómico, la Comunidad dispone de dos múltiplex digitales, de los que sólo se ha concedido uno, en el que RTVV se ha reservado dos programaciones, para Canal 9 y Punt 2, mientras que los otros dos canales han sido concedidos a LP TeVa (propiedad de Las Provincias e integrada en la red de emisoras de Vocento, Punto TV), y a Popular TV, en detrimento de Telecinco y Valencia TeVe

Por último, de los cinco grupos nacionales de televisión que en la actualidad emiten en simulcast analógico-digital solo Televisión Española cuenta con una delegación valenciana, encargada de producir un informativo propio y de un tramo local de programación. Antena 3 (Planeta), Cuatro (Prisa), Tele5 y La Sexta (Imagina-Televisa) disponen de redactores (de plantilla o empleados por productoras) pero no cuentan con espacios informativos locales. Por su parte la penetración de las televisiones nacionales que emiten exclusivamente en TDT es, en la actualidad, prácticamente nula.

3. COMUNICACIÓN Y LENGUA VEHICULAR. LA PRESENCIA DEL VALENCIANO EN LOS MEDIOS DE COMUNICACIÓN

3.1. Usos y actitudes lingüísticas

El Estatuto de Autonomía de 1982 y la Llei d'Ús i Ensenyament del Valencià (LUEV) de 1983 asentaron las bases de la normalización de la lengua vernácula.[2] Ambas leyes otorgan especial protección al valenciano y establecen el deber de la Generalitat de impulsar el uso de la lengua en la administración, la enseñanza y medios de comunicación.

Sin embargo, pasados 25 años de la aprobación de la LUEV, es todavía marginal la presencia del valenciano en los medios. La creación de RTVV, que agrupa las emissoras autonómicas en valenciano TVV (*Canal 9* y *Punt 2*), *Ràdio 9* y *Si Ràdio*, no ha impedido la dependencia mediática externa de la Comunidad Valenciana. El Estado de las autonomías, aunque ha revitalizado la normalización de las lenguas minorizadas de España, no ha supuesto un factor de mayor autonomía informativa territorial, sino más bien de homogeneización del sistema comunicativo, ya que ha habido una fuerte penetración de los medios de comunicación de Madrid en todo el Estado, implantación que, como hemos visto, ha sido extraordinariamente alta en la Comunidad Valenciana (Xambó, 2001). A ello hay que añadir el conflicto lingüístico sobre el nombre de la lengua, que ha generado actitudes de rechazo hacia el valenciano, indecisiones políticas y la no aplicación por parte de la Generalitat de políticas de apoyo a los medios de comunicación en valenciano, desmovilizando con ello a la sociedad en la recuperación de la lengua.

En los albores del siglo XXI, el valenciano en los medios tiene debilidades y déficits. Los grandes grupos de prensa, radio y televisión en castellano acaparan las audiencias y RTVV no actúa como motor de normalización lingüística. Lo que sucede en los medios es un reflejo de la situación social de la lengua. Los datos apuntan hacia una regresión lingüística. El valenciano se habla hoy menos que hace veinte años. El *Llibre Blanc de l'Ús del Valencià* de la Acadèmia Valenciana de la Llengua (AVL) revela que en 1985 el 59,5% de la población hablaba valenciano, porcentaje que bajó al 53% en 2004. A pesar de eso, ha aumentado la competencia lectora y escrita, debido a la introducción de la lengua en el sistema educativo.

---

[2]   Usamos el término *valenciano* y *catalán* en un sentido equivalente, partiendo de la innegable unidad lingüística de la lengua catalana. El catalán, lengua vernácula del País Valenciano, se denomina regionalmente valenciano, nombre que recoge el Estatuto de Autonomía. La normativa ortográfica que se ha generalizado en la administración pública, la enseñanza, las universidades y los medios de comunicación son las denominadas Normes de Castelló de 1932, que son la adaptación al País Valenciano de la normativa del catalán del Institut d'Estudis Catalans.

3.2. Presencia del valenciano en la prensa

Actualmente no existe ningún diario en valenciano, ni ninguno de los periódicos de periodicidad diversa que se editan han conseguido niveles aceptables de difusión en toda la comunidad autónoma. Los principales medios escritos íntegramente en valenciano son *Saó*, *El Temps*, *El Punt* y *L'Avanç*. Todos unidos sumaban en 2008 una tirada de 38.500 ejemplares.

La revista decana de la prensa en valenciano de la democracia es el mensual *Saó* (1976). Continua editándose, con una tirada de 3.500 ejemplares. *Saó* es un espacio de confluencia de intelectuales y periodistas comprometidos con el valencianismo cultural. El semanario *El Temps* (1984), con 20.000 ejemplares, tiene mayor influencia, ya que se difunde en todos los territorios de lengua catalana, aunque su difusión es mayor en Cataluña, donde consume el 55% de la tirada, seguido de la Comunidad Valenciana (36%) y las Islas Baleares (7%). Por su parte, el semanario *El Punt* de Valencia es una delegación de *El Punt* de Girona. Comenzó en 1998, llegando a publicar algunas ediciones locales en l'Horta. Hasta ahora su objetivo de convertirse en diario regional se ha saldado con un fracaso, ya que, a pesar de editar 10.000 ejemplares, sus ventas nunca han superado los 5.000. Las pérdidas económicas acumuladas han llevado a *El Punt* a cerrar la edición en papel en agosto de 2009 y reconvertirse en un diario digital. El mismo camino ha seguido *L'Avanç*.

Contrasta la ausencia de un diario en valenciano con la existencia de prensa diaria en lengua propia en otras comunidades. Cataluña edita siete diarios en catalán (*Avui*, *Diari de Girona*, *El Punt*, *El Periódico de Catalunya*, *Regió*, *Segre* y *El 9 Punt*); Galicia uno en gallego, *Galicia Hoxe*; el País Vasco uno en euskera, *Berri*; y Baleares el *Diari de Balears* en catalán.

La recuperación del valenciano es importante en la prensa comarcal. En 2008 se publicaban 19 periódicos con un nivel medio-alto de valenciano, que sumaban una tirada de 62.450 ejemplares. Son los siguientes: *El Cresol* de l'Horta, *L'Informador de la Costera*, *La Veu de la Ribera*, *Barcella* de Banyeres de Mariola, *Horta al Día*, *Quinzedies* de la Safor, *La Chicharra* de Sueca, *El Punt* de Silla, *La Veu de la Valldigna*, *L'Alcudia 752*, *Papers de l'Horta*, *Notícies* de Morella, *Poble* de Vila-real, *7 Dies Actualitat de Vinaròs*, *Crònica* de la Vall d'Albaida, *El Puig*, *El Dissabte* de Benicarló, *Crònica de Vinaròs* i *L'Expressió de la Ribera*.

El valenciano demuestra también solidez en las revistas especializadas vinculadas al mundo universitario, la cultura y la enseñanza. Existen 36 que suman una tirada de 254.650 ejemplares. Son publicaciones de reconocido prestigio, algunas de las cuales se difunden en todo el territorio lingüístico catalán. Son *L'Espill, All-i-oli, Camacuc, Métode, Sembra, Pensat i Fet, La Cabota, Nou Disé, Agenda Urbana, Camp Valencià, Equiliquà, Afers, Full Lambda, Caràcters, El Tempir, Nexe, VoxUJI, Eines, Silenci, Futura, El Butlletí, Intersindical, L'Illa, TXT, Revista d'Estudis Fallers, Universitar, El Metropolità, Marxa Popular Fallera, Cendra* y *Caramella.*

Tipo de prensa	Publicaciones	Tirada (ejemplares)
Prensa regional de información general	4	38.500
Prensa local y comarcal de información general	19	62.450
Revistas especializadas	36	254.650
Revistas locales de cultura, fiestas y patrimonio	44	51.450
Total	103	409.350

Tabla 2. Difusión de la prensa en valenciano. Año 2008. Fuente: elaboración propia

Por lo que respecta al uso del valenciano en la prensa diaria en castellano, el porcentaje no supera el 1%. Los únicos diarios que editan páginas especiales en valenciano son la edición valenciana de *El País* (suplemento cultural semanal "Quadern") y el diario *Levante-EMV* (página diaria cultural "El Dau" y suplemento de educación "Aula"). Hay un vacío absoluto en el resto de diarios y en la prensa gratuita, económica y deportiva. Y en cuanto a las agencias, destaca *Europa Press*, que remite un 30% de noticias en valenciano. Mientras, la prensa en catalán editada en Barcelona se lee poco en Valencia. La difusión del *Avui* no supera los 500 ejemplares y la versión en catalán de *El Periódico de Catalunya* no llega a los 1.000.

La escasa demanda de la prensa en valenciano constata un bajo nivel de lectura. Sólo el 8,91% de la población mayor de 15 años lee prensa en valenciano, según la AVL. La prensa en castellano es la que más ha crecido desde 1984 hasta hoy. Según la OJD, los 18 principales diarios de información general en castellano (de pago y gratuitos) más leídos en la Comunidad Valenciana tuvieron un difusión media diaria de 689.431 ejemplares entre julio de 2006 y junio de 2007. Una cifra abrumadora si la comparamos con la modesta tirada de 100.950 ejemplares de la prensa informativa (no diaria) en en valenciano. (Martínez, 2009: 572) Para contrarrestar esta marginalidad, en la primavera de 2009 se fundó la Associació de Publicacions Periòdiques Valencianes (APPV), cuyo objetivo es fortalecer la prensa en valenciano.

El peso de la lengua en el sistema comunicativo es mayor en aquellas comunidades que aplican políticas lingüísticas de apoyo a los medios en lengua propia, como sucede en Cataluña y el País Vasco. Esto explica que la cuota del catalán en la prensa diaria de Cataluña sea del 26,2% (López, 2007: 234) y del euskera en el País Vasco del 11,6% (Díaz Noci, 2009: 616)

3.3. El valenciano en la radio

La radio es el medio con más dependencia externa, como también hemos visto. Predomina la programación en cadena en castellano, centralizada desde Madrid. La SER, COPE, RNE, Onda Cero y Punto Radio mantienen la hegemonía. Estas emisoras sumaban en 2007 una audiencia de 1.143.000 oyentes. Por contra, Ràdio 9 contaba con 50.000 oyentes y Catalunya Ràdio 8.000. El castellano domina también la radio temática. La Cadena 40 Principales, Cadena Dial, Kiss FM, Europa FM, Cadena 100 y M80 Radio superaban en 2007 los 930.000 oyentes, según el EGM. En cambio, la radio temática Sí Radio pasa totalmente desapercibida.

Existen también 23 emisoras públicas municipales con programación en lengua autóctona, en cumplimiento del Decreto 38/1998 de la Generalitat de concesión de FM que obliga en las radios de los ayuntamientos a emitir al menos un 50% en valenciano.

Sin embargo, la radio en valenciano se escucha poco. Según l'AVL, sólo el 1,48% de la población oye habitualmente Ràdio 9, el 1,39% emisoras locales y el 0,36% Catalunya Ràdio. Un intento de corregir esta situación ha sido la creación en 2006 de la Xarxa d'Emissores Municipals Valencianes, la cual está impulsando el valenciano.

En la situación descrita tiene una gran responsabilidad la Generalitat, que no ha potenciado una red radiofónica específicamente valenciana. A ello se suma la incapacidad de la radio autonómica para hacerse con una audiencia consistente. El Gobierno valenciano ha favorecido la entrada de cadenas foráneas, aprovechando los planes nacionales técnicos de concesión de FM desplegados des de 1978 hasta hoy. El resultado de este proceso, es que en 2009 el 90,6% de la radio privada valenciana emitía en castellano programación en cadena de emisoras de ámbito estatal.[3]

Esta situación difiere de otras comunidades donde la lengua propia está más normalizada. En Cataluña, las cuatro emisoras regionales en catalán

---

[3]   Guia de la Comunicació de la Comunitat Valenciana.

(Catalunya Ràdio, COMRàdio, RAC 1 y RNE Ràdio 4) acaparaban el 46,7% de la audiencia en 2006, frente el 53,3% de las cadenas generalistas en castellano (López, 2007: 245). Asimismo, la presencia del euskera en la radio vasca es del 16,4%. (Díaz Noci, 2009: 616)

Emisora	Audiencia media diaria	Comunidad autónoma
Cataluña Radio	477	Cataluña
RAC 1	372	Cataluña
Radio Galega	140	Galicia
Euskadi Irratia	85	País Vasco
Ràdio 9	57	País Valenciano
Herri Irratia	39	País Vasco
ComRadio	35	Cataluña

Tabla 3. Ranking de audiencia de emisoras de radio generalista en catalán, gallego y euskera. (Miles de oyentes, año 2008). Fuente. EGM 2008. Elaboración propia.

3.4. La lengua en la televisión

El uso del valenciano en la televisión está marcado por tres situaciones anómalas: una audiencia dominada por las televisiones nacionales, una TVV nula como motor de normalización lingüística y de la industria audiovisual valenciana, y el enfrentamiento de la Generalitat y el Gobierno con Acció Cultural del País Valencià para impedir la recepción de TV3.

La televisión en castellano domina la pantalla. A modo de ejemplo, la cuota de audiencia en 2006 de TVV era del 16,4%, por detrás de Tele 5 (22,1%), TVE (19,7%) y Antena 3 (19,1%). A esto se añade un uso desigual del valenciano en la televisión autonómica: bajo en Canal 9 (36-55%) y alto en Punt 2 (95%) (Martínez, 2009: 579). El valenciano es también minoritario en la televisión local. De las 132 emisoras (onda terrestre, cable y TDT) existentes en 2008, sólo trece emitían en valenciano en un nivel medio-alto. Nuevamente encontramos diferencias territoriales. La audiencia de TVV en 2006 es inferior a sus homólogas TV3 y K3-33 (22,5%) y ETB-1 (20,2%), situándose sólo dos puntos por encima de TVG (14,4%). Además, las televisiones catalana, vasca y gallega emiten íntegramente en lengua propia.

La comunicación en la Comunidad Valenciana y su contexto

Hay que añadir que TVE hace desconexiones territoriales en Cataluña, Galicia y Valencia, ofreciendo contenidos en catalán y gallego en los informativos de mediodía y tarde.

Uso (en %) de la lengua propia en los medios de comunicación de Cataluña, País Vasco y País Valenciano[1]				
Comunidad autónoma	Prensa diaria de pago (difusión)[2]	Radio generalista (oyentes)	Televisión generalista (audiencia)	Webs en internet
Cataluña	Catalán 26,2 Castellano 73,8	Catalán 46,7 Castellano 53,3	Catalán 22,5 Castellano 77,5	Catalán 52,2 Castellano y otros 47,8
País Vasco	Euskera 11,6 Castellano 88,4	Euskera 16,4 Castellano 83,6	Euskera 20,2 Castellano 79,8	Euskera 30[3] Castellano y otros 70
País Valenciano	Catalán 1 Castellano 99,5	Catalán 5,1 Castellan 94,9	Catalán 16,4 Castellano 83,6	Catalán 5,5 Castellano y otros 95,5

1. Los datos han sido recogidos en 2006 y 2007.
2. Los datos de Cataluña corresponden sólo a la prensa íntegramente en catalán. En el País Vasco es la suma de la prensa diaria en euskera y diarios en castellano que incorporan euskera. En el País Valenciano son los diarios en castellano con páginas en catalán.
3. Los datos del País Vasco sólo hacen referencia a los cibermedios.

Tabla 4. Fuentes: *El periodismo en lenguas minorizadas: el caso de España* **(UPV, 2009).**

Informe de la comunicació a Catalunya 2005-2006 (UAB, 2007). Elaboración propia.

3.5. Uso de la lengua en Internet

En la red la lengua vernácula tiene una presencia testimonial. El valenciano representaba en 2007 el 5'5% de la lengua de uso de Internet, frente el 92,2% del castellano, según la Fundació Audiències de la Comunicació i Cultura. No obstante, hay un elevado número de páginas web en valenciano. El directorio www.eltirant.net daba en noviembre de 2007 unas 1.934 webs en el territorio valenciano, además de 20 periódicos digitales en valenciano, siendo el cibermedio más importante *Vilaweb* de Barcelona, que tiene seis ediciones locales en el País Valenciano.

Finalmente, cabe destacar el crecimiento del valenciano en los sitios web de los ayuntamientos. El barómetro sobre *L'ús del català en les pàgines web municipals del País Valencià* de Universitat d'Alacant, revela que en 2007 tenían web oficial en lengua autóctona 267 ayuntamientos, es decir, el 49,4% de los municipios. De éstos, sólo el 12,6% editan la web íntegramente en catalán, el 34,5% son bilingües y el 52,9% en castellano. (Martínez, 2009: 580).

Bibliografía

BARKER, CH. (2003). *Televisión, gloablización e identidades culturales*. Barcelona: Paidós

BERNARDO, J.M. (2006). *El sistema de la comunicación mediática. De la comunicación interpersonal a la comunicación global*. Valencia: Tirant lo Blanc.

BUSTAMANTE, E. (coord.) (2003). *Hacia sistema mundialde la comunicación. Las industrias culturales en la era digital*. Barcelona: Gedisa.

BUSTAMANTE, E. (2004). *La televisión económica*. Barcelona: Gedisa, 2ª ed.

CASTELLS, M. (1997). *La era de la información. Economía, sociedad y cultura*. Madrid: Alianza.

CASTELLS, M. (2001). *La galaxia Internet*. Madrid: Areté.

CASTELLS, M. (ed.) (2006). *La sociedad red: una visión global*. Madrid: Alianza.

DE MORAES, D. (coord.) (2005). *Por otra comunicación. Los media, globalización cultural y poder. Barcelona: Icaria.*

DE MORAES, D. (coord) (2008): *Sociedad Mediatizada*. Barcelona: Gedisa.

DE MORAGAS, M.; Garitaonandía, C.; López, B. (eds.). 1999. *Televisión de proximidad en europa. Experiencias de descentralización en la era digital*. Barcelona: UAB, UJI, UPF, UVEG.

DÍAZ NOCI, J. (ed.) (2009). *Kazetaritza hizkuntza: Espainiako kasua (El periodismo en lenguas minorizadas: el caso de España)*. Universidad del País Vasco.

DÍAZ NOCI, J. (2009). "El periodismo en lengua vasca". En DÍAZ NOCI, J. (ed.) (2009). *Kazetaritza hizkuntza: Espainiako kasua (El periodismo en lenguas minorizadas: el caso de España)*. Universidad del País Vasco. pp. 585-622.

HERMAN, E. S.; McCHESNEY, R. W. (1997). *Los medios globales. Los nuevos misioneros del capitalismo corporativo*. Madrid: Càtedra

LAGUNA PLATERO, A. (ed.) (2000). *La comunicación en los 90. El mercado valenciano*. Valencia: Universidad Cardenal Herrera-CEU.

LÓPEZ, B. (2007). "La llengua". En VV.AA. (2007). *Informe de la comunicació a Catalunya 2005-2006*. Barcelona: Institut de la Comunicació de la Universitat Autònoma de Barcelona. pp. 233-255.

LÓPEZ, F. (2005). *La situación de la televisión local en España*. Valencia: UJI, UVEG, UAB,UPF.

LÓPEZ, G. (2005). *Modelos de comunicación en Internet*. Valencia: Tirant lo Blanc

LÓPEZ, G. (2008). *Los cibermedios valencianos: cartografía, características y contenidos*. Valencia:PUV. http://www.cibermediosvalencianos.es/cibermedios.pdf

LÓPEZ, X., CALVO, M.D., OTERO, M. y ANEIROS, R. (2009). "O galego na comunicación: Xornalismo en galego". En DÍAZ NOCI, J. (ed.) (2009). *Kazetaritza hizkuntza: Espainiako kasua (El periodismo en lenguas minorizadas: el caso de España)*. Universidad del País Vasco. pp. 407-429.

McCHESNEY, R.W. (2005). "Medios globales, neoliberalismo e imperialismo". En DE MORAES, D. (coord.). *Por otra comunicación. Los media, globalización cultural y poder*. Barcelona: Icaria. pp.171-193.

MARTÍNEZ SANCHIS, F. (2009). "El periodisme valencià en llengua catalana". En DÍAZ NOCI, J. (ed.) (2009). *Kazetaritza hizkuntza: Espainiako kasua (El periodismo en lenguas minorizadas: el caso de España)*. Universidad del País Vasco. pp. 555-584.

MATTELART, A. (1998). *La mundialización de la comunicación*. Barcelona: Paidós.

MATTELART, A. (2005). *Diversidad cultural y mundialización*. Barcelona: Paidós.

MOLLÀ, T. (1994). *La política lingüística a la societat de la informació*. Alzira (Valencia).

MORENO, A. y CASANOVA, E. (2000). "L'ordenació de l'ús de la llengua: el desordre del seu ús". En LAGUNA PLATERO, A. (ed.) (1998). *La comunicación en los 90. El mercado valenciano*. Valencia: Universidad Cardenal Herrera-CEU. pp. 65-82.

MOSCO, V. (2009). *La economía política de la comunicación. Reformulación y renovación*. Madrid: Bosch

MUÑOZ, B. (2005). *La cultura global. Medios de comunicación, cultura e ideología en la sociedad globalizada*. Madrid: Pearson.

MURCIANO, M. (1992). *Estructura dinàmica de la comunicación internacional*. Barcelona: Bosch

RAUSELL, P. (1999). *Políticas y sectores culturales en la comunidad valenciana*. Valencia: Tirant lo Blanc.

REIG, R. (2004). *Dioses y diablos mediáticos. Cómo manipula el poder a través de los medios de comunicación*. Barcelona: Urano/Tendencias

RITZER, G. (2006). *La globalización de la nada*. Madrid: Popular.

ROBLES, J. M. (2008). *Ciudadanía digital. Una introducción a un nuevo concepto de ciudadano*. Barcelona: UOC

SCHILLER, H. (1996). *Aviso para navegantes*. Barcelona: Icaria.

SEGOVIA, A.I. (2005). "Gigantes globales y grupos regionales en España". En *Sphera Pública*, 5, p. 54.

SINCLAIR, J. (2000). *Televisión: comunicación y regionalización*. Barcelona: Gedisa.

THOMPSON, J. B. (1998). *Los media y la modernidad. Una teoría de los medios de comunicación*. Barcelona: Paidós.

VIDAL, J.M. (2000). "Televisión valenciana: un reto, una realidad, un tiempo de futuro incierto". En LAGUNA PLATERO, A. (ed.) (1998). *La comunicación en los 90. El mercado valenciano*. Valencia: Universidad Cardenal Herrera-CEU.

VIDAL, J. M.; LINDE, E. (2009) *Derecho Audiovisual*. Madrid: Colex

XAMBÓ, R. (2001). *Comunicació, política i societat. El cas valencià*. València: Tres i Quatre.

XAMBÓ, R. (2002). "El cas del País Valencià". En VV.AA. (2002). *El català en els mitjans de comunicació. Situació actual i perspectives*. Barcelona: Societat Catalana de Comunicació de l'IEC. Pp. 189-220.

VV.AA. (2000). *La televisió (im)posible*. Valencia: Tres i Quatre.

VV.AA. (2002). *El català en els mitjans de comunicació. Situació actual i perspectives*. Barcelona: Societat Catalana de Comunicació de l'IEC.

VV.AA. (2002) *La informació valenciana de proximitat*. València: Unió de Periodistes Valencians.

VV.AA. (2007). *Informe de la comunicació a Catalunya 2005-2006*. Barcelona: Institut de la Comunicació de la Universitat Autònoma de Barcelona.

VV.AA. (2008). *Guia dels mitjans de comunicació en català*. Barcelona: APPEC, ACPC y ACPG.

VV.AA. (2008). *Guia de la comunicació de la Comunitat Valenciana*. València: Generalitat Valenciana

3
IDENTIDADES, CULTURAS Y LENGUAJES

Àlvar Peris Blanes
Universitat de València

Mar Iglesias García
Universitat d'Alacant

Natalia Papí-Gálvez
Universitat d'Alacant

1. IDENTIDADES GLOBALES, IDENTIDADES LOCALES. NUEVOS MEDIOS, ¿NUEVAS IDENTIDADES?

Existe un amplio consenso en considerar que los medios de comunicación son instituciones fuertemente imbricadas en la conformación de la realidad social. En ese sentido, adquieren un papel muy relevante en la formación y representación de las identidades culturales, nacionales, sexuales, de género, etc., que conforman a cualquier individuo. Más, si cabe, desde que perspectivas como los Estudios culturales dejaron de lado los elementos esenciales e inmutables que se asociaban a las identidades para pasar a entenderlas como construcciones sociales y discursivas (Hall, 1996). No en balde, los medios de comunicación son los principales generadores del material simbólico y cultural a partir del cual las identidades colectivas e individuales toman forma. Por eso mismo, es tan importante la manera en que las identidades aparecen o se ocultan en los medios. En buena medida, de dichas representaciones dependerá la aceptación o el rechazo social de estas identidades: unas, integradas perfectamente en la comunidad; otras, estigmatizadas para siempre.

Tradicionalmente, las identidades difundidas por los medios de comunicación han estado muy ligadas al control que el Estado moderno ha ejercido sobre éstos, con todas las consecuencias que de ello se derivan. En su afán por determinar las causas que contribuyeron a la construcción y consolidación de la nación durante los siglos XVIII y XIX, los teóricos modernistas han destacado, con mayor o menor énfasis, la importancia del sistema comunicativo en estos procesos (Gellner, 2001; Anderson, 1993). Los nuevos sectores sociales emergentes y poderosos, ligados a la industrialización, entendieron que su legitimidad política y económica debía pasar, necesariamente, por una legitimidad cultural. El Estado necesitaba la nación (o un determinado concepto de nación, para ser precisos), y viceversa. Para ello pusieron en marcha un imponente aparato institucional en el que los medios de comunicación eran una de las arterias fundamentales. Es lo que la economía política ha llamado espacio (nacional) de comunicación. Pero, como veremos, la creación de un espacio nacional de comunicación no sólo ha sido objetivo de los Estados-nación. Una comunidad nacional sin Estado como la catalana también ha diseñado desde la democracia su propio espacio nacional de comunicación (Moragas, 1988). En cierto modo, unos y otros entienden que, para la buena salud de la nación o de cualquier comunidad cultural, se hace indispensable el desarrollo de un espacio de comunicación potente y eficaz.

En estos tiempos posmodernos, en cambio, la formación de las identidades está viéndose alterada por las nuevas tecnologías y la globalización de las culturas y las comunicaciones. La proliferación de formas y prácticas culturales híbridas y transnacionales se sucede en nuestras sociedades, lo que nos obliga a (re)pensar nuestro sentido de pertenencia (Appadurai, 2001). Los espacios nacionales de comunicación saltan en mil pedazos y surgen nuevas identidades que poco tienen que ver con las antiguas formas de agruparse. Para muchos, las nuevas tecnologías de la comunicación, con Internet a la cabeza, definen "un nuevo espacio de interacción, que cuestiona las formas clásicas de organización social basadas en la territorialidad, presencialidad y proximidad, desbordando las fronteras geográficas y políticas" (Lozada, 2001: 136). En ese sentido, como aseguran algunos geógrafos posmodernos, vivimos en espacios virtuales y redes de comunicación más que en una geografía de fronteras físicas (Morley, 2000). Estos espacios virtuales desterritorializados generan, asimismo, nuevas maneras de relacionarse consigo mismo y con los demás.

Para algunos autores, Internet se ha convertido en uno de los principales instrumentos para experimentar con las deconstrucciones y reconstrucciones que caracterizan al sujeto contemporáneo (Turkle, 1997). Desde este punto de vista, se entienden las ventanas de la pantalla del ordenador como una metáfora poderosa para pensar el 'yo' como un sistema múltiple, que existe en varios mundos e interpreta diferentes papeles al mismo tiempo. De ese modo, podemos ser quienes queramos ser, cambiar nuestra identidad sexual o de género; defender cualquier posicionamiento ideológico; inventarnos un presente y también un pasado sin rendir cuentas a nadie. En pocas palabras, inventarnos cada día, a cada momento, en un mundo virtual donde un significante ya no señala un significado. Para eso utilizamos la vida en nuestras pantallas, para sentirnos cómodos con nuestras maneras de pensar sobre nosotros mismos y sobre los demás, independientemente del género, la orientación sexual, la edad, la clase o la raza. Una interacción donde los marcadores de diferencia no tienen sentido y toma cuerpo un cierto espíritu inconformista que permite una mayor capacidad en el reconocimiento de la diversidad.

En ese sentido, las nuevas tecnologías deberían permitir visualizar identidades que han estado durante años marginadas en la configuración de una identidad individual y colectiva hegemónica. Precisamente, una de las aportaciones más importantes de la nueva mirada culturalista sobre la identidad es que pone encima de la mesa las relaciones de poder y la constante lucha entre los distintos discursos y representaciones que tienen lugar en la configuración de las identidades. Por eso, debemos afrontar el estudio de los medios de comunicación como aquel espacio desde donde se lanza un proyecto de identidad nacional, sexual, de género, racial... Un proyecto, además, que nunca es inmóvil, sino que siempre está en proceso.

Igualmente, gracias a las nuevas tecnologías se forman nuevos tipos de comunidades que se reúnen en torno a una serie de valores e intereses compartidos. Este hecho se ha interpretado como la culminación de un proceso histórico de disociación entre localidad y sociabilidad en la formación de la comunidad (Castells y Tubella, 2002). Es el nacimiento de las comunidades virtuales (Rheingold, 2000). Algunas de las más activas han aprovechado el potencial comunicativo, no jerárquico y relativamente asequible de Internet para articular un discurso alternativo, alejado de las elites mediáticas, que la han convertido en una poderosa herramienta antisistema. Así, de un tiempo a esta parte, parece constatarse que una sociedad civil transnacional, con ágiles modelos organizativos y con acceso a los medios, ha salido a la escena de la globalización ayudando a generar una conciencia de los conflictos no reducida a los Estados, la identidad nacional o la lengua. Para algunos, pues, Internet ha conseguido dar forma a una nueva esfera pública o espacio de comunicación global que debate sobre lo público y toma decisiones en común una vez todos los sectores de la sociedad civil han participado y sido escuchados. Un posicionamiento que se enmarca en toda una literatura que proclama la crisis o decadencia del Estado-nación como estructura de poder gracias a las transformaciones asociadas a la globalización (Hardt y Negri, 2002; Ohmae, 1996).

No podemos dejar de constatar la erosión a la que está sometido el Estado-nación, que observa con inquietud cómo se reduce su soberanía política y económica. Sin embargo, algunos autores ponen de manifiesto que, si bien la presión existe, ésta no es ni mucho menos homogénea. Esto hace que los Estados-nación respondan a los retos de manera desigual, en ocasiones contradictoria, siempre conflictiva, y si en algunos apartados se resignan a ceder parte de su poder (economía y política internacional, por ejemplo), en otros han decidido presentar resistencia, sobre todo en el terreno simbólico y representacional (Everard, 2000). El ámbito de los medios de comunicación se presenta como un espacio idóneo para librar estas batallas. Sin ir más lejos, en otro lugar hemos descrito cómo el Estado-nación ha visto en Internet y las nuevas tecnologías un instrumento perfecto para mantener y reforzar su posición privilegiada dentro del sistema social (Peris, 2005). Pero, más allá de las acciones políticas que puedan ejercer los Estados para resituarse en un contexto globalizado, lo que observamos es que, a pesar de disponer de una tecnología cada vez más transnacional, los espacios de comunicación locales y nacionales persisten o se reinventan en los medios.

A día de hoy, los medios todavía se encargan de organizar temporalmente nuestras actividades diarias. Y lo que es más importante: nos siguen diciendo quiénes somos y cómo somos[1]. En ese sentido, somos bastante escépticos en cuanto a la articulación de identidades globales por parte de los medios, incluso en Internet[2]. Por el contrario, sostenemos que los

---

[1]   Más fácil de detectar en la radio y la prensa, que tienen identificada a su audiencia y a ella le hablan, la televisión genera más dudas, sobre todo como consecuencia de la irrupción de novedades técnicas (satélite, cable, TDT) que permiten hablar, cada vez más, de contenidos y audiencias deslocalizadas. Consideramos, en cualquier caso, que el consumo televisivo todavía se realiza bajo unos parámetros nacionales y que en modo alguno podemos deducir que una mayor y más fragmentada oferta de canales televisivos suponga la articulación de unas identidades culturales o nacionales alternativas. Asimismo, alguien también puede decir que la irrupción de canales y productos extranjeros está promocionando identidades desterritorializadas. Es verdad que sus referentes internacionales no se localizan en nuestro entorno más inmediato, pero todavía está por demostrar que después de su visionado la audiencia deje de sentirse valenciana o española (Peris, 2008).

[2]   En un mundo supuestamente sin fronteras, resulta paradójica la importancia que han adquirido los dominios vinculados a los Estados-nación (Schlesinger Wass, 2003). O cómo la creciente administración electrónica, lejos de potenciar los elementos de e-democracia, prefiere profundizar en el e-gobierno y en la creación de unas esferas públicas virtuales similares a las ya existentes (Subirats, 2002). Lo que diferencia el momento actual de épocas anteriores es que las maneras de organizarse culturalmente se pueden llevar a cabo sin la necesidad de vincular tiempo y espacio. Se ha estudiado, por ejemplo, cómo las comunidades diaspóricas aprovechan las tecnologías de la información y comunicación, particularmente Internet, para estar en contacto y continuar desarrollando desde la distancia sus vínculos identitarios (Eriksen, 2007). Es lo que Anderson llama el "nacionalismo de larga distancia" (1992). Los casos de la población kurda o los Tamil de Sri Lanka son

medios de comunicación todavía confieren a los espacios de comunicación una vinculación territorial muy fuerte, de manera que se constituyen como ejes centrales a partir de los cuales elaborar unos discursos y representaciones sobre la identidad. Lamentablemente, en los medios continúan siendo preponderantes concepciones tradicionales sobre las identidades culturales y nacionales. A pesar del camino recorrido y de la mayor visibilidad de identidades hasta hace poco marginadas en los medios, los estereotipos y la sal gruesa todavía marcan buena parte de las representaciones de género, de los jóvenes o de los inmigrantes que se lleva a cabo en los medios. También en los electrónicos (O'Brien, 2003; Burkhalter, 2003). Por todo esto, es tan necesario descubrir qué tipo de representaciones sobre las diferentes identidades se llevan a cabo en los medios de comunicación. Todas ellas responden a un proyecto de comunidad determinado. Veamos qué tipo de sociedad valenciana aparece y se construye en nuestros medios.

2. LOS MEDIOS Y LA DIVERSIDAD CULTURAL Y NACIONAL DE LOS VALENCIANOS

La poca vertebración de la identidad valenciana es, probablemente, uno de los fenómenos que más dolores de cabeza ha provocado entre los intelectuales de nuestro país en los últimos cincuenta años[3]. Para muchos, una de las razones de esta disfunción la tendrían los medios de comunicación, cuyo papel en el proceso de construcción de una identidad colectiva, cultural y/o nacional, valenciana, habría fracasado (Beltran, 2002; Xambó, 2001). A diferencia de lo hecho, por ejemplo, en Cataluña, donde la sociedad civil y política catalana entendió la oportunidad histórica que le ofrecía la democracia y la aprobación del Estatuto de Autonomía para construir un espacio comunicativo nacional catalán en el que se incluyeran los medios públicos (radio y televisión), pero también los privados, la Comunitat Valenciana no

---

paradigmáticos en ese sentido. Pero sin duda, el más común de los nacionalismos virtuales es el que nos permite estar en contacto con nuestro país de origen cada día, a cada momento, independientemente de nuestro lugar de residencia. Este contacto permanente, como el de cualquier otro ciudadano, es lo que Edensor llama "nacionalismo de cada día" (2002) y es el que nos permite seguir desarrollando una identidad nacional incluso cuando esos límites están desterritorializados.

[3]   Entre la extensa bibliografía sobre la materia, debemos destacar, por su importancia, el trabajo de Joan Fuster, *Nosaltres els valencians* (2001) y el de Joan F. Mira, *Crítica de la nació pura* (2005).

ha sabido (o querido) aglutinar bajo un mismo espacio valenciano de comunicación las sensibilidades de Alicante, Valencia y Castellón. Eso explicaría por qué amplios sectores de la población (sobre todo de las zonas limítrofes) no se sienten todavía hoy representados por la identidad valenciana que ha terminado imponiéndose y que tiene su base en las comarcas centrales de l'Horta y la Ribera (Piqueras Infante, 1996). Las tensiones históricas y políticas, la lucha por la influencia y el poder, sobre todo entre Valencia y Alicante, se han manifestado en el panorama mediático.

Buena parte de esta responsabilidad la debemos encontrar en las políticas de comunicación que se materializan en el espacio valenciano, las cuales, por intereses políticos y económicos, se han dedicado más a la deconstrucción, que no a la construcción, de un proyecto político y cultural común (Xambó, 2001). Primero con los gobiernos socialistas de Joan Lerma, pero, sobre todo, desde que la Generalitat valenciana es controlada por el Partido Popular, tanto con Eduardo Zaplana como con Francisco Camps[4].

Es muy significativo que no haya una cabecera de prensa escrita de origen valenciano que se distribuya en todo el territorio bajo el mismo nombre. Para algunos expertos y periodistas valencianos (VVAA, 2004), esto se debe a que no hay periódicos de capital estrictamente valenciano (todos forman parte de grandes grupos de comunicación), pero también a cierta falta de riesgo empresarial. En cualquier caso, ahora mismo *Las Provincias*, perteneciente al grupo Vocento, tiene ediciones en Valencia y Alicante, pero no en Castellón; *Levante*, por su parte, saca ediciones en distintas comarcas de Valencia (como la Ribera o Utiel-Requena) y lanza asimismo una edición en las Marinas; el mismo grupo, Prensa Ibérica, cuenta con el diario *Información*, en Alicante; también en Alicante sale una edición de *La Verdad*, de nuevo del grupo Vocento, que mantiene otras ediciones en Albacete, Murcia y Al-

---

[4]   A pesar del indudable interés que el tema genera, hay pocos estudios que analicen en profundidad la identidad cultural y/o nacional valenciana que se construye desde los medios al estilo del que realiza, respecto de la identidad nacional catalana, Enric Castelló (2007). Naturalmente, hay que contabilizar los trabajos de Rafael Xambó sobre la prensa escrita (1995) y sobre la estructura del sistema mediático en general, aunque la cuestión identitaria sea un aspecto más de su investigación y no su elemento central. También hay que reseñar el trabajo de investigación de Cristina Marqués (2002), que no tuvo la difusión esperada. Por todo ello, hablaremos en términos generales, más por intuición y por traslación al contexto valenciano de otras investigaciones que por la obtención de resultados fruto de un análisis sistemático y riguroso, que lo dejamos para posteriores y fructíferos estudios.

mería[5]; por su parte, en Castellón encontramos *Mediterráneo*, perteneciente en estos momentos al grupo Zeta. Algunas experiencias anteriores, como la antigua cabecera *Diario de Valencia*, que parecía aspirar a crear una identidad valenciana común, tuvo que cerrar prematuramente. Como *La Hoja del Lunes*, que se editaba en Valencia y Alicante, aunque no pretendía erigirse en voz única de todos los valencianos. Tampoco es esa la misión de los periódicos locales y comarcales, cuyo papel se centra en aglutinar pequeñas comunidades. Paradójicamente, son los periódicos editados en Madrid como *El País*, *ABC* o *El Mundo* los que consigan mantener unos cuadernos centrales con la misma información para toda la Comunitat Valenciana. De todas formas, se trata de periódicos que se dirigen a toda España, con lo que la información de la Comunitat Valenciana supone un reclamo más para sus lectores y no el objetivo prioritario de sus ediciones, como demuestra el poco espacio del que disponen[6]. De la prensa editada en Cataluña, sólo el diario *Avui* y en menor medida *El Punt* han dedicado una mayor atención a las cuestiones valencianas, en consonancia con su proyecto de construcción nacional que abarcaría todos los territorios en lengua catalana, pero sin elaborar un cuaderno de noticias específico. En *La Vanguardia* y *El Periódico*, por su parte, los temas valencianos son tratados como los de cualquier otra región del Estado español.

El nacimiento de la radiotelevisión pública valenciana, RTVV, en octubre de 1989, produjo enormes expectativas en la sociedad valenciana. Cinco años después de la Llei de Creació del canal autonómico (Ley 7/1984, de 4 de julio), por fin se ponía en marcha una radiotelevisión pública que debía fomentar la vertebración sociocultural de la Comunitat Valenciana y debía erigirse en un auténtico referente de la comunicación y de la industria audiovisual. La incidencia de la radiotelevisión pública en la construcción de un espacio público valenciano era, sobre el papel, inequívoca (Gavaldà y Llorca, 2004). Con el paso del tiempo, las ilusiones con las que se recibió fueron marchitándose, al tiempo que se consolidaba un modelo de radio y de televisión alejado de sus objetivos iniciales. De la etapa socialista (1989-1995), con Amadeu Fabregat al frente, distintas voces hablan de decepción, de fraude a la sociedad valenciana y, en definitiva, de oportunidad histórica perdida (Xambó, 2001; Álvaro, 2000). Para estos autores y periodistas, en

---

[5]   De hecho, durante años, *La Verdad* fue el principal medio impulsor de la tesis del sureste que defendía una nueva organización administrativa y territorial que incluyera Murcia, Albacete, Almería y Alicante (Xambó, 2001: 84).

[6]   Para un análisis más profundo de la estructura mediática de la prensa escrita en la Comunitat Valenciana, véase el capítulo 6 de este libro.

esa etapa se pusieron las bases de un modelo programático y de gestión política y económica que se ha agudizado hasta el paroxismo desde que el PP tomó las riendas.

Durante estos últimos años, los problemas financieros se han tornado gigantescos, con un déficit de millones de euros corregido con partidas adicionales a cuenta de los presupuestos, tal y como revela cada año el informe de la Sindicatura de Comptes. Se puede hablar, sin ambages, de un verdadero "agujero negro", el cual, lejos de provocar dimisión alguna, sigue incrementándose gracias a una "estructura productiva y laboral poco adecuada a las exigencias del contexto contemporáneo" (López Cantos, 2005: 118). Sin embargo, la solución propuesta por el Gobierno valenciano no ha pasado por exigir una gestión más eficaz de los recursos, sino por el intento de privatizar algunos de sus servicios, como los informativos. Unos servicios, por otro lado, deteriorados hasta el extremo por un exceso de manipulación sintetizada en un seguidismo sin complejos del PP y de sus acólitos. Partidos políticos de la oposición y una parte importante de la sociedad civil se han quejado en todos los foros posibles, incluidas las Cortes valencianas, de unos medios deslegitimados que incumplen reiteradamente sus funciones de servicio público[7].

Por otro lado, RTVV también ha sido acusada de tener unas instalaciones excesivamente centralizadas en Valencia, aunque se haya abierto un Centro de Producciones en Alicante y se mantenga una delegación en Castellón. Eso ha provocado que, en muchas ocasiones, se haya dado prioridad a los contenidos y temas relacionados con las comarcas valencianas. En cualquier caso, los equipos directivos de los medios públicos siempre han preferido, por encima de la calidad o la proximidad en los contenidos, configurar unas programaciones que les proporcionaran buenos datos de audiencia. Aun así, Ràdio 9, con una programación generalista de carácter comercial, hace años que no supera el listón de los 60.000 oyentes diarios, bastante lejos de las cadenas líderes en la Comunitat Valenciana[8]. Mejor le ha ido, históricamente, a Canal 9, aunque ahora no pase un buen momento[9]. Durante algunas

---

[7]   En estos momentos, se está a la espera de que la creación de un Consejo Audiovisual Valenciano ponga freno a estos excesos y, de ese modo, garantice la pluralidad y profesionalidad que se le debería exigir a cualquier medio, todavía más si es público.

[8]   Datos ofrecidos por el EGM, de abril de 2008 a marzo de 2009. Consultar en aimc.es.

[9]   En la temporada 2008/2008, la audiencia de Canal 9 fue del 12'3% de cuota de pantalla (share), una cifra por debajo de la media del resto de canales autonómicos,

temporadas, la televisión pública lideró la lista de cadenas más vistas con unas programaciones estructuradas en torno al fútbol, la ficción extranjera y el entretenimiento empaquetado en otras partes del Estado español. También es verdad que los informativos han cosechado buenos datos de audiencia, pero nunca (y menos ahora) han sido la primera opción de los valencianos. De todas formas, si en algún momento este modelo pudo estar justificado por los audímetros, desde hace un tiempo esta apuesta no se sostiene.

Una de las consecuencias de estas decisiones ha sido el vaciado del hecho diferencial valenciano en beneficio del referente nacional superior, que es España, circunstancia que era y es bien recibida políticamente. Durante estos años, la programación de Canal 9, si exceptuamos los informativos, no ha contado prácticamente con producción propia. El *prime time* ha sido copado por películas y series norteamericanas de estreno y por programas de entretenimiento que se comparten con otras cadenas autonómicas para un mejor aprovechamiento, pero que poco tienen que ver con la realidad valenciana: *Noche de Fiesta*, *Se llama Copla*, *Gran Prix* o *Un beso y una flor*, por poner sólo algunos ejemplos. Además, Canal 9 tiene el dudoso honor de haber producido *Tómbola*[10] y otros supuestos debates, como *Gent de Tárrega* o *Parle vosté, calle vosté*, cuyos invitados y periodistas participantes, provenientes en su mayoría de la prensa rosa y del espectáculo de papel *cuché*, forman parte de un marco simbólico cultural o nacional español, más que estrictamente valenciano. Lo mismo podemos decir de los temas que se abordaban en estos espacios o en otros, de corte más serio, como *Parlem Clar* o los programas de entrevistas y/o culturales presentados por Carlos Dávila o Fernando Sánchez Dragó. Por su parte, la programación durante el *day time* ha estado constituida, mayormente, por concursos[11], series latinoamericanas y norteamericanas de perfil bajo, alguna que otra película o telefilme de dudosa calidad y programas del estilo magazine e *infotainment*,

---

agrupados en la Forta, que fue del 14'1%. La audiencia de Punt 2 fue un testimonial 1% de cuota de pantalla. La cadena más vista en la Comunitat Valenciana fue, durante el mismo período, Tele 5 con el 15'9%. Datos de TNS Sofres.

10   Un formato que se ha repetido hasta la saciedad en numerosas cadenas generalistas, incluida la misma televisión pública.

11   Es significativo que ninguno tenga relación con la lengua propia, como han hecho otras televisiones autonómicas con cierto éxito, caso de TV3, e incluso algunas cadenas generalistas como Tele 5 o Antena 3 con *Pasapalabra*. Este ejemplo puede ser indicativo del temor de los directivos de los medios públicos a tratar cuestiones vinculadas con la identidad de los valencianos.

donde se dan prioridad a los contenidos de sucesos y a la información más trivial.

La programación de Canal 9, por tanto, se ha venido configurando a partir de contenidos y temas que en poco difieren de los ofrecidos por algunas de las cadenas generalistas de ámbito estatal, lo que ha alejado la cadena de sus prioridades fundacionales como televisión pública de carácter autonómico. Y, además, con unos índices de emisión en valenciano muy pobres, incumpliendo de nuevo la Llei de Creació. El resultado de esta programación es que difícilmente podemos encontrar un *star system* valenciano, como han hecho la mayoría de las televisiones autonómicas. Es cierto que en los últimos años Canal 9 se ha decidido finalmente a producir ficción propia y en valenciano, como pedía buena parte del sector audiovisual. Los espacios coproducidos con Conta Conta y Albena Teatre, como *Autoindefinits*, *Maniàtics* o *Socarrats*, y especialmente el caso de *La Alqueria Blanca* (un auténtico fenómeno social), con Trivisión, han empezado a constituir el germen de ese espacio valenciano de comunicación que demandábamos anteriormente.

Por desgracia, en Canal 9 todavía se sigue ninguneando a una parte importantísima de la sociedad civil y cultural valenciana, que raramente aparece en televisión. Estamos hablando de músicos, escritores, profesores universitarios, periodistas, movimientos sociales y vecinales, así como instituciones de la trayectoria de Escola Valenciana o Acció Cultural del País Valencià. Una sociedad activa que tiene otro proyecto cultural y/o nacional para la Comunitat Valenciana y que es invisible en la principal cadena pública. Para atenuar las críticas, tanto los directivos de RTVV como los políticos que les eligieron, han utilizado como coartada el segundo canal autonómico, Punt 2, donde se emiten los contenidos más sociales y culturales. El principal problema es que la incidencia de la cadena es prácticamente insignificante en términos cuantitativos, lo que supone una verdadera lástima, aunque facilite la reflexión en torno a lo que podría haber sido Canal 9 y no es.

En cualquier caso, este proyecto de identidad valenciana, más de corte folclórico y regional, autonomista "sin pasarse" y que nunca cuestiona su pertenencia a la nación española, no es exclusivo de los medios públicos. En mayor o menor medida, buena parte de los medios de comunicación valencianos participan activamente de un proyecto que puede considerarse hereditario de la conocida Batalla de Valencia, donde los medios interpretaron un papel central (Xambó, 2001: 45)[12]. El periódico *Las Provincias* es

---

[12]   Se trata del conflicto político, cultural e identitario que tuvo lugar a finales de los setenta y principios de los ochenta, en pleno proceso autonómico, entre los par-

paradigmático en ese sentido, y en la etapa de su directora María Consuelo Reyna fue determinante para el resultado final de esta disputa política, económica y cultural. Con el tiempo, y con los cambios en la dirección y el accionariado, *Las Provincias* ha moderado el tono agresivo y anticalanista (o antivalencianista, según se mire) de entonces, pero otros tomaron el testigo, como *Valencia TeVe*, *Diario de Valencia* (en su etapa más reciente) o *Valéncia Hui*[13].

La victoria simbólica y cultural de aquellos que preferían una identidad valenciana "bien entendida", sin demasiadas aspiraciones autonomistas, es perceptible en otros medios de comunicación. Incluso el *Levante*, más proclive a los sectores progresistas, ha ido adecuando su discurso a los nuevos tiempos, en los que parece cercenada cualquier aspiración de una identidad valenciana más reivindicativa. Como si la identidad cultural y/o nacional de los valencianos estuviera ya resuelta. Lo mismo sucede con periódicos como *Información* o *Mediterráneo*, muy limitados a sus áreas de cobertura y sin ganas de entrar en nuevas polémicas[14]. Más evidente todavía en el caso de *La Verdad* de Alicante, cuya línea editorial está más cerca de Madrid que de Valencia. En cuanto a los periódicos gratuitos, forman parte de grupos de comunicación de amplio espectro y funcionan, en términos de vertebración territorial, como las publicaciones locales y comarcales.

En las radios sucede otro tanto. Comentado ya el caso de Ràdio 9, el resto de la oferta radiofónica generalista en la Comunitat Valenciana lo componen emisoras que forman parte de grupos de comunicación de ámbito

---

tidarios (vinculados a sectores de la izquierda política y llamados *catalanistas* por su proximidad a la cultura catalana, de la que decían formar parte, como mínimo, en términos culturales) de una recuperación cultural y lingüística valenciana que situara la Comunitat Valenciana (o el País Valencià, como era denominado por aquel entonces) en la modernidad y el bloque conservador y franquista, que reaccionó instrumentalizando sentimientos, emociones y símbolos identitarios (por su reivindicación de la franja azul en la bandera de la Comunitat Valenciana recibieron el nombre de *blaveros*) para adaptarse a la democracia y mantener, así, importantes parcelas de poder (Bello, 1988). En esencia, lo que se jugaba era el vencedor de dos proyectos distintos sobre cómo debía ser la Comunitat Valenciana del futuro. En ese sentido, para muchos de los que vivieron esos años, no hubo batalla, sino un aplastamiento del sector progresista sin paliativos.

[13]   Ninguno de ellos está ahora en funcionamiento, aunque este discurso todavía tiene cierto predicamento y se ha canalizado en páginas web como *El Palleter.com*, que también funciona como revista.

[14]   Un detalle revelador es el porcentaje irrisorio de páginas en valenciano que incorporan.

español con sede en Madrid (SER, COPE, Onda Cero, Punto Radio), con lo que la información que ofrecen de interés estrictamente valenciano se limita a las desconexiones locales que son, en general, bastante cortas. Más del 95% de sus emisiones locales son en castellano, lo que supone un filtro para contenidos y personajes cuya lengua materna o vehicular sea el valenciano[15].

Estas dificultades para ser visibles se hacen más evidentes en la televisión. Como viene siendo habitual, las especificidades culturales valencianas no encuentran acomodo en las televisiones generalistas de ámbito estatal, aunque algunas de éstas tengan abiertas delegaciones en la Comunitat Valenciana. Esta invisibilidad de los temas y personalidades sociales y culturales valencianos en las cadenas españolas es un mal endémico de difícil solución que tiene que ver con la configuración territorial y nacional del Estado. Lo que no está tan claro es su ausencia de la mayoría de los canales autonómicos y locales de titularidad privada que han aparecido gracias a la TDT. La razón hay que encontrarla en un reparto de licencias que no ha tenido en cuenta los proyectos empresariales valencianos y sí las propuestas de los grupos de comunicación de ámbito español, sobre todo de corte conservador y próximos al gobierno valenciano.

Así, *Popular TV* (perteneciente a la COPE), *Intereconomía*, *El Mundo*, *Libertad Digital*, *Tele 7* (los principales beneficiarios de las frecuencias), conforman un panorama de televisión digital autonómico y local basado en la emisión en cadena de los contenidos y la inclusión de desconexiones informativas[16]. Poco bagaje, en suma, para lo que podría haber sido una verdadera televisión de proximidad. Por otro lado, a nadie se le escapa la visión que de España tienen estos grupos de comunicación, poco sensibles con su diversidad cultural, lingüística e incluso nacional. Evidentemente, el proyecto cultural e identitario de la Comunitat Valenciana que se difundirá a través de estas cadenas estará siempre subordinado a un espacio nacional de comunicación, español, por supuesto. Por lo demás, la mayoría de las televisiones locales, aunque su cobertura alcance a distintas comarcas, tienen unas aspiraciones empresariales tan limitadas que les obligan a renunciar a ser referentes de su entorno más allá de su ámbito estrictamente supralocal (López Cantos, 2005: 172). Hay algunas excepciones, como las públicas *Gandia TV* o *Sueca TV* y la reciente *Nord*, de titularidad privada (anteriormente *Localia Nord*, en Els Ports, ahora una cadena exclusivamente dedicada a la

---

[15]   Para mayor información véase el capítulo 7.
[16]   Para completar la información del reparto de licencias de TDT en la Comunitat Valenciana, véase el capítulo 8.

información), pero vinculadas todas a ayuntamientos progresistas y con programación íntegramente en valenciano.

En el inicio de la transición digital hubo otros intentos de proyectos televisivos plurales nacidos desde la sociedad civil, construidos a partir de un tratamiento riguroso y profesional de la información y a un entretenimiento de calidad. Uno de ellos, *Info TV*, tenía como objetivo prioritario la defensa de una identidad cultural valenciana y en valenciano. El otro proyecto, *Pluràlia TV*, estaba fuertemente enraizado en los movimientos sociales y vecinales de la ciudad de Valencia. También daba cabida a numerosas minorías culturales formadas principalmente por inmigrantes venidos de otras tierras que están obligando a revisar los discursos identitarios de cara al futuro. Lamentablemente, a ninguno de estos proyectos se les concedió una frecuencia para emitir en TDT y han tenido que migrar al mundo virtual para subsistir.

Lo cierto es que Internet se está convirtiendo en el reducto donde poder llevar a cabo iniciativas mediáticas con un proyecto de Comunitat Valenciana alternativo al oficial. Es el caso de los periódicos *Pàgina26.com* o *L'Informatiu.com*, proyectos casi íntegramente en valenciano en los que se pretende dar cuenta de todo lo que tenga que ver con la vida política, económica, social y cultural de la Comunitat Valenciana, dando especial relevancia a los aspectos que incidan en su especificidad. Podríamos estar hablando, en estos casos, de medios de comunicación que sí estarían configurando un espacio de comunicación estrictamente valenciano. Para ello, estos y otros medios (como el reciente portal *Comarquesnord.cat*[17], centrado en la comarca de Els Ports y su entorno, o los citados *Info TV* y *Gandia TV*, así como el semanario *El Punt*, que ya ha cerrado) han decidido participar en el proceso de construcción de una identidad cultural y lingüística que, además de la Comunitat Valenciana, incluya Cataluña y Baleares. Más aún, los hay que siguen apostando por la vinculación política de estos territorios, como el semanario *El Temps*, la revista *Saó* o el periódico *L'avanç*. Mención aparte merece el periódico electrónico *Vilaweb.cat* (desde hace un tiempo también como *Vilaweb TV*), que se ha constituido como uno de los pocos medios de comunicación que tiene ediciones abiertas en cada uno de los territorios de lo que se ha venido a llamar Países Catalanes.

En definitiva, los medios de comunicación son el fiel reflejo de los diferentes proyectos colectivos que se desarrollan en cada territorio. En la Comunitat

---

[17] La terminación.cat en el dominio no es casual. Según sus impulsores, han optado por esta extensión como un elemento identitario y lingüístico (*Vilaweb*, 27/09/09).

Valenciana conviven varios de ellos y eso se manifiesta en su ecosistema mediático. Una de las curiosidades es que mientras los medios que promueven un espacio nacional de comunicación valenciano o directamente catalán son acusados de nacionalistas, los que defienden una Comunitat Valenciana integrada en la nación española no lo son. Se trata de un ejemplo más de lo que Michael Billig ha denominado el "nacionalismo banal" (2006), propio de los Estados-nación estables y democráticos en el que discursos abiertamente nacionalistas pasan por no serlo. Eso se debe a que la identidad nacional está familiarizada, rutinizada en las experiencias cotidianas, también las mediáticas, por lo que se percibe como "normal" y pasa desapercibida. Eso obliga a un trabajo extra en su deconstrucción y desideologización.

Tal vez, muy pronto, la manera en que se concibe la comunidad y las distintas identidades valencianas deba replantearse ante la llegada de nuevas minorías culturales que han venido para quedarse. Los medios deberían ser los primeros en ofrecer una nueva mirada de nosotros mismos y de los demás que permita una mejor integración de los recién llegados. Sin embargo, los medios de comunicación todavía van a remolque de lo que sucede en la calle. Las estadísticas sobre extranjeros en España confirman que la Comunitat Valenciana es la tercera comunidad autónoma con mayor población extranjera. Esta situación ha provocado transformaciones que comprenden aspectos positivos, y también desafíos que involucran a toda la comunidad y a sus instituciones. Es el caso de los medios de comunicación y los periodistas como re-constructores de realidades y formadores de opinión. Los medios de comunicación desempeñan un papel determinante en la consolidación de la convivencia intercultural, ya que inciden en ella al aportar y reforzar miradas sobre la inmigración.

Aunque no existe ningún estudio específico sobre la imagen de la inmigración en los medios de comunicación de la Comunitat Valenciana, se pueden hacer extensivos los realizados en el ámbito estatal. Por un lado, distintas investigaciones han puesto de manifiesto los sesgos etnocéntricos, a veces incluso xenófobos, de las informaciones periodísticas (Rodrigo y Martínez, 1997; Giró y Jarque, 2006; Bañón, 2007). Cabe distinguir aquí la dualidad entre el colectivo extranjero procedente de la Unión Europea y los extranjeros de otros países. Así, hay una gran diferencia entre el tratamiento que se hace de los llamados "residentes extranjeros" y de los inmigrantes, que se identifican con los extracomunitarios. En ese sentido, sobre estos últimos es frecuente leer o escuchar en los medios metáforas que hablan de "invasión", de "mafias", de "clandestinos", incluso de "ilegales". En ocasiones, la inmigración también es representada como solución a la situación económica o demográfica, aunque este discurso bienintencionado puede dar lugar también a derivaciones estigmatizadoras (Rodrigo Alsina, 2006: 44).

A pesar de lo mencionado, los periodistas se esfuerzan en tratar la inmigración con la calidad y la seriedad que se merece, para fomentar su comprensión. Como muestra, ya se dispone de una guía destinada a los profesionales de los medios con objeto de fomentar una mejor cobertura informativa de la inmigración. La ONG RESCATE Valencia presentó la guía en octubre de 2008 en una serie de conferencias organizadas con el Centro de Estudios para la Integración Social y Formación de Inmigrantes (CeiMigra)[18].

Otro de los aspectos relevantes es la ausencia de la voz de los inmigrantes en los medios, ya que en contadas ocasiones aparecen como sujetos en las informaciones, con voz propia y personalidad definida. Puede ser éste uno de los motivos por los que han aparecido también en la Comunitat Valenciana varios medios de comunicación dirigidos específicamente a inmigrantes. Es el caso, por ejemplo de *Sí se puede*[19] y la radio *Reina Latina*[20], medios creados por y para inmigrantes latinoamericanos. En estos medios propios, los inmigrantes encuentran sobre todo información sobre cómo resolver sus problemas en el país de acogida y sobre sus comunidades.

Hay que reseñar que también existen·medios de comunicación dirigidos a los residentes extranjeros, como por ejemplo el *Costa Blanca Nachrichten*[21], periódico en alemán, elaborado en Finestrat por residentes procedentes del centro y el norte de Europa. Sobre esta publicación semanal,destaca el estudio de caso llevado a cabo por Penalva y Brückner (2008) quienes, a través del análisis de contenido, observan que no existe una implicación con el país de acogida, más allá de los servicios cotidianos. El estudio concluye que hay un distanciamiento hacia la comunidad y cultura local, aunque no hay un enaltecimiento de la propia identidad. No favorece la integración y su objetivo es reducir la incertidumbre del residente extranjero (Penalva y Brückner, 2008: 207). Por último, en cuanto a identidad religiosa y medios de comunicación, en la Comunitat Valenciana se reproducen los esquemas del resto del Estado español. Por un lado, las religiones minoritarias están

---

18   http://www.ceimigra.net
19   La publicación, que distribuye más de 25.000 ejemplares en la Comunitat Valenciana, se reparte en bocas de metro de Valencia, así como en locutorios, locales comerciales, restaurantes, embajadas, consulados y centros de atención a inmigrantes en Castellón y Alicante. http://www.sisepuede.es/C.-Valenciana/
20   Emisora con sede en Alicante, dirigida al público latino y que también emite por Internet. http://www.reinalatinafm.com
21   http://www.cbn.es

estrechamente relacionadas con la inmigración y tienen una escasa aparición en los medios de comunicación. Por otro lado, existen medios de línea religiosa católica, dependientes de la Conferencia Episcopal, en los que aparece regularmente información sobre religión. Un caso aparte es el tratamiento informativo del Islam, que ha llegado a identificar islamistas con terroristas y que ha sido criticado con frecuencia.

3. IDENTIDAD Y LENGUA EN LOS MEDIOS DE COMUNICACIÓN DE LA COMUNITAT VALENCIANA

Uno de los marcadores de la identidad cultural es, sin duda, la lengua. En el caso valenciano, algunas de las disfunciones que hemos señalado en el apartado anterior tienen su fundamento en el aspecto lingüístico. Como señala Francesc Martínez en el capítulo anterior, a pesar de ser una comunidad bilingüe, la gran mayoría de medios de comunicación de la Comunitat Valenciana utilizan como lengua principal el castellano. Hay una colonización mediática de los grandes grupos estatales de prensa, radio y televisión, y los medios autóctonos, en consecuencia, también suelen apostar por la opción más cómoda: el castellano. El motivo podría ser la ausencia de una costumbre social en el consumo de los medios de comunicación en valenciano, que se ve agravada por la actitud poco propicia del gobierno autonómico. Así, la Generalitat no tiene política nacional de comunicación de protección y fomento de la lengua propia, más bien al contrario, favorece la castellanización del espacio comunicativo valenciano. En cuanto a la televisión pública, RTVV no actúa como motor de normalización lingüística[22] y en la adjudicación de los canales de TDT en 2005 (42 de TDT local y 2 autonómicos) la Generalitat concedió el 90% a empresas radicadas en Madrid afines al PP, acentuando así la castellanización televisiva (Martínez, 2009: 582). Además, estas empresas no cumplen el requisito que establece un mínimo del 25 por ciento en valenciano en todas las franjas horarias (Corominas et al., 2007). Si, como se observa, la

---

[22]   Según afirma Ezequiel Moltó: "Canal 9 és el mecanisme més poderós de castellanització al País Valencià, ja que el valencià ha quedat reduït als "informatius" i als programes esportius. A més, la producció de programes propis és irrellevant i la presència de locutors forans i de programes fets en castellà és aclaparadora" (Moltó, 2002). Incluso la Acadèmia Valenciana de la Llengua (AVL), en una declaración pública en 2007, instó al Consell Valencià a cumplir la ley, y tuvo que recordar que ésta incluye el deber de promover el valenciano en los medios de comunicación públicos. Todas las protestas han sido ignoradas por el gobierno autonómico.

oferta televisiva en valenciano ya es poca, por otro lado, además, la Generalitat promovió, a finales de 2007, el cierre de los repetidores que daban soporte a la señal de TV3, eliminando así la posibilidad de ver una televisión en una lengua común. De esta manera, se está fomentando una identidad española que contrasta con la realidad sociolingüística de la Comunitat.

En la radio ocurre algo similar. Por un lado, las delegaciones de las grandes emisoras sufren una absoluta dependencia de lo que se programa en Madrid y muchas de las concesiones de frecuencias, realizadas por la Generalitat Valenciana en la década de los noventa, no cumplen las cuotas lingüísticas que marcaba el decreto de creación de estas emisoras (Castellano, 2007). Por otro, las emisoras de titularidad pública, Ràdio 9 y Sí Ràdio, tienen una baja audiencia y cada vez ceden más espacio al castellano[23]. Así, la voluntad poco normalizadora, desde el punto de vista lingüístico, ha influido negativamente en la promoción y potenciación de una radio valenciana en valenciano.

Es en el ámbito comarcal y local en el que existe mayor número de medios de comunicación en valenciano, aunque también la situación ha empeorado en los últimos años, ya que no ha recibido ninguna ayuda que favorezca su desarrollo. La tímida línea de apoyo a la prensa comarcal comenzada por Joan Lerma fue retirada drásticamente en 1996 por el gobierno de Eduardo Zaplana[24]. Desde ese momento, la Generalitat Valenciana no ha regulado mecanismos legislativos y administrativos para propiciar la consolidación de empresas periodísticas propias y son ridículas las subvenciones que da actualmente. La Academia Valenciana de la Lengua (AVL) recuperó en 2005 la política de subvenciones a la prensa en valenciano, pero con ayudas muy pequeñas[25]. Otro elemento que ha agravado la situación es que la Comunitat Valenciana no ha tenido hasta hace poco asociacionismo

---

[23] En algunos programas de *Ràdio 9* es habitual la presencia de dos locutores, uno de los cuales habla exclusivamente castellano, y también se ha institucionalizado la costumbre de cambiar de valenciano a castellano si el entrevistado lo habla, aunque entienda perfectamente la lengua autóctona (Alcaraz, Isabel y Ochoa, 2004).

[24] Durante el periodo 1982-1995, la Generalitat Valenciana concedió 102 millones de pesetas en ayudas al uso del valenciano en los medios de comunicación y a la creación o reconversión tecnológica de prensa local y comarcal. Estas líneas de ayuda desaparecieron en 1996.

[25] En el periodo 2005-2008 la AVL ha concedido 133.000 euros a la prensa y radio local en valenciano, una cifra que contrasta con los más de dos millones de euros que dio la Generalitat de Catalunya en 2008, sólo para el fomento de la prensa comarcal en catalán.

de la pequeña prensa local y comarcal. Varias comunidades autónomas con lengua propia cuentan con asociaciones de publicaciones periódicas locales, desde los años 80 del siglo pasado, para defender sus intereses y para hacer frente a la competencia de los grandes grupos de comunicación[26]. Con más de 20 años de retraso, en la primavera de 2009 se ha dado el primer paso con la creación de la Asociación de Publicaciones Periódicas Valencianas (APPV) con el objetivo de fortalecer y visualizar la prensa en valenciano[27].

Es en Internet donde el valenciano parece tener una mayor presencia, aunque sigue predominando el castellano. El primer censo de cibermedios de la Comunitat Valenciana, realizado en 2007, identificó 232 cibermedios, de los cuales 32 utilizan el valenciano como primera lengua, mientras que 24 lo hacen en valenciano y castellano, y 158 son únicamente en castellano (López García, 2008: 50). Así, el castellano sigue siendo mayoritario, con un 68,10%, frente a un 13,79% en valenciano y un 10,34% en ambas lenguas (ver gráfico 1).

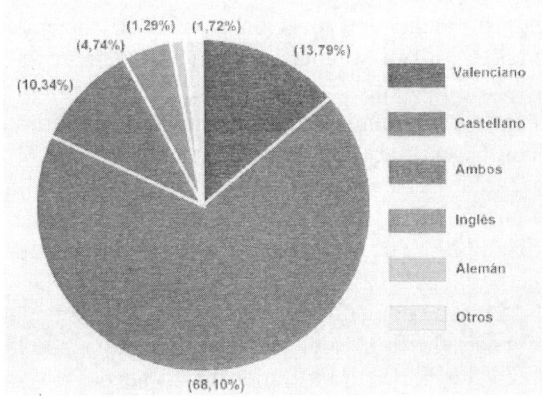

Gráfico 1. Idioma de los cibermedios en porcentaje (López García, 2008)

---

[26]   En Cataluña funcionan desde hace más de 25 años la Asociación Catalana de Prensa Comarcal (ACPC), que aglutina 130 cabeceras privadas, y la Asociación de Publicaciones Periódicas en Català (APPEC), que une más de 132 revistas de temática diversa. También en Baleares la prensa en catalán está unida. Desde 1979 funciona la Asociación de la Prensa Foránea de Mallorca, la cual une 43 revistas de información local de la isla. En cambio, en la Comunitat Valenciana ha habido una carencia de unidad vertebradora por parte de las cabeceras existentes, pese a que la prensa local tiene un público potencial y años de experiencia.

[27]   La APPV agrupa no sólo las cabeceras de prensa local y comarcal, sino también las revistas especializadas y de información general de difusión regional.

Dos años después, revisado y ampliado el censo a 290 cibermedios, las cifras[28] muestran que el numero de cibermedios en valenciano es de 40, mientras que hay 42 cibermedios que usan las dos lenguas y siguen siendo mayoría los que utilizan en exclusiva el castellano, con 191 (ver tabla 1).

	Censo 2008	Censo 2009
Valenciano	32	40
Castellano	158	191
Castellano y valenciano	24	42
Inglés	11	12
Alemán	3	3
Otros	4	2
Total	232	290

Tabla 1: Número de cibermedios según el idioma utilizado.

(López García, 2008; capítulo 9 de este libro)

No son cifras espectaculares, pero a ellas se suman los cibermedios en catalán, que amplían la oferta y que también tienen en cuenta en ocasiones el ámbito geográfico valenciano[29]. Se observa en los datos de la tabla anterior que hay varios cibermedios en otros idiomas: 12 de ellos en inglés, 3 en alemán y 2 en otros idiomas (sueco y holandés). También fuera de Internet, en la Comunitat Valenciana existen publicaciones en estos idiomas. Son medios de comunicación que están dirigidos especialmente a las distintas comunidades de residentes y turistas extranjeros, que se concentran en mayor medida en la zona costera de las comarcas alicantinas. Una de las publicaciones más veteranas es el semanal *Costa Blanca News*[30], que comenzó como una página en inglés en el periódico *Ciudad de Alcoy* en 1971. En la actualidad pertenece al grupo Costa News, que publica también *Costa del Sol News*, *Costa Almería News* y *Costa Levante News*. Otro ejemplo es el semanal

---

[28]   Estos datos se amplían en el capítulo 9

[29]   El Baròmetre de l'ús del català a Internet de l'Associació d'administradors de webs WICCAC muestra que en los medios de comunicación en la red la situación del catalán es bastante buena, en comparación con otros sectores. En: http://wiccac.cat.

[30]   Creado por Brian Sumner, se convirtió en un semanal independiente en 1973. En http://www.costa-news.com

en alemán *Costa Blanca Nachrichten*[31], que se fundó en 1974 en Benissa (Alicante), y se distribuye en 400 puntos de venta desde Vinaroz (Castellón) hasta Águilas (Murcia), con una media semanal de 250 páginas[32].

Después de este breve recorrido por las lenguas en las que se hacen los medios de comunicación en la Comunitat Valenciana, cabe reflexionar sobre la situación de preponderancia del castellano y su influencia. Este panorama, expuesto con mayor profundidad en el capítulo 2, contrasta con la demanda que podría o debería existir de medios en valenciano. Así, según los estudios sobre el uso de la lengua de la Academia Valenciana de la Lengua (AVL), recogidos en el *Llibre Blanc de l'ús del valencià* de 2004, el 75,90% de la población valenciana mayor de 14 años afirma que entiende bastante bien o perfectamente el valenciano, el 53% lo habla, el 47,30% lo lee y el 25,24% lo escribe (Martínez, 2009: 565). En la zona valencianoparlante el uso de la lengua es mayor, pero varía por comarcas. La competencia lingüística aumenta a medida que se aleja de las áreas metropolitanas de Alicante y Valencia, más castellanizadas (ver tabla 2). En las comarcas de alrededor de Castellón, Valencia y la zona de Alcoy-Gandía, más del 70% de la población sabe hablar bastante bien o perfectamente el valenciano, mientras que el porcentaje disminuye en el Área Metropolitana de Valencia y en la zona de Alicante (AVL, 2004)[33].

---

[31]   *Costa Blanca Nachrichten* (http://www.cbn.es) es publicado por la empresa Editorial CostaNachrichten Verlag, S. L. En sus inicios, el CBN tenía una periodicidad de dos semanas y una tirada de 1.000 ejemplares. En 1975 se interrumpe la publicación y en el año 1982 se vuelve a publicar con la misma periodicidad. Desde el año 2001 es propiedad del grupo editor alemán IPPEN, el quinto más grande entre los grupos periodísticos de Alemania. El editor Dirk Ippen es, además, propietario de los semanales *Costa Cálida Nachrichten* (10.500 ejemplares) y *Costa del Sol Nachrichten* (2.500 ejemplares), así como de numerosos diarios producidos y distribuidos en Alemania. El *CBN* alcanzó en 2006 una tirada de 19.920 ejemplares y una difusión media de 16.218 (Penalva y Brückner, 2008).

[32]   Estos medios se convierten a menudo en uno de los pocos nexos de unión entre los extranjeros residentes y la población que les acoge, ya que en muchas ocasiones viven en urbanizaciones formadas sólo por miembros de su comunidad de origen.

[33]   La zona de predominio lingüístico valenciano son los municipios que, según la Llei d'Ús i Ensenyament del Valencià, son históricamente de lengua valenciana, ubicados geográficamente en el norte, en la costa de la Comunidad Valenciana, y en el área montañosa de la provincia de Alicante, abarcando aproximadamente el 75% del territorio y en donde reside el 87% de la población. En estas zonas, el 90% de la población entiende el valenciano. En: http://www.edu.gva.es/polin/val/sies/sies_fonum.htm

	Zona castellano-parlante	Zona valenciano-parlante	Total Comunitat Valenciana
Entienden valenciano bastante bien o perfectamente	35,19%	81,57%	75,90%
Hablan valenciano bastante bien o perfectamente	14,00%	58,43%	53,00%
Leen valenciano bastante bien o perfectamente	20,21%	51,07%	47,30%
Escriben valenciano bastante bien o perfectamente	10,62%	27,28%	25,24%

Tabla 2. Uso del valenciano en 2004. *Llibre Blanc de l'ús del Valencià. Enquesta sobre la situació social del valencià. 2004.* **Acadèmia Valenciana de la Llengua (AVL).** (Martínez, 2009: 564)

Aunque está constatado que el valenciano se habla ahora menos que hace veinte años[34], sí que ha aumentado la competencia lectora y escrita como consecuencia de la introducción de la lengua en el sistema educativo. De hecho, en el periodo 1985-2004 ha subido un 18,70% la población que sabe leer valenciano y un 16,55% la que lo escribe bastante bien o perfectamente (AVL, 2004)[35].

---

[34] La población que habla valenciano bien o perfectamente representaba en 1985 un 59,5%, mientras que en 2004 el porcentaje bajaba al 53%, es decir, 6,5 puntos menos. (AVL, 2004)

[35] Las cifras que ofrece otra encuesta, realizada en 2005 por el Servicio de Investigación y Estudios Sociolingüísticos de la Conselleria de Educación, son similares a las de la AVL e indican que sólo el 6,3% de la población no entiende el valenciano, un 20,3% lo entiende un poco, un 21,7% lo entiende bastante bien y un 51,6% lo entiende perfectamente. En cuanto al uso social del valenciano, según esta encuesta, por zonas, el uso del valenciano en el ámbito doméstico dentro del territorio de predominio valencianoparlante tiene un uso minoritario en el área metropolitana de Valencia y en la mitad sur de la provincia de Alicante, donde no llega al 30%. En cambio, el uso continuado del valenciano en el hogar es mayoritario en el resto del predominio lingüístico valenciano, con porcentajes de alrededor del 64% en la zona de la provincia de Valencia y en la mitad norte de la de Alicante, y el 46,2% en la zona de la provincia de Castellón.

Sin duda, son pocos los medios de comunicación en valenciano, sobre todo si se tiene en cuenta que existe una demanda y un conocimiento de la lengua que no se corresponde con la oferta que existe en la actualidad. Así, los medios de comunicación están teniendo un papel esencial en la definición de la realidad, reproduciendo el espacio comunicativo en castellano y están dejando de lado la identidad cultural valenciana, de la que no es exclusiva la lengua, pero sí una parte importante.

4. EL GÉNERO Y LA JUVENTUD EN LOS MEDIOS. UNA MIRADA VALENCIANA

El género se considera una construcción social e histórica cuyo significado forma parte y es atribuido por la cultura de cada sociedad. Se suele entrelazar con otras categorías sociales, tales como la clase social, la etnia, la religión, la orientación sexual y la edad (Braidotti, 2002: 287). Puede ser analizado como: estructura social, identidad personal y/o valor normativo (Harding, 1996). Los estudios de género que analizan la comunicación social o utilizan la comunicación de masas como marco relevante son identificados con alguna de estas acepciones, o con todas ellas.

En las investigaciones que abordan el género como estructura social, la comunicación no es el objeto de estudio, es el contexto y el producto. En torno a este tipo de estudios deambuló durante algún tiempo la hipótesis de que un aumento de mujeres en las plantillas podría influir en el tratamiento de los contenidos (informativos, programáticos y publicitarios). La relación directa y única entre ambos fenómenos es difícil de sostener. El género como identidad personal (o la identidad de género) es el "concepto que cada uno de nosotros tiene de sí mismo, como hombre o mujer, en relación con los roles de género requeridos por nuestra cultura" (Arnett, 2002: 260). Si se adapta al campo específico de la comunicación de masas, la identidad de género implicaría un análisis, por ejemplo, de la repercusión de las representaciones de género transmitidas por los medios de comunicación en la identidad individual de los expuestos a esos contenidos. Esta relación entre lo que se transmite y el efecto que causa está normalmente implícita en los estudios de la tercera acepción, ya que suelen admitir la función socializadora y normalizadora de los medios. Finalmente, una gran parte de los estudios de género y *mass media* pertenecen al tercer grupo (el género como valor normativo), aunque están centrados sobre todo en el ámbito nacional. Este enfoque es el más próximo a este apartado.

El interés en torno a la representación de la identidad de género por parte de los *mass media* se hace patente desde el origen de los *Women's Studies*, en la década del 70. La imagen de las mujeres y de los hombres en la prensa diaria y en las revistas ha sido un objeto de estudio recurrente y destacado tanto desde un punto de vista periodístico como publicitario (Carter y Steiner, 2004; Comunidad Europea, 1999; Goffman, 1987). En lo audiovisual, el cine fue, en un principio, "el terreno en el que se fraguó el debate sobre la representación de la identidad de género" (De Miguel *et alii*, 2004: 66). De hecho, la mayor parte de la teoría feminista en comunicación fue desarrollada por los estudios fílmicos (Kaplan, 1992). Con posterioridad, en los años 80, las diferentes aproximaciones teóricas desarrolladas en el estudio del cine fueron aplicadas a la televisión. Algunos contenidos televisivos, tales como las series de ficción, han suscitado un especial interés últimamente desde esta perspectiva. Finalmente, a partir de los años 90, un grupo de investigadores y teóricos del género empezaron a estudiar el acceso de las mujeres a las nuevas tecnologías así como los contenidos, los efectos y las posibilidades de Internet, cuya expresión más emblemática, por pionera, aunque no única, es Haraway (1991).

En el ámbito audiovisual, las mujeres se visibilizan menos en los informativos de la radio y la televisión (López, 2005). Cuando aparecen como sujetos de la noticia suelen hacerlo en calidad de esposa, madre, hija u otra relación de parentesco en mayor medida que en el caso de los hombres, y son en menor medida entrevistadas como expertas sobre algún tema en concreto. Estos resultados no distan de los obtenidos por los estudios centrados en la representación de las mujeres y los hombres tanto en prensa como en publicidad. En todos los casos existen claros sesgos que responden, y contribuyen, al modelo tradicional (Rodríguez, Matud y Espinosa, 2008; García y Lema, 2008).

Algunos estudios recientes en el ámbito español apuntan a un cambio de modelo tanto en las mujeres como en otros elementos que rodean el estereotipo de género (Menéndez, 2008). En las series de ficción aparecen estructuras familiares diversas, y no únicamente la familia nuclear, en las que el papel de las mujeres y los hombres se alejan del estereotipo (Siles, 2004). Algunas campañas publicitarias también muestran relaciones de género diferentes, en muchas ocasiones entrelazadas con la edad, que juegan con el cambio de roles de género o en las que aparecen mujeres independientes, también fuera del escenario doméstico (Bermejo, 2005). No obstante, esta primera impresión proporciona una falsa idea de cambio social. Un análisis más profundo lleva a comprender que, *grosso modo*, se siguen reproduciendo los estereotipos de género incluso cuando parece que se hace lo contrario, ya que se suelen utilizar elementos propios del discurso televisivo y publicitario con el objeto de entretener e impactar, respectivamente, como son la emotividad o el humor. Este tipo de elementos también son frecuentemente utilizados en las películas de la gran pantalla con el mismo resultado (De Miguel, Olabarri e Ituarte, 2004). De hecho, en las series de ficción, si bien es también frecuente la imagen de mujer "independiente", esta condición habitualmente va ligada con la de "madre", por lo que emerge el problema de doble jornada y los conflictos entre la vida familiar y laboral (Galán, 2007), que no son resueltos a través de la corresponsabilidad. De hecho, la mujer sigue sin despojarse de su rol de ama de casa y cuidadora y, además, suele ser representada en puestos considerados "femeninos" (Redondo, en prensa).

La edad es el segundo criterio básico de estratificación de una sociedad (Chafetz, 1992) y, por tanto, un axioma en la segmentación de públicos cuando se trata de audiencias. La juventud es un valor positivo en la comunicación publicitaria que contrasta con la imagen que transmiten las noticias de la misma, frecuentemente relacionadas con conductas agresivas. Con todo, en el terreno de la construcción de la identidad propia, la juventud ha colonizado los nuevos medios de comunicación que contribuyen a la formación de su identidad como grupo. Otros contenidos audiovisuales, como las series de ficción o los *talk shows*, tienen este mismo efecto (Pindado, 2006).

En el ámbito concreto de la Comunitat Valenciana, son pocos los estudios existentes centrados en las identidades representadas por los medios de comunicación, sean éstas de género (heterosexuales u homosexuales) o etarias. Algunos estudios introducen, dentro del contexto español, los medios regionales y locales propios de la Comunitat Valenciana sin desglose de los resultados por medios, como es en el caso del análisis de género de la publicidad dirigida a niños en televisión (Espinar, 2006), por lo que no se puede conocer si existen diferencias. No obstante, se puede comprender que los resultados de las investigaciones realizadas en cine y televisión a nivel estatal podrían ser apropiados en cualquier ámbito, al menos en lo concerniente al entretenimiento y a la publicidad.

Datos más ajustados a la realidad valenciana provienen de la consideración del género como sistema de segregación. En concreto, se comprueba que hay pocas mujeres en los puestos intermedios o altos cargos en la prensa diaria. Se estima que sólo un 30% del total de los ocupados en prensa diaria son mujeres y, entre otros factores, se observa que la eventualidad es la modalidad de contratación más feminizada (I.F.= 86) (Papí-Gálvez, 2008). Estas cifras son un fiel reflejo de la situación laboral de las mujeres a nivel local, nacional e internacional, incluidas las periodistas (Gallego y Del Río, 1993; Cantalapiedra, Coca y Bezunartea, 2000).

La Declaración de 28 de noviembre de 1978 de la ONU (Instituto de la Mujer, 2004) y el informe del Parlamento Europeo 2008/2038, elaborado treinta años después, ponen de manifiesto no sólo la importancia de la comunicación en la construcción de la realidad y, por tanto, en la transmisión de identidades, sino también la constante representación de estereotipos de género que perpetúan un sistema de desigualdades sociales en razón del sexo. Y aunque algunos estudios detecten representaciones de identidades de género plurales, más igualitarias, no dejan de ser conatos de un posible cambio social impulsado (y reivindicado) hace más de treinta años. A la luz de esta continua representación de estereotipos de género anclados en modelos tradicionales, se precisan, al menos, mayores facilidades para la investigación de los contenidos y estructuras de los medios, con la esperanza de comprender los procesos para poder intervenir de forma eficaz allí donde radique el problema. Deberían promoverse los estudios a nivel regional y local dada la gran escasez de investigaciones a estos niveles y porque son los ámbitos de definición y formación de las diversas identidades culturales que constituyen España. Finalmente, la imagen de la juventud de los medios de masas convive con los nuevos canales de expresión vinculados al desarrollo de las TICs y con la aparición de nuevos productos audiovisuales. Por lo que cabe esperar que la contribución de los medios a la construcción de la identidad de los jóvenes haya sido modificada con la aparición y aumento del uso de Internet y/o de los móviles, así como con la proliferación de nuevos contenidos televisivos.

5. CONCLUSIONES

No cabe duda de la capacidad de los medios de comunicación para producir y mantener identidades colectivas e individuales. Hemos visto cómo en la Comunitat Valenciana su incidencia es notable, ya sea en la formulación de proyectos de identidad cultural o nacional como en la reproducción de identidades de género, sexuales o vinculadas con la juventud. En este capítulo, hemos querido demostrar que los discursos o representaciones sobre las identidades que aparecen en los medios no son neutrales, sino que en muchas ocasiones responden a posicionamientos ideológicos que se toman consciente o inconscientemente. Son, en definitiva, el resultado de tensiones y luchas por conseguir ser hegemónicos en una sociedad en un momento histórico determinado.

Así, en la actualidad, todo apunta a que los medios de la Comunitat Valenciana, en términos generales, apuestan por promover una identidad cultural valenciana subordinada a la identidad nacional española. Del mismo modo, las representaciones de género o de los inmigrantes todavía están marcadas por estereotipos que poco o nada ayudan al cambio social. De todas formas, conviene recordar que los medios de comunicación son instituciones sociales y, por tanto, sus usos no se pueden controlar ni predecir. En un contexto en el que las identidades no son fijas sino que están en permanente (re)construcción, los medios de comunicación constituyen un instrumento magnifico para dar forma a la sociedad que queramos. Sólo depende de nosotros.

Bibliografía

ALCARAZ, M., ISABEL, F., y OCHOA, J. (2004). "La Llei d'ús i ensenyament del valencià, en via morta". *Revista de llengua i dret*, 41, 105.

ÀLVARO, J. (2000). "Intrahistòria d'una oportunitat perduda", en ESTEVE, J.; ÀLVARO, J.; ALCAÑIZ, J.M.; LÓPEZ, J. y BLAY, J. A. *La televisió (im)possible*. València: Tres i Quatre, pp. 219-302.

ANDERSON, B. (1992). *Long-distance nationalism: World capitalism and the rise of identity politics*. Working papers: University of California.

ANDERSON, B. (1993). *Comunidades imaginadas*. México DF: Fondos de Cultura Económica.

APPADURAI, A. (2001). *La modernidad desbordada*. Barcelona / Buenos Aires: Paidós.

ARNETT, J. J. (2002). "The sounds of sex: sex in teens' music and music videos", en BROWN, J. B. *et alii*. (eds.). *Sexual teens, sexual media. Investigating media's influence on adolescent sexuality*. London: Lawrence Erlbaum Associates Publishers, pp. 253-264.

BAÑÓN, A. M. (ed.). (2007). *Discurso periodístico y procesos migratorios*. Tercera prensa.

BELLO, V. (1988). *La pesta blava*. Valencia: Tres i Quatre.

BELTRAN, A. (2002). *Els temps moderns. Societat valenciana i cultura de masses al segle XX*. Valencia: Tàndem Edicions.

BERMEJO, J. (2005). "Cambio social, cambio publicidad: efectos sobre el receptor" en BERMEJO, J. (coord.). *Publicidad y cambio social: Contribuciones históricas y perspectivas de futuro*. Sevilla: Comunicación social, ediciones y publicaciones, pp. 177-212.

BILLIG, M. (2006). *Nacionalisme banal*. Catarroja: Editorial Afers / Universitat de València.

BRAIDOTTI, R. (2002). "The Uses and Abuses of the Sex/Gender Distinction in European Feminist Practices" en GRIFFIN, G. y BRAIDOTTI, R. (eds). *Thinking Di-*

fferently. A Reader in European Women's Studies. London: Zed Books, pp. 285-307.

BURKHALTER, B. (2003). "El descubrimiento de la identidad de raza en las discusiones de Usenet", en SMITH M. y KOLLOCK, P. (eds.): *Comunidades en el ciberespacio*. Barcelona: UOC, pp. 89-108.

CANTALAPIEDRA, M. J. *et alii*. (2000). *Situación profesional y laboral de los periodistas vascos*. Bilbao: Asociación de periodistas de Bizkaia. Disponible en http: www.periodistasvascos.com

CARTER, C. y STEINER, L. (2004). *Critical Readings: Media and Gender*. London: Open University Press.

CASTELLANO, E. (2007). "Situació del valencià als mitjans de comunicació: un bon moment per al canvi", en *Llibre blanc de l'ús del valencià II*. València: Acadèmia Valenciana de la Llengua.

CASTELLÓ, E. (2007). *Series de ficció i construcció nacional*. Publicacions URV: Tarragona.

CASTELLS, M. y TUBELLA, I. (2002). *La Societat Xarxa a Catalunya*. Barcelona: UOC. Informe consultable a http://www.uoc.edu/in3/pic.

CHAFETZ, J. S. (1992). *Equidad y género. Una teoría integrada de estabilidad y cambio*. (1ª edición en castellano). Madrid: Cátedra.

COROMINAS, M. *et alii* (2007). "Televisión digital terrestre local (TDT-L) en España: los concesionarios privados", *ZER*, *12*(22), 69-95.

COMUNIDAD EUROPEA (1999). *Images of Women in the Media*. Bruselas: Employment & Social affairs, European Commission.

DE MIGUEL, C. *et alii*. (2004). *La identidad de género en la imagen televisiva*. Madrid: Instituto de la Mujer.

DE MIGUEL, C. *et alii*. (2004). *La identidad de género en la imagen fílmica*. Bilbao: Universidad del País Vasco.

EDENSOR, T. (2002). *National identity, popular culture and everyday life*. London: Berg.

ERIKSEN, T. H. (2007). "Nationalism and the Internet", en *ASEN Nations and Nationalism*. London: Blackwell, 1-17.

ESPINAR, E. (2006). "Imágenes y estereotipos de género en la programación y en la publicidad infantil. Análisis cuantitativo". *Revista Latina de Comunicación Social*, nº 61, (en línea) http://www.ull.es/publicaciones/latina/200614Espinar_Ruiz.htm

EVERARD, J. (2000). *Virtual States. The Internet and the boundaries of the Nation-State*. London / New York: Routledge.

FUSTER, J. (2001). *Nosaltres, els valencians*. Barcelona: Edicions 62 (original de 1962).

GALÁN, E. (2007). *La imagen social de la mujer en las series de ficción*. Cáceres: Universidad de Extremadura.

GALLEGO, J. y DEL RÍO, O. (1993): *El sostre de vidre. Situació sòcio-profesional de les dones periodistes*. Barcelona: Institut Català de la Dona.

GARCÍA, M. T. y LEMA, C. (2008). *Guía de intervención ante la publicidad sexista*. Madrid: Instituto de la Mujer.

GAVALDÀ, J. y LLORCA, G. (2004). "La RTVV i el sistema televisiu valencià". *SERRA D'OR*, 535-536. Barcelona: Publicacions de l'Abadia de Montserrat, 20-22.

GELLNER, E. (2001). *Naciones y nacionalismos*. Madrid: Alianza.

GENERALITAT VALENCIANA (2005). *Encuesta uso del valenciano 2005*. Servicio de Investigación y Estudios Sociolingüísticos de la Conselleria de Educación.

GENERALITAT VALENCIANA (2009). *Guia de la Comunicació de la Comunitat Valenciana*, Publicacions Diari Oficial de la Generalitat.

GIRÓ, X. y JARQUE, J. M. (2006). "Prensa escrita e inmigración: estudio sobre la opinión de los diarios sobre la inmigración procedente de fuera de la Unión Europea y sobre la cobertura informativa de conflictos destacados que tienen relación con ella". *ZER*, *11*(20), 251-270.

GOFFMAN, E. (1987). *Gender Advertisements*. New Cork: Harper Torchbooks.

HALL, S. (1996). "Who needs identity?" en HALL, S. y DU GAY, P.: *Questions of Cultural Identity*. London: Sage.

HARAWAY, D. (1991). "*A Cyborg Manifesto: Science, Technology, and Socialist-Feminism in the Late Twentieth Century*" en HARAWAY, D. *Simians, Cyborgs and Women: The Reinvention of Nature*. New York: Routledge, pp. 149-181.

HARDING, S. (1996). *Ciencia y Feminismo*. Madrid: Morata.

HARDT, M. y NEGRI, A. (2002). *Imperio*. Barcelona: Paidós.

INSTITUTO DE LA MUJER (2004). *Legislación Internacional, Europea, Constitucional y Administrativa en materia de igualdad de oportunidades entre mujeres y hombres*. Madrid: Instituto de la Mujer.

KAPLAN, A. (1992). "Feminist Criticism and Television", en ALLEN, R. (ed.): *Channels of Discourse, Reassembled. Television and Contemporary Critism* (second edition). London: Routledge, pp. 247-283.

LÓPEZ, P. (2005). *Representación de género en los informativos de radio y televisión. 2º Informe de la Investigación*. Madrid: Instituto Oficial de la Radio y Televisión e Instituto de la Mujer.

LÓPEZ CANTOS, F. (2005). *La situación de la televisión local en España*. València: Xarxa de Publicacions Joan Lluís Vives.

LÓPEZ GARCÍA, G. (2008). *Los cibermedios valencianos: cartografía, características y contenidos*. València: Servei de Publicacions Universitat de València. Disponible en http://www.cibermediosvalencianos.es/cibermedios.pdf

LOZADA, M. (2001). "Políticas en red y democracia virtual: la cuestión de lo público", en MATO D. (ed), *Estudios Latinoamericanos sobre Cultura y Transformaciones Sociales en Tiempos de globalización, núm. 2*. Caracas / Buenos Aires: UNESCO y Consejo Latinoamericano de Ciencias Sociales, pp. 133-146.

MARTÍNEZ SANCHIS, F. (2009). "El periodisme valencià en llengua catalana". En DÍAZ NOCI, J. (ed.). *Kazetaritza hizkuntza: Espainiako kasua (El periodismo en lenguas minorizadas: el caso de España)*. Universidad del País Vasco. pp 555-584.

MENÉNDEZ, M. I. (2008). *Discursos de ficción y construcción de la identidad de género en televisión*. Palma de Mallorca: Universidad de las Islas Baleares.

MIRA, J.F. (2005). *Crítica de la nació pura*. Valencia: Eliseu Climent (original de 1985).

MOLTÓ, E. (2002). "Una presència simbòlica. El valencià als mitjans audiovisuals", *Canelobre*, (47), 273.

MORAGAS, M. (1988). *Espais de comunicació: experiències i perspectives a Catalunya*. Barcelona: Edicions 62.

MORLEY, D. (2000). *Home territories. Media, Mobility and Identity*. London / New York: Routledge.

O'BRIEN, J. (2003). "La (re)producción del género en la interacción online", en SMITH, M. y KOLLOCK, P. (eds.). *Comunidades en el ciberespacio*. Barcelona: UOC, pp. 109-146.

OHMAE, K. (1996). *The End of the Nation State. The Rise of Regional Economies*. London: Harper Collins.

PAPÍ-GÁLVEZ, N. (2008). *El género entre bastidores. El caso de las periodistas de la Comunidad Valenciana*. Alicante: Universidad de Alicante.

PENALVA C., y BRÜCKNER, G. (2008). "Comunicación intercultural. Un estudio de caso sobre la prensa local extranjera en España". *Revista Internacional de Sociología*, 66(50).

PERIS, À. (2005). "Administración electrónica y poder del Estado", en LLORCA, G. y PERIS, À. (eds.): *eAdministració i eCiutadania*. València: Universitat de València pp. 222-271.

PERIS, À. (2008). "Identidad nacional, televisión y vida diaria" en NICOLÁS, E. y GONZÁLEZ, C. (eds). *Ayeres en discusión. Temas clave de historia contemporánea hoy*. Murcia: Universidad de Murcia. Libro electrónico.

PINDADO, J. (2006). "Los medios de comunicación y la construcción de la identidad adolescente". *ZER*, 21, 11-22.

PIQUERAS INFANTE, A. (1996). *La identidad valenciana. La difícil construcción de una identidad colectiva*. Madrid: Escuela Libre Editorial / IVEI.

REDONDO, M. (en prensa, 2009). *Brand-placement, sexo y juventud*. Alicante: Centro de Estudios de la Mujer de la Universidad de Alicante.

RHEINGOLD, H. (2000). *The Virtual Community. Homesteading on the Electronic Frontier*. Cambridge / London: MIT Press (edición revisada).

RODRIGO ALSINA, M. (2006). "El periodismo ante el reto de la integración". En *Medios de comunicación e inmigración*. Alicante: CAM.

RODRIGO, M. y MARTÍNEZ, M. (1997). "Minories ètniques i premsa europea d'elit". *Anàlisi*, 20, 13-36.

RODRÍGUEZ, C. *et alii*. (2008). "Roles de género en la prensa diaria nacional". *Estudios sobre el Mensaje Periodístico*, 14, 575-580.

SCHLESINGER, E. (ed.) (2003). *Addressing the World*. Oxford: Rowan and Littlefield Publishers.

SILES, B. (2004). "Las series televisivas: discursos fragmentados sobre la emocionalidad" en DE MIGUEL, C. *et alii*. *La identidad de género en la imagen televisiva*. Madrid: Instituto de la Mujer, pp. 83-114.

SUBIRATS, J. (2002). "Los dilemas de una relación inevitable. Innovación democrática y tecnologías de la información y de la comunicación" en http://www.democraciaweb.org/subirats.pdf.

TURKLE, S. (1997). *La vida en la pantalla. La construcción de la identidad en la era de Internet*. Barcelona: Paidós.

VVAA. (2004). *El miratge del País Valencià. La (de)construcció mediàtica*. Valencia: Institut Interuniversitari de Filologia Valenciana / Càtedra Joan Fuster (CD-ROM).

XAMBÓ, R. (1995). *Dies de Premsa. La comunicació al País Valencià des de la transició política*. Tavernes Blanques: L'Eixam.

XAMBÓ, R. (2001). *Comunicació, política i societat. El cas valencià*. València: Tres i Quatre.

4

EL MARCO JURÍDICO DEL MERCADO AUDIOVISUAL VALENCIANO EN TIEMPOS DE TRANSFORMACIÓN

Andrés Boix Palop
Universitat de València

1. VECTORES DE EVOLUCIÓN QUE EXPLICAN LA ACTUAL SITUACIÓN DEL AUDIOVISUAL VALENCIANO

El ecosistema audiovisual valenciano, en lo que se refiere a su ordenación jurídica, es el resultado de un proceso muy particular de decantación que sólo puede entenderse, en lo que se refiere a su actual punto de llegada, a partir de la confluencia en el tiempo de una serie de tendencias, algunas de las cuales se retroalimentan entre sí. Aunque los vectores que permiten entender esta evolución pueden ser identificados con relativa facilidad, también es cierto que si bien la mayor parte de los respectivos procesos están en mayor o menor medida avanzados, todos ellos siguen todavía lejos de estar totalmente completados, lo que genera algunas incoherencias, por la subsistencia de pautas anteriores. Puede decirse, en este sentido, que el marco del audiovisual valenciano refleja de manera muy clara que nos encontramos en un momento de cambio, con las inevitables vacilaciones que ello suele conllevar.

1.1. Decaimiento de la idea de servicio público

Por una parte, la actual regulación de los medios audiovisuales valencianos es el resultado de la generalizada decadencia, tanto en Europa como en España, del paradigma que entendía la radio y la televisión como un servicio público estatal. De una manera u otra, con más o menos fuerza, el sector audiovisual comienza a funcionar, también jurídicamente, cada vez más en términos de mercado (Bastida Freijedo, 2004). Un mercado, si no enteramente libre, sí estructuralmente diseñado a partir de la creciente consideración de los actores del mismo como agentes absolutamente privados. O, al menos, donde conviven empresarios privados con actores públicos, pero siempre con una cada vez más evidente contaminación por las pautas del modelo privado respecto de la actividad de los operadores privados. De hecho, las últimas iniciativas legislativas, como veremos más adelante, toman buena nota de este proceso ya detectado doctrinalmente y convenientemente asumido (Barata i Mir, 2006), de manera que asume el imparable arrumbamiento, primero por la vía de los hechos, ahora por la del Derecho, de la noción de *servicio público*.

1.2. Revolución tecnológica

En segundo lugar, y en paralelo a esta despublificación del sector, se ha producido un importante cambio tecnológico que ha trastocado notablemente la manera de hacer radio y televisión, los métodos de emisión y, sobre todo, las posibilidades de transmisión. Este cambio tecnológico, de la mano de la digitalización de los contenidos y la multiplicación de los cauces de emisión, ha coadyuvado de manera muy importante (o ha presionado para que se produzca, si se prefiere) a la pérdida de peso estatal del sector. En estos momentos, de hecho, está culminándose la sustitución absoluta de la emisión de televisión hertziana analógica por la digital, con la consecuente multiplicación de canales que ello ha permitido (por la mayor compresión de la señal digital), la introducción de competencia (matizada por el control por pocos actores privados de las licencias, pero competencia al fin) a todos los niveles (estatal, autonómico, local) que ello ha producido y la multiplicación y especialización de contenidos, desdibujando los perfiles clásicos, en parte, de las cadenas generalistas.

1.3. Maduración económica del sector

Por supuesto, en íntima relación con los avances técnicos, el sector ha vivido una revolución económica. Los costes se han reducido espectacularmente, facilitando la aparición de modelos de negocio menos ambiciosos, posibilitando la rentabilización de apuestas no necesariamente mayoritarias y contribuyendo a que el ecosistema audiovisual pueda ser más plural. Resulta evidente que esta mayor facilidad para poner en marcha proyectos radiofónicos o televisivos es un agente dinamizador de la competencia y, con ello, incide en la presión que los propios avances tecnológicos propiciaban en el sentido de erosionar los antiguos monopolios públicos. No sólo es que sea posible emitir más contenidos y por medios muy diversos. Es que, además, resulta mucho más barato hacerlo y, por ello, hay muchos y muy diversos proyectos empresariales que pueden ser viables. Con una situación de esta índole resulta más difícil justificar jurídicamente la reserva en exclusiva a la Administración de un mercado como es el audiovisual, lo que a su vez alimenta la erosión de la clásica noción de servicio público.

1.4. Descentralización del poder sobre el mercado audiovisual

Por último, como cuarto vector de la evolución que ha de ser tenido en cuenta y no puede perderse de vista, la Constitución española, desde 1978, ha promovido un proceso de descentralización política que ha supuesto la asunción de importantes competencias por las Comunidades Autónomas. Todas ellas, y éste es también el caso de la valenciana, han asumido importantes esferas de la gestión pública en todos los niveles. Entre ellas están las referidas a la gestión de la cultura propia y, aun con ciertas dudas, la competencia sobre el panorama audiovisual y ordenación de medios de comunicación, que prácticamente todos los Estatutos han ido asumiendo, más allá de la competencia básica que se reserva el Estado[1]. Quiere ello decir que nuestro modelo, estructuralmente, concibe la actuación pública en la materia como esencialmente radicada en las instituciones autonómicas y que sólo el efecto de arrastre histórico explica el escaso desarrollo de la actuación autonómica en la materia (con algunas excepciones, como el caso catalán).

Al Estado queda el diseño básico del sistema y, como mucho, el control sobre los medios que emiten en todo el territorio estatal. Pero es claro que, en cumplimiento de los postulados constitucionales, corresponde a las Comunidades Autónomas el resto de competencias. Poco a poco éstas se han ido asumiendo, a medida que la propia dinámica del Estado autonómico se ha ido imponiendo. Se trata, sin embargo, de una evolución todavía inconclusa, como demuestra que seguimos concibiendo nuestro sistema audiovisual como único, cuando en puridad se trata, o debiera tratarse jurídicamente, de la yuxtaposición de 17 mercados audiovisuales diferentes, como ocurre en modelos federales como el alemán (donde, recordemos, la propia televisión pública federal es el resultado de la colaboración coordinada de las diversas televisiones de cada región, pues son éstas las competentes en la materia y las que jurídicamente podían crear medios públicos).

---

[1]   La Constitución española, en su artículo 149.1.27ª reserva al Estado la competencia para dictar las "normas básicas del régimen de prensa, radio y televisión y, en general, de todos los medios de comunicación social, sin perjuicio de las facultades que en su desarrollo y ejecución correspondan a las Comunidades Autónomas".

De manera que no sólo es que en las últimas décadas el sector audio-visual se haya ido, paulatinamente, desembarazando del tradicionalmen-te determinante control público sobre el mismo. Un control que de ser omnicompresivo ha pasado a ser parcial y más orientado a encuadrar el ejercicio de la actividad que se deja cada vez más en manos privadas que a prestar directamente, por medio de medios públicos, el servicio televisivo o radiofónico. Es que, además, ese control público, cada vez menos intenso y reorientado hacia la regulación, ya no sólo es responsabilidad del Estado sino que ha ido concediendo, paulatinamente, un papel cada vez más activo a las Administraciones autonómicas.

2. NOTAS GENERALES SOBRE LAS CARACTERÍSTICAS DEL PANORAMA AUDIOVISUAL EN LA COMUNIDAD VALENCIANA

Como consecuencia de lo expuesto, y aunque constituya un resumen ne-cesariamente apresurado, el panorama audiovisual valenciano se caracteriza por toda una serie de notas estructurales, que pasamos a indicar sintetiza-damente antes de detenernos en señalar su concreción normativa, tanto en lo que se refiere al marco jurídico de los medios públicos como en lo que atañe al control jurídico de los privados y su normativa.

2.1. Convivencia de acción del Estado con acción de la Generali-tat Valenciana

Parte de las emisiones audiovisuales que reciben los ciudadanos valen-cianos son consecuencia de la acción directa de poderes estatales (así, por ejemplo, la televisión pública de ámbito nacional o la radio pública españo-la) o actividades privadas sometidas a regulación y control por parte de la Administración central (es el caso de las televisiones privadas que emiten para toda España en TDT o de las empresas que tienen concesión de radio digital para todo el país).

Junto a todo ello se superpone la subsistencia de un control estatal sobre el espacio radioeléctrico[2], legalmente configurado como dominio pú-blico estatal y que, por ello, hace que sea el Estado quien haya de asignar

---

[2]   El artículo 149.1.21ª de la Constitución reserva al Estado la competencia en materia de "régimen general de comunicaciones (...) telecomunicaciones (...) y radiocomu-nicación".

las concretas frecuencias de emisión cuando se requiera para realizarla de ondas métricas. El Estado, asimismo, sigue siendo el que, a partir de sus normas básicas en la materia, sigue determinando hasta dónde puede llegar el sector autonómico, capacidad que se deriva ya a estas alturas, en el fondo, más de su control, ya comentado, sobre el espacio radioeléctrico que de ningún otro elemento. En efecto, ese sector autonómico será mayor o menor según el espectro para sus emisiones concedido por el Estado, que lo sigue controlando, sea mayor o menor[3].

Pero, junto a esta realidad, convive un sector, de creciente importancia, que está jurídicamente enraizado en la Comunidad Valenciana. Se trata tanto de los medios audiovisuales públicos de titularidad autonómica (englobados en RTVV) como del sector privado autonómico y local, cuyas licencias son competencia autonómica y cuyo control corresponde a las autoridades valencianas. La amplitud de este sector sigue dependiendo de la determinación del mismo que haga el Estado en su normativa básica, como se ha dicho, pero más allá de este dato es hasta cierto punto autónomo, siempre y cuando respete las condiciones mínimas de emisión y servicio que las directivas europeas y la normativa básica estatal contemplen. Las Cortes valencianas, de hecho, han regulado con cierto detalle el ejercicio de estas competencias en la Ley 1/2006, de 19 de abril, de la Generalitat, del Sector Audiovisual.

2.2. Aparición de un sector privado cada vez más importante y regido, con la excepción de la entrada al mismo, por criterios de mercado

De manera equivalente a lo que ha ocurrido a escala estatal, donde a lo largo de las últimas dos décadas hemos asistido a la aparición y consolidación de un sector privado que, aunque continúa necesitando de una concesión pública para poder comenzar a operar (al menos, si hablamos

---

[3]   En estos momentos, y a falta de la aprobación de la Ley General de Comunicación Audiovisual, en estos momentos en tramitación parlamentaria, la normativa estatal básica para establecer los perfiles de uno y otro ámbito, estatal y autonómico, se encuentra en la DA 44 de la Ley 66/1997, el RD 2169/1998 que aprueba el Plan Técnico de la TDT, la Ley 10/2005, de Medidas Urgentes de Impulso de la TDT y los RD 944 y 945/2005 que aprueban los nuevos Reglamentos de Plan Técnico de la TDT y de prestación del servicio. Por último, en 2009 se ha aprobado la Ley 7/2009, que procedía de los RDLeyes 1/2009 y 11/2009 que ha permitido la emisión de pago en TDT. Véase, sobre la transición a la TDT, Marzal y Casero, 2007 y Del Canto Soriano, 2007.

de televisión o radio hertzianas, en la medida en que esa ocupación del dominio público radioléctrico, limitado, se somete a esa obtención previa de licencia que permita su ordenación), está gestionado por operadores privados y con criterios puramente de mercado. A partir del comienzo de emisiones de las primeras televisiones operadas por capital privado en 1989 (Antena 3 TV, Tele 5 y Canal Plus) se ha asentado en España un mercado, económicamente muy potente y con una enorme importancia en términos de audiencia (muy superior globalmente a la de los operadores públicos) y de capacidad de conformación del sector.

Con los años, el mercado televisivo privado ha ido, además, a más. Se han añadido operadores hertzianos analógicos por diversos procedimientos (Canal Plus pasó de emitir en acceso condicionado al pago por parte del espectador a hacerlo en abierto con el nombre comercial de Cuatro; se concedió una nueva licencia a La Sexta) y, con la definitiva sustitución del sistema de emisión por el digital, se han añadido operadores como Veo TV o Net TV. De manera que todos los grupos mediáticos españoles tienen en estos momentos licencia para emitir televisión digital por ondas. De hecho, dado el reparto de concesiones realizado por el Gobierno, cada uno de ellos dispone de varios programas que le permiten emitir diversas programaciones e, incluso, alguna de ellas, si así lo desean, en modalidad de pago (el grupo Mediapro, por ejemplo, además de La Sexta y otros programas ofrece en este formato un canal dedicado al fútbol desde septiembre de 2009). Este sector privado se ha fortalecido, además, con el creciente dinamismo de los sistemas de emisión y comercialización de productos audiovisuales que se desarrollan en entornos donde jurídicamente impera la libre competencia. Así, desde 1995, en la línea ya señalada de despublificación del sector, el legislador español optó por declarar que la emisión de televisión y radio por satélite pasaba a ser libre. A finales de 2003 se hizo lo propio con el audiovisual por cable. Y, desde sus orígenes (y desde que las conexiones de banda ancha lo permiten) la televisión y la radio en Internet, por motivos obvios (es prácticamente imposible pretender lo contrario), se emiten de forma libre, sin necesidad de autorización administrativa alguna. Quiere ponerse de manifiesto con ello que, a día de hoy, existe un potente y plural mercado privado audiovisual, tanto en televisión como en radio, a escala nacional.

Estas televisiones gestionadas por operadores privados, a pesar de los píos deseos de las diferentes normas que han ido regulando su actividad a lo largo de estos años, han actuado con criterios que muy difícilmente pueden reconducirse a ninguna idea de servicio público: son televisiones, y radios, que actúan a partir de consideraciones puramente de mercado. Es por ello de agradecer que la evolución de la legislación estatal haya tenido, al fin, conciencia de ello. El Proyecto de Ley General de Comunicación Audiovisual (en adelante LGCA) aprobado el 16 de octubre de 2009 por el Consejo de Ministros y enviado al Congreso para su tramitación parlamentaria, en el estado actual de su redacción, reconoce por primera vez a la radio, a la televisión y las actividades conexas como "servicios de interés general" pero no como "servicios públicos", calificativo que queda reservado a la prestación pública realizada por los gestores públicos. Según la ley, la entrada al mercado quedará limitada por el control público del espacio radioeléctrico pero, una vez obtenida la licencia, ya no se trata de disciplinar a los operadores como si gestionaran un servicio público sino asumiendo que se trata de una actividad de negocio y que la ordenación administrativa de la misma es más sensato que así lo tenga en cuenta (Vidal Beltrán, 2010).

De la misma manera, aunque con dos décadas de retraso, este mismo proceso empieza a incoarse a escala valenciana, dada la aparición, por primera vez, de un sector televisivo (radios de ámbito local han existido siempre) local y autonómico. Con la transición a la TDT el Estado no sólo asumió por primera vez con cierta amplitud la existencia de un reparto constitucional de competencias y dejó que fueran las propias Comunidades Autónomas las responsables de diseñar sus modelos de comunicación audiovisual y la organización del mercado privado de la televisión en ese ámbito. También asignó frecuencias suficientes para que se empezara a organizar un mercado autonómico y local. Es una manifestación más de la traslación al audiovisual de proximidad de las pautas jurídicas que han dominado la regulación del sector por el Estado (Boix Palop, 2007a).

En estos momentos, como ya se ha señalado, de la Generalitat Valenciana depende la adjudicación, gestión y control de un sector audiovisual propio, donde operan ya una serie de empresas privadas tanto a escala autonómica como local. La referida Ley 1/2006, de 19 de abril, de la Generalitat, del Sector Audiovisual, por ello, no es sólo una norma de gestión de un servicio público prestado directamente por la Generalitat (a través de RTVV), sino una norma para disciplinar un incipiente mercado con operadores privados y competitivos. La norma sigue entendiendo a estos servicios y sus operadores como «servicio público», pero si la LGCA estatal se aprueba en los términos previstos su calificación acarreará la consideración de los servicios autonómicos también como meros «servicios de interés general». De ello no se derivarían, sin embargo, excesivos cambios: hace tiempo que la regulación del sector, quitando la limitación en el acceso al mismo (que seguirá requiriendo de licencia por necesitar del uso del dominio público radioeléctrico) es, en el fondo, una regulación de un sector con operadores privados en libre competencia.

2.3. Correlativa posición secundaria o subsidiaria de los actores públicos del sistema

De la misma manera que la televisión pública española ha pasado de ser actor único del sistema a un participante más (y, además, un participante hasta hace bien poco muy difícilmente diferenciable respecto del resto de operadores, porque la incapacidad administrativa para imponer criterios de servicio público en la programación de los operadores privados contrasta notablemente con la facilidad con la que éstos han logrado que la orientación de la programación de la televisión pública se haya asemejado crecientemente a la impulsada por criterios de mercado) y sólo recientemente, con la aparición de un nuevo modelo de organización y financiación para TVE en 2009, que se ha concretado en la desaparición de la publicidad a partir de 2010 y en una serie de mandatos de servicio público que se pretenden más claros y exigentes[4], se ha producido una diferenciación aunque, eso sí, referida a una parte de la tarta del mercado que, al igual que ocurre con la Radio Nacional pública, es minoritaria.

En un sentido paralelo, la aparición y consolidación, a medida que económica y tecnológicamente sea posible que se produzca la misma, de un mercado televisivo autonómico y local propio irá disminuyendo el peso de RTVV en el sector audiovisual valenciano (de hecho, la aparición de RTVV en 1989, con un mercado radiofónico de proximidad ya consolidado, ha provocado que su presencia en el mercado de la radio nunca haya pasado de secundaria).

La transformación de la televisión pública estatal en una entidad destinada a prestar un servicio público diferenciado del de los operadores privados, completada en las normas que el Estado ha dictado para su gestión, se completa con las previsiones de la LGCA que claramente pretende orientar una transición del resto de operadores públicos (esencialmente autonómicos) en esta misma dirección. La norma contiene, así, una serie de específicas obligaciones para los operadores públicos que, aun no siendo demasiado detalladas (se trata de una norma básica y ha de dejar espacio a las Comunidades Autónomas para que ejerzan sus competencias en el sentido que mejor consideren) que, caso de aprobarse en sus actuales términos, obli-

---

[4]   Al margen de las importantes normas de 2009 en materia de contenidos, servicio público, financiación y eliminación de la publicidad, ha de destacarse que la reforma comienza con la Ley 17/2006 de la radio y televisión de titularidad estatal, que consagra un modelo de organización para la a partir de ese momento denominada Corporación RTVE que pretende fortalecer su carácter público.

garían a reforzar ciertos contenidos de servicio público. De proseguir esta evolución, al igual que es previsible que ocurra con TVE y ya pasa con RNE, el papel de los medios de comunicación públicos está llamado a ser no ya minoritario (como ya es, pues su audiencia no llega al 20% de la tarta total) sino estructuralmente diferenciado y con una posición si no secundaria sí claramente subsidiaria respecto de la oferta privada.

2.4. Aparición de modelos de gestión de tintes privados en los medios públicos

A diferencia de lo que ocurría con las primeras normas reguladoras de los medios de comunicación públicos (el viejo Estatuto de TVE de 1980, la Ley del Tercer Canal de 1983 para las primeras televisiones autonómicas), que imponían un rígido modelo de gestión pública en las televisiones directamente gestionadas por la Administración, la evolución económica del sector ha provocado que poco a poco se hayan relajado estas directrices rígidas. En estos momentos, TVE se rige por normas aprobadas a lo largo de los últimos años que han revolucionado la gestión del ente, como ya se ha señalado, y que, en parte, han flexibilizado la manera de organizar el mismo. De forma paralela, la efectiva asunción de sus competencias propias en materia de televisión por parte de las autonomías permitirá a cada una de ellas decidir cómo ha de gestionarse su televisión propia.

En el caso valenciano, la norma de creación de RTVV, de 1984, todavía establece exigencias de gestión pública homologables a las que venían impuestas por la ley del tercer canal, pero ahora el Parlamento valenciano, si lo estimara conveniente, podría derogarlas y autorizar modos de gestión privada para el ente público valenciano con las únicas limitaciones de las escasas referencias a esta cuestión, sustancialmente menores a las que contenía la vieja ley de 1983, previstas en la LGCA, que apenas si condicionan en modo alguno el modelo de gestión.

2.5. Sustitución de órganos de control propios del modelo de servicio público por modelos de regulación y control de contenidos

Como es evidente, las necesidades de control jurídico por parte del Estado sobre unos medios de comunicación propios (como pueden ser RTVE o RTVV) son radicalmente diferentes a las que se necesitan sobre un entorno donde participan medios de comunicación privados que compiten en el mercado. A medida que la realidad del mercado ha pasado de ser, primero en el ámbito estatal, luego en el ámbito autonómico, la de un sector televisivo con una única televisión, pública y controlada por la Administración, a un entorno competitivo y con actores privados, lógicamente, ha cambiado también el tipo de marco jurídico. Así, de un modelo de control y gestión directa por parte del Gobierno se ha ido evolucionado a un sistema de control administrativo que se presente más neutro, más profesional, más independiente y más orientado a la gestión económicamente eficiente del sector.

A nivel estatal, la nueva Ley General de Comunicación Audiovisual consagra definitivamente este tránsito. Lo hace definiendo, como ya se ha dicho, a los operadores como "servicios de interés general" y consagrando la creación de un modelo de regulación que se pretende despolitizar alejándolo del Gobierno y poniendo en manos de un órgano de perfiles supuestamente técnico e independiente (aunque su nombramiento depende de los poderes públicos) el control del sector. Este previsto Consejo Estatal de Medios Audiovisuales (en adelante, CEMA) asumirá todas las competencias de control sobre los operadores privados y sus obligaciones legales en materia de programación (así como el cumplimiento de las debidas restricciones para proteger a consumidores y telespectadores, establecidas tanto por la ley española como en sede comunitaria, que afectan a la publicidad, a la programación, a los tiempos...), así como la sanción y, lo que es muy importante, la asignación y renovación de las licencias (que pasan a ser de 15 años, en lugar de los 10 actuales). Esta fórmula es la actualmente imperante en todos los países europeos (el modelo más conocido es probablemente el Conseil Superieur de l'Audiovisuel francés) y cuenta con precedentes en España en algunas Comunidades Autónomas, el más importante de los cuales es el catalán con su Consell de l'Audiovisual (Tornos Mas, 1999).

En la Comunidad Valenciana, está prevista la constitución de un órgano equivalente tanto en la citada Ley audiovisual valenciana de 2006[5] como en el propio Estatuto de Autonomía prácticamente coetáneo a la misma, que proclama también que corresponderá a este consejo audiovisual gestionar

---

[5]   Cuyo artículo 5, en un mandato que todavía no ha sido cumplido, establecía que "mediante una Ley específica se creará el Consejo del Audiovisual de la *Comunitat Valenciana* en el que se determinará su cometido, naturaleza y régimen jurídico, ámbito y principios de actuación, estructura orgánica y composición, estatuto de sus miembros, recursos económicos, organización y funcionamiento, personal a su servicio y relaciones con las instituciones de La Generalitat". Este *Consell de l'Audiovisual* de la *Comunitat Valenciana* estaba llamado a emular a modelos como el catalán, pero mientras no sea creado las competencias en la materia siguen retenidas por la Generalitat Valenciana y su estructura administrativa clásica.

las competencias propias en materia audiovisual[6]. El hecho de que, por el momento, esta creación no se haya concretado supone que las competencias autonómicas siguen, provisionalmente, en manos del Gobierno valenciano. Situación que, previsiblemente, tanto porque normativamente así está previsto como porque, como se ha expuesto, la tendencia mayoritaria va en la dirección de crear órganos específicos para estas funciones, es previsible que se vea modificada en cuanto la maduración del sector privado autonómico y local obligue a una gestión más neutra del mismo.

Estos consejos audiovisuales, tanto el catalán que ha servido de ejemplo como el CEMA estatal padecen, sin embargo, una cierta esquizofrenia jurídica. Se trata de órganos pensados para regular y gestionar un sector cada vez más privado, a casi todos los efectos (económicos, de responsabilidad de programación, en materia de titularidad...), pero en ocasiones siguen teniendo competencias más propias de un control sobre medios que realizan un servicio público, con amplias atribuciones para fiscalizar la programación y contenidos. Que ello pueda realizarse incluso respecto de contenidos audiovisuales emitidos por Internet, cable o satélite, como es su pretensión desde hace tiempo (Barata i Mir, 2000) es más que cuestionable, por cuanto en mercados donde rige la libre competencia la norma es la libertad de expresión y, como es sabido, ésta sólo puede ser restringida constitucionalmente por un juez, no por un órgano administrativo. Se trata de una cuestión, en todo caso, sobre la que existe todavía una importante discusión entre juristas y las posiciones son, al menos de momento, difíciles de conciliar (más detalles sobre esta cuestión en Betancor Rodríguez, 2007 y Boix Palop, 2007b).

2.6. Problemas en materia de financiación

Los medios públicos en España han competido tradicionalmente en el mercado de la publicidad mientras que, además, recibían financiación pública por la realización de sus objetivos de servicio público. Esta situación, criticada duramente por las televisiones gestionadas por operadores privados (asociadas como autodenominadas televisiones comerciales en UTECA, entidad que no sólo ha presionado políticamente sino que ha planteado di-

---

[6]   En concreto, su artículo 56.3 insta a la creación del citado organismo mediante una ley específica. En el momento de cerrar este trabajo ni el *Consell de la Generalitat* ni *Les Corts Valencianes* han adoptado por el momento ninguna iniciativa ni actuación en esa línea.

versas acciones judiciales, tanto en España como en Europa y en este último ámbito con más éxito, contra la indiscriminada financiación de los medios públicos), se ha reproducido en las televisiones autonómicas.

Mientras que para RTVE la situación ha cambiado radicalmente y a partir de 2010 la publicidad, como ya se ha comentado, desaparece, dejando ese mercado en manos exclusivas de los agentes privados, las televisiones autonómicas siguen contando o no con el acceso a esa dualidad de recursos según dispongan sus respectivas legislaciones. En el caso valenciano, de momento, no hay previsión de renuncia a la publicidad. Para evitar problemas de competencia a la luz de las normas de la Unión Europea (interpretadas por las sentencias referidas, a instancia de las quejas de UTECA), en consecuencia, la financiación pública ha de quedar vinculada a objetivos finalistas de servicio público claramente singulares y diferenciados respecto de la programación realizada por las televisiones comerciales (Gay Fuentes, 1994 y González Encinar, 1996). Una premisa que en más ocasiones de las debidas es dudoso que describa la realidad efectiva del sector.

3. RADIO TELEVISIÓN VALENCIANA (RTVV): ORÍGENES Y PRESENTE DEL SECTOR PÚBLICO AUDIOVISUAL VALENCIANO

El ente público RTVV fue creado por Ley de la Generalitat Valenciana 7/1984, de 4 de julio, dentro del marco que establecía la Ley 46/1983, de 26 de diciembre, reguladora del tercer canal de televisión. Se trata de una televisión autonómica que se pone en marcha, en consecuencia, en el marco de una regulación estatal que entendía que los operadores autonómicos eran concesionarios de un servicio público estatal. Por ello, era el Estado, mediante la referida ley de 1983, quien decidía cómo se habían de gestionar las cadenas autonómicas. Y como consecuencia de ello las leyes que tienen su origen en esa época, como es el caso de la valenciana, reproducen el modelo público entonces imperante y son en parte el origen de la imposibilidad de privatizar la gestión de las televisiones basadas en el mismo.

La ley de creación de RTVV establece un modelo de servicio público de corte tradicional, anclado en el sector público, y con un importante control por parte de la Administración y de los órganos públicos establecidos por la norma (aunque algunos de ellos no han tenido recorrido efectivo). Ése ha sido el motivo de que, con el actual marco normativo, no haya sido posible acometer la privatización parcial de parte de los servicios televisivos, que en algún momento político se ha intentado llevar a cabo (aunque, bien es cierto, sin continuidad en esta pretensión, que probablemente, con un mero cambio en la ley valenciana 7/1984 habría tenido ciertas posibilidades de prosperar, como el ejemplo del modelo de televisión autonómica canaria, gestionada por empresas del sector y que el Tribunal Supremo ha considerado posible en el marco de la ley estatal 46/1983, ha demostrado (Vidal Beltrán, 2004)).

Conviene tener presente, sin embargo, que el marco jurídico actual ya no se corresponde con el que fue en ese momento inicial. Porque, si bien la mayor parte de las televisiones autonómicas fueron puestas en marcha a partir del esquema referido, el caso de la vasca ETB fue diferente. La Administración autonómica vasca, en desarrollo de su Estatuto de Autonomía, entendía que sus competencias abarcaban, en su caso, la creación de una televisión propia, sin necesidad de autorización o concesión estatal, para el cumplimiento de los objetivos y finalidades culturales y en materia de comunicación que el Estatuto establecía como competencias autonómicas. ETB nace, así, no al amparo de la ley del tercer canal (y como una concesión que el Estado daba a una autonomía para gestionar un servicio público de titularidad estatal), sino como un servicio de titularidad autonómica creado como derivación directa de competencias propias. Este modelo será también el que seguirán otras Comunidades Autónomas para poner en marcha, como fue el caso de la Comunidad Valenciana con Punt 2, segundos canales de televisión. Esto es, para superar los estrechos márgenes que el marco estatal concedía a las Comunidades Autónomas, limitándolos, por ejemplo, a un único canal.

Finalmente, el tránsito de la televisión hertziana analógica a la digital ha sido aprovechado por el Estado para adecuar su legislación a los principios constitucionales de autonomía que las diferentes Comunidades habían ido aprovechando por su cuenta para poner en marcha sus televisiones autonómicas (o sus segundos canales). Las nuevas concesiones de TDT se enmarcan en una reestructuración global del sistema. Donde históricamente la televisión, toda la televisión, era sólo servicio público estatal ahora habrá parte de servicio público estatal (que si se aprueba la LGCA pasará a ser, además, parte servicio público y parte de interés general), parte totalmente liberalizada (Internet, cable, satélite) y parte que será servicio público autonómico.

Se trata de una solución, por lo demás, ya ensayada en el Estado autonómico desde los años ochenta en el ámbito de la radiodifusión (desde entonces las licencias de frecuencia modulada son competencia autonómica en su adjudicación, control y renovación, iniciando una descentralización en la gestión del sector) y plenamente coherente con el modelo constitucional.

Además, todos los Estatutos, y el valenciano no es una excepción, han ido asumiendo en toda la amplitud constitucional posible esas competencias. En el caso del Estatuto valenciano de 2006, y además de la referencia del tercer párrafo del artículo 56 referida al Consejo del Audiovisual, los dos primeros párrafos de ese mismo artículo dejan claro que la Generalitat asume plenamente todas las competencias posibles sobre gestión de su audiovisual propio y que, además, también confiere al Consell la capacidad para crear medios propios de comunicación. Y todo ello sin necesidad de la interposición de permiso alguno por parte de una ley como la antigua del Tercer Canal sino, al modelo de ETB, porque es una competencia directamente desarrollada desde el Estatuto[7].

De modo que, más allá de la novedad que supone que la ordenación del sector televisivo autonómico y local privado sea competencia autonómica, la reordenación supone la liberación del legislador autonómico, que ya no habrá de atender a las directrices estatales a la hora de definir cómo será el modelo de televisión autonómica. Lo cual significa que, a partir de este momento, cualquier cambio en la ley de creación de RTVV podría significar, a voluntad del legislador autonómico, cambios en la organización y gestión del ente público.

En la actualidad, la Generalitat Valenciana ha reservado la mitad de los programas televisivos autonómicos disponibles a la televisión pública valenciana. Lo cual significa que, dado que las emisiones autonómicas de TDT han comenzado con un multiplex que permite la emisión de 4 programas, en principio RTVV dispuso de 2 de ellos, para emitir los que eran sus dos canales analógicos (Canal 9 y Punt 2). Con el apagón analógico y el paulatino incremento de frecuencias digitales, a la Comunidad Valenciana le corresponde otro multiplex que permitirá a RTVV disponer de más programas (de momento, está siendo utilizado uno de ellos para emitir un canal de noticias 24 horas).

La radio autonómica valenciana, por su parte, dispone de dos licencias de radio autonómica digital, así como de licencias en FM analógico que le permiten cubrir todo el territorio autonómico.

---

[7]   Art. 56.1: "Corresponde a la Generalitat, en el marco de las normas básicas del Estado, el desarrollo legislativo y la ejecución del régimen de radiodifusión y televisión y del resto de medios de comunicación en la Comunitat Valenciana".
Art. 56.2: "En los términos establecidos en el apartado anterior de este artículo, la Generalitat podrá regular, crear y mantener televisión, radio y demás medios de comunicación social, de carácter público, para el cumplimiento de sus fines".

En cuanto a la programación y sus objetivos, las directrices tanto de las normas históricamente aplicables (parte del Estatuto de RTVE de 1980, en lo referido a las obligaciones de servicio público que habían de cumplirse) como de las propias contenidas en la ley de creación de RTVV han sido históricamente poco respetadas. No se trata de una anomalía del sector público televisivo valenciano, sino más bien de una constante en España, donde esta ausencia de conciencia de normatividad de las previsiones en la materia ha sido una constante. Ni los Gobiernos han entendido que la gestión de sus televisiones públicas ha de estar excesivamente vinculada a esas normas ni, tampoco, han ejercido control digno de ese nombre sobre los operadores privados, quizás por cierta mala conciencia que inhibía la actuación ante el riesgo de que pudiera ser tenida por injerencia política. El caso es que toda una serie de exigencias de servicio público, así como principios como la neutralidad o la potenciación y defensa de la lengua propia, han sido escasamente respetadas. De esta cuestión se ocupa esta obra, con más detalle, en el siguiente capítulo.

4. COMPETENCIAS DE GESTIÓN Y CONTROL SOBRE EL AUDIOVISUAL PRIVADO VALENCIANO

Con la aparición de un modelo que asume la existencia de servicios televisivos públicos de titularidad autonómica el Estado español ha asumido los postulados descentralizadores que nuestra Constitución consagró y que los Estatutos de Autonomía han desarrollado, en el sentido de abrir la puerta al ejercicio de competencias por parte de las Comunidades Autónomas en todo lo referido al audiovisual de ámbito intrautonómico. La Comunidad Valenciana se ha dotado de la Ley de 1/2006, del Sector Audiovisual, para regular estas cuestiones, norma todavía no desarrollada en su totalidad por cuanto, como ya ha sido comentado, hasta la fecha sigue sin estar desarrollado el Consejo Audiovisual que la norma preveía hace ya casi un lustro. De modo que, en tanto no se cree el mencionado órgano, las competencias siguen en manos del Gobierno autonómico. El contenido de la norma ha reproducido algunas de las clásicas normas españolas y comunitarias en materia de derechos de los ciudadanos y del público, con pocas novedades.

Adicionalmente, ha introducido exigencias suplementarias para los operadores autonómicos y locales referidos a aspectos de interés autonómico (lengua propia, fomento de la producción audiovisual valenciana). Pero en general nada de ello afecta fundamentalmente al reparto competencial, pues las atribuciones que la ley concede a la Administración autonómica se corresponden, simplemente trasladadas a escala autonómica, a las clásicas que se ejercían desde el Estado sobre el audiovisual estatal. Competencias que, esencialmente, se refieren a:

4.1. Asignación de licencias (concesiones de servicio público) autonómicas y locales

Corresponde a la Generalitat valenciana la asignación de las correspondientes licencias. Tanto en lo referido a aquellos programas autonómicos que, de acuerdo con la ordenación que legalmente realice la autonomía, sean gestionados por operadores privados como, según dispone la legislación básica estatal, para determinar los operadores privados locales en las distintas demarcaciones fijadas por el Gobierno central (recordemos que sigue siendo el competente para determinar el empleo del espectro radioeléctrico y ello ha supuesto que se considere que a él corresponde identificar, ordenar y asignar las demarcaciones locales en que se divide el territorio para las concesiones de televisión de más proximidad).

En la Comunidad Valenciana, como se comenta en el capítulo 8, se han asignado los dos programas privados del primer multiplex autonómico asignado. Por el contrario, no hay de momento decisión sobre los programas sobrantes del segundo multiplex que, con el apagón analógico, queda a disposición de la Administración autonómica. Respecto de las televisiones locales, con una regulación llamada a superar los atávicos problemas de las televisiones locales analógicas que empezaron a proliferar en los años 90, también se analizará el concurso y los problemas de pluralidad y de dudoso respeto a los pliegos de condiciones (esencialmente, a la exigencia de que se tratara de empresas de corte local y con un compromiso de programación de base regional) que se han generado en dicho capítulo. Conviene dejar caso, eso sí, que quedan algunas demarcaciones todavía sin concurso (básicamente, algunas de las que fueron añadidas posteriormente por el Estado al mapa técnico de demarcaciones) y que la reserva de uno de los cuatro programas de cada multiplex local, reservado por ley a un operador público, ha supuesto problemas de puesta en marcha en demarcaciones donde, por existir más de un municipio en la misma, se requiere el acuerdo de distintos ayuntamientos para poner en marcha las emisiones por medio de un consorcio (Sanmartín y Bas, 2008).

Dado que nuestro análisis se refiere al marco jurídico del audiovisual valenciano y no tanto a su concreta aplicación no detallaremos el iter seguido por estos concursos y la dudosa aplicación de los pliegos de condiciones y de algunas de las exigencias legales. Sobre ello existe ya bibliografía tanto referida a la Comunidad Valenciana como analizando el fenómeno de modo más global (Gámir Ríos, 2006) y, además, es objeto de análisis en el capítulo siguiente de esta misma obra. Sí ha de quedar constancia, no obstante, de que las adjudicaciones autonómicas y locales realizadas han sido cuestionables por no atender a la efectiva exigencia y control sobre el respeto de algunas limitaciones (desde la prohibición de concentración de licencias a la falta de eficacia de las previsiones de fomento a los grupos vinculados al audiovisual valenciano). Sin embargo, más anómalo si cabe que lo ocurrido en fase de adjudicación de las licencias (a fin de cuentas, la Administración cuenta para ello con cierto arbitrio y ninguno de los concursos ha sido declarado nulo judicialmente) es la absoluta inexistencia, por el momento, de control a posteriori sobre el efectivo cumplimiento o incumplimiento de las obligaciones adquiridas por los operadores al obtener la licencia.

4.2. Control de las obligaciones legales de los concesionarios

Y es que, junto a la asignación de licencias, decidiendo los concursos para las concesiones administrativas, corresponde a la Administración autonómica el control sobre el efectivo cumplimiento de las obligaciones legales de los operadores. Obligaciones que se refieren tanto a las generales que la legislación estatal impone (que recientemente se ha tratado de refundir en esta materia en el referido proyecto de Ley General de Comunicación Audiovisual) y que en gran parte proviene del Derecho de la Unión Europea (las sucesivas Directivas habitualmente llamadas como de Televisión Sin Fronteras), como a las derivadas de la legislación valenciana y de los propios concursos y pliegos de condiciones de las adjudicaciones. Condiciones estas últimas más referidas, como es lógico, a la producción audiovisual valenciana y en valenciano. Pero que también tienen mucho que ver con obligaciones como las destinadas a tratar de evitar que las televisiones locales se conviertan en cadenas que emitan una programación común y pierdan su efectiva base local.

Como es sabido, y probablemente debido a los problemas tradicionales que la Administración española ha tenido para hacer aplicar las normas en la materia, la mayor parte de estas atribuciones de control siguen vírgenes a día de hoy. No ha habido excesivo interés en controlar el efectivo cumplimiento de las condiciones en que se basaban las resoluciones de los concursos. Lo que habría derivado, por otro lado, en la necesidad de sancionar, pues es evidente que hay numerosos incumplimientos. Como es sabido, con todo, el problema no se refiere sólo a las recientes concesiones de televisiones locales o autonómicas. Tampoco ha sido demasiado exigente hasta la fecha el control de las concesiones de radio en FM que la Comunidad Valenciana ejerce desde hace casi tres décadas. Como nunca lo fue (en este caso, eso sí, por parte del Estado) el referido a la proliferación de televisiones locales hertzianas alegales.

Paradójicamente, esta inacción en materia de control ha tenido históricamente una excepción, como también se detalla en el capítulo siguiente: las emisiones de Televisió de Catalunya que ha venido facilitando una asociación privada (Acció Cultural del País Valencià) por medio de repetidores propios instalados en terrenos privados. Desde su inicio, en los años 80, estas emisiones se enfrentaron a numerosos problemas, con intentos de cierre de los repetidores incluidos. Aunque la tradicional desidia administrativa en la materia se acabó imponiendo. Lo que no quita para que, por ejemplo, la Televisión autonómica valenciana iniciara sus emisiones aprovechando los canales que ocupaban las emisiones de TV3, que hubo de buscar nuevas frecuencias. El Ministerio, de nuevo, años después, asignó las frecuencias a que habían migrado estas emisiones a televisiones privadas, obligando a TV3 a una nueva mudanza. En la actualidad, cuando ACPV emite en digital desde hace un par de años, la Generalitat Valenciana ha iniciado un insólito (porque, como se ha explicado, no ha sido ésta la norma) proceso de ejercicio de sus poderes de policía sobre el audiovisual valenciano para proscribir la emisión sin cobertura legal. En parte, eso sí, se trata de una maniobra expresamente vinculada a la consecución de un objetivo político: la Generalitat ha pedido un tercer multiplex autonómico por el que permitiría la emisión de TV3 a cambio de no cortar las emisiones.

Bibliografía

BARATA I MIR, J. (2000). "Règim jurídic de la responsabilitat de l'emissió de continguts audiovisuals per cable". En *Quaderns del CAC*. Barcelona: Consell de l'Audiovisual de Catalunya, n° 7, pp. 35-41.

BARATA I MIR, J. (2006). *Democracia y audiovisual. Fundamentos normativos de la reforma del régimen español*. Madrid: Marcial Pons.

BASTIDA FREIJEDO, F. J. (2004). "Medios de comunicación social y democracia en veinticinco años de Constitución". En *Revista española de derecho constitucional*. Madrid: Centro de Estudios Políticos y Constitucionales, Vol. 24, n° 71, pp. 161-186.

BETANCOR RODRÍGUEZ, A. (2007). "¿Están justificadas las autoridades administrativas de control de contenido de las emisiones? La experiencia norteamericana". En *Revista catalana de dret públic*. Barcelona: Escola d'Administració Pública de Catalunya, n° 34, pp. 31-82.

BOIX PALOP, A. (2007 a), "La traslación de pautas de control público al nuevo audiovisual de proximidad". En *Revista General de Derecho Administrativo* (acceso electrónico en la URL www.iustel.com/revistas), nº 14.

BOIX PALOP A. (2007 b). "Transformacions en l'ecosistema mediàtic i noves pautes de regulació administrativa del fet audiovisual". En *Quaderns del CAC*. Barcelona: Consell de l'Audiovisual de Catalunya, nº 29, pp. 35-49.

(DEL) CANTO SORIANO, L. (2007). "La televisión digital terrestre en España. Medidas administrativas para la implantación de una nueva tecnología". Trabajo de investigación no publicado. Universitat de València.

GÁMIR RÍOS, J. V. (2006). "Las concesiones de TDT local: Cambios en la estructura del sistema mediático español", *XIII Jornadas Internacionales de Jóvenes Investigadores en Comunicación*, Zaragoza.

GAY FUENTES, C. (1994). *La televisión ante el derecho internacional y comunitario.* Madrid: Marcial Pons.

GONZÁLEZ ENCINAR, J. J. (dir.) (1996). *La televisión pública en la Unión Europea.* Madrid: McGraw-Hill.

MARZAL, J. y CASERO, A. (eds.) (2007). *El desarrollo de la televisión digital en España.* La Coruña: Netbiblo.

SANMARTÍN, J. y BAS, J. J. (2008). "La televisión digital local pública en la Comunidad Valenciana: estado de la cuestión". En MEDINA, M. & FAUSTINO, P. (org.). *The Changing Media Business Environment.* Lisboa: Media XXI.

TORNOS MAS, J. (1999). *Las autoridades de regulación de lo audiovisual.* Madrid: Marcial Pons.

VIDAL BELTRÁN, J. M. (2004). "El servicio público de televisión y la privatización de la gestión directa". En *Revista de derecho de la Unión Europea.* Madrid: Cólex, nº 7, pp. 257-273.

VIDAL BELTRÁN, J. M. (2010). "El nuevo marco jurídico del audiovisual en España". En *El Cronista del Estado Social y Democrático de Derecho.* Madrid: Iustel, nº 10 (en prensa).

5
LAS POLÍTICAS DE COMUNICACIÓN EN LA COMUNIDAD VALENCIANA EN EL CONTEXTO DE LA DIGITALIZACIÓN

Andreu Casero
Universitat Jaume I

Guillermo López García
Universitat de València

1. INTRODUCCIÓN

Las políticas de comunicación, entendidas como un conjunto de medidas y regulaciones impulsadas por las Administraciones públicas, se configuran como uno de los principales instrumentos de intervención del sistema político en el sistema comunicativo (Freedman, 2008; Murciano, 2006). Esta serie de actuaciones inciden directamente sobre las dinámicas de funcionamiento de los diferentes sectores comunicativos. Su importancia, por lo tanto, resulta fundamental a la hora de determinar su estructura.

El objetivo de este capítulo es analizar la naturaleza, las características y las consecuencias de las políticas de comunicación aplicadas en la Comunidad Valenciana, por parte de la Generalitat Valenciana, en los últimos años, especialmente marcados por el tránsito hacia el escenario de la digitalización que implica una auténtica reconfiguración del panorama comunicativo (Bustamante, 2007; Marzal y Casero, 2008). Para ello, se estudiarán detalladamente tres grandes ámbitos del sistema comunicativo: las políticas del audiovisual, principalmente aquellas relacionadas con el medio televisivo; la introducción de la Sociedad de la Información; y las actuaciones referidas al campo de la prensa escrita.

2. LAS POLÍTICAS DE COMUNICACIÓN EN EL SECTOR AUDIOVISUAL

El sector audiovisual, por su centralidad y trascendencia, constituye uno de los ámbitos preferentes de actuación de las políticas de comunicación.

Por ello, en este epígrafe se plantea el análisis de cuatro grandes cuestiones que han configurado, durante los últimos años, el núcleo de la política audiovisual en la Comunidad Valenciana. Éstas son: la situación de la radiotelevisión pública valenciana, el conflicto por las emisiones de TV3 en territorio valenciano, el despliegue de la televisión digital terrestre (TDT) en los ámbitos autonómico y local y, por último, la inexistencia de una autoridad reguladora independiente del audiovisual.

2.1. Radio Televisión Valenciana (RTVV): entre la crisis financiera y la instrumentalización política

El 9 de octubre de 2009 Radio Televisión Valenciana (RTVV) cumplía 20 años de existencia. Este ente, que engloba la radio y la televisión pública valencianas, fue creado mediante la Ley de la Generalitat Valenciana 7/1984, de 4 de julio, dentro del marco que establecía la Ley 46/1983, de 26 de diciembre, reguladora del tercer canal de televisión. La puesta en marcha efectiva de sus sociedades, Radio Autonómica Valenciana (RAV), que opera con *Ràdio 9* como marca principal, y Televisión Autonómica Valenciana (TVV), que tiene en *Canal 9* su referente básico, se remonta, no obstante, al año 1989, siendo uno de los últimos organismos integrantes de la primera generación de la radiodifusión autonómica en España.

A lo largo de su trayectoria, RTVV se ha visto afectada por dos problemas recurrentes: la financiación y la instrumentalización. Cuestiones que han agudizado su carácter problemático en los últimos tiempos. Por lo que se refiere a la primera, la radiotelevisión valenciana ha encadenado elevadas pérdidas como resultado de su actividad en términos económicos. Así, en los últimos 8 ejercicios, desde 2001, ha incrementado en un 83,27% su volumen de pérdidas, que, en 2008, llegaron a 245,18 millones de euros (Tabla 1). Como se puede observar en el Gráfico 1, la tendencia al fuerte incremento de los resultados económicos negativos se ha agudizado en los años 2007 y 2008, rompiendo una dinámica de estabilización alcanzada en el período 2004-2006.

Año	Cantidad
2001	133.781
2002	148.806
2003	159.747
2004	169.660
2005	163.593
2006	157.554
2007	213.525
2008	245.178

Tabla 1. Pérdidas económicas de RTVV (en miles de euros). Fuente:
Elaboración propia a partir de datos de Revisión Operativa de RTVV
(ejercicios 2006 y 2008)

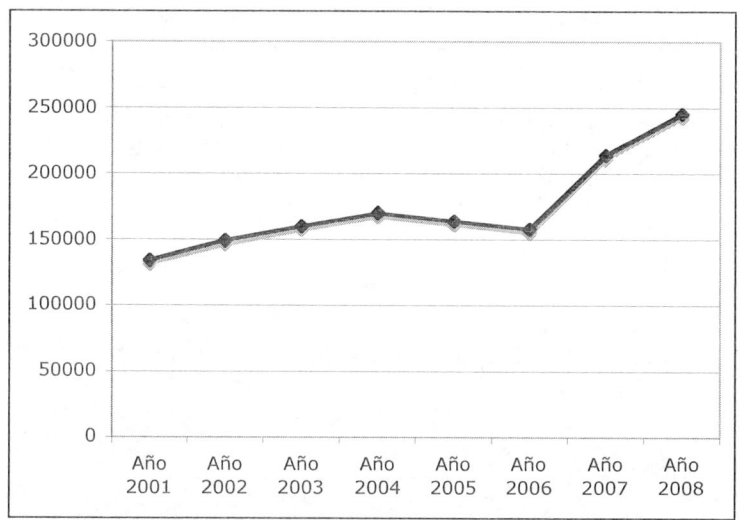

Gráfico 1. Evolución de las pérdidas económicas de RTVV. Ejercicios de 2001
a 2008 (en miles de euros). Fuente: Elaboración propia a partir de datos de
Revisión Operativa de RTVV (ejercicios 2006 y 2008)

Frente a este panorama de fuertes pérdidas económicas, los ingresos propios, centrados en la venta de derechos de emisión y de espacios publicitarios, han resultado incapaces de cubrir las necesidades monetarias de

RTVV. Estos mecanismos de financiación supusieron, en 2008, únicamente 68,9 millones de euros de ingresos (Tabla 2) frente a los 245,18 millones de euros de pérdidas (Tabla 1). Ese año, la comercialización de espacios publicitarios generó 28,4 millones de euros, mientras que las transferencias derivadas de los derechos audiovisuales supusieron 40,5 millones de euros (Tabla 2). Cifras insuficientes para hacer frente a los gastos de la radiotelevisión pública valenciana. Además, estos conceptos, fruto del contexto de crisis económica vigente, han experimentado un considerable retroceso, volviendo a niveles y cantidades propias del 2005 (Gráfico 2). En un año, entre 2007 y 2008, la venta de derechos cayó 4 millones de euros y la de publicidad 6,6 millones de euros (Tabla 2).

Año	Venta derechos	Publicidad	Total
2005	39,5	28,3	67,8
2006	39,2	33,9	73,1
2007	44,5	35	79,5
2008	40,5	28,4	68,9

Tabla 2. Volumen de ingresos de RTVV por publicidad y venta de derechos (en millones de euros). Fuente: Elaboración propia a partir de datos de Revisión Operativa de RTVV (ejercicios 2006 y 2008)

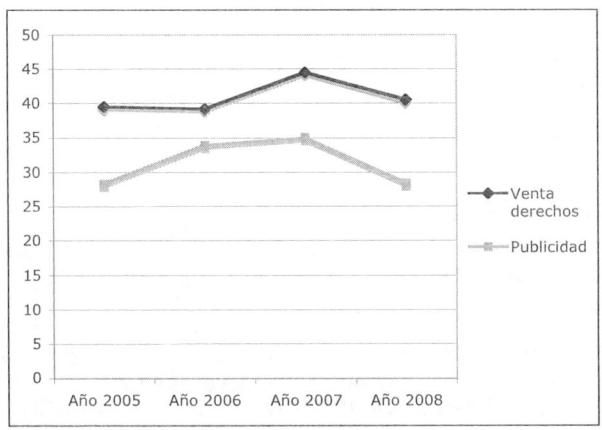

Gráfico 2. Evolución del volumen de ingresos de RTVV por publicidad y venta de derechos entre 2005 y 2008 (en millones de euros). Fuente: Elaboración propia a partir de datos de Revisión Operativa de RTVV (ejercicios 2006 y 2008)

Por su parte, las aportaciones de la Generalitat Valenciana, titular de la radiotelevisión pública, mediante la fórmula de las subvenciones alcanzaron en el 2008 la cifra de 51,46 millones de euros. Con todo, tanto la cuantía de la contribución pública como las elevadas pérdidas económicas registradas y la incapacidad de los ingresos propios (derechos y publicidad) para hacer frente a los gastos han abocado a RTVV a recurrir al endeudamiento como modelo de financiación. Así, el ente audiovisual valenciano ha optado por suscribir préstamos con entidades financieras para financiar sus actividades. Al finalizar el 2008, RTVV tenía concertados créditos a largo plazo por valor de 1.019 millones de euros (Tabla 3) y a corto plazo por una cantidad de 32,48 millones de euros.

En cuanto al empleo de esta fórmula de financiación, no sólo llama la atención la abultada cantidad de la deuda, sino su constante tendencia al alza (Gráfico 3), debido al estancamiento de los ingresos propios y al aumento de las pérdidas, como acabamos de analizar. Con ello, el endeudamiento de RTVV se incrementado entre 2005 y 2008 en un 50,27%, porcentaje equivalente a un total de 340,9 millones de euros. La deuda suscrita no sólo puede suponer un considerable lastre para las posibilidades de desarrollo futuro de la radiotelevisión valenciana, ya que hay préstamos comprometidos hasta el año 2030, sino que también puede entrañar un notable riesgo financiero asociado a los movimientos de los tipos de interés. Además, esta situación repercute en el nivel de la deuda pública de la Generalitat Valenciana, puesto que, en último término, es esta institución quien responde de la totalidad de la deuda de RTVV. Por ello, el comportamiento económico del ente audiovisual valenciano contribuye poderosamente a incrementar la deuda pública de la Generalitat valenciana. Una deuda que, según datos del Banco de España, equivalía al 11,6% del PIB en 2008 y alcanzaba un total de 14.284 millones de euros, generando un endeudamiento equivalente a 2.819 euros por habitante.

Año	Cantidad
2005	678,1
2006	696,7
2007	832,3
2008	1019

Tabla 3. Deuda a largo plazo de RTVV (en millones de euros). Fuente: Elaboración propia a partir de datos de Revisión Operativa de RTVV (ejercicios 2006 y 2008)

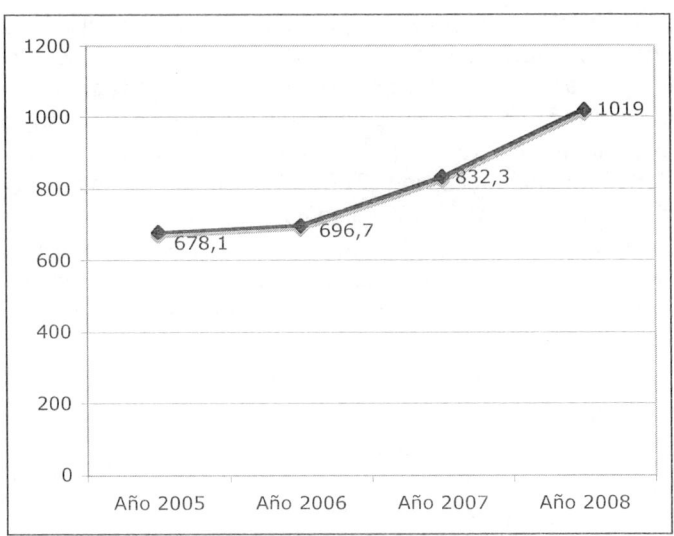

Gráfico 3. Evolución de la deuda a largo plazo de RTVV entre 2005 y 2008 (en millones de euros). Fuente: Elaboración propia a partir de datos de Revisión Operativa de RTVV (ejercicios 2006 y 2008)

Por otra parte, el análisis de los recursos humanos pone de manifiesto que la plantilla de RTVV se encuentra estabilizada en torno a las 1.760 personas. Pese a sufrir ligeros vaivenes, en el período 2005-2008 se ha registrado un descenso, en términos globales, de 9 trabajadores (Tabla 4). Un aspecto que revela la escasa variabilidad de la plantilla, que no se encuentra sujeta a fuertes oscilaciones. En cuanto a la distribución del número de empleados, aproximadamente el 75% pertenecen a la televisión pública (TVV), mientras que sólo el 9% desempeñan tareas profesionales en la radio pública (RAV). El resto trabaja directamente para el ente RTVV. Unas cifras que revelan el fuerte desequilibrio a favor de la actividad televisiva y la debilidad de la radio pública valenciana, que, en 2007, contaba únicamente con 163 trabajadores. Por lo tanto, el aumento de pérdidas económicas de RTVV no se deriva de un mayor esfuerzo en el terreno de los recursos humanos.

Desde un punto de vista sociológico, la edad media del personal de RTVV se situaba en 2007 en 38,60 años, demostrando se que trata de una plantilla joven. Igualmente, en cuanto a la distribución por sexos, con datos de 2008, el 58,58% de los empleados eran hombres, mientras que el 41,42% eran mujeres.

Año	Número de empleados
2005	1774
2006	1767
2007	1749
2008	1765

Tabla 4. Plantilla de RTVV. Fuente: Elaboración propia a partir de datos de Revisión Operativa de RTVV (ejercicios 2006 y 2008)

El segundo gran problema de RTVV tiene que ver con la instrumentalización. La subordinación de la radiotelevisión pública valenciana a los intereses del partido gobernante, pese a ser una constante desde su creación, en sintonía con lo que sucede en los sistemas mediáticos de los países del sur de Europa (Hallin & Mancini, 2004), se ha agudizado durante el mandato de Pedro García al frente de la dirección general (2004-2009). Tanto los partidos de la oposición como los sindicatos y el comité de empresa han denunciado, sistemática y reiteradamente, las prácticas de "manipulación informativa" de RTVV en ese período.

El partidismo de los servicios informativos de la radiotelevisión pública valenciana se ha manifestado mediante tres estrategias discursivas. La primera tiene que ver con el aumento del peso de noticias relacionadas con aspectos poco sustantivos informativamente, como las fiestas, la meteorología o las curiosidades. Con ello, RTVV ha deslizado su modelo hacia el periodismo sin información, que se caracteriza por el desarrollo de una actividad informativa que prescinde de los datos de interés general en pro de las trivialidades y que se empeña en que la realidad se ajuste al servicio de los intereses políticos del partido gobernante (Ortega, 2006). En segundo lugar, los noticiarios de RTVV han focalizado la atención informativa en la figura del presidente de la Generalitat, quien ha asumido un extraordinario protagonismo en las informaciones emitidas.

En tercer término, otro mecanismo puesto en práctica por los servicios informativos de RTVV ha consistido en el ocultamiento de noticias, imágenes y opiniones perjudiciales para el partido del Gobierno autonómico o, en su defecto, beneficiosas para la oposición. En este sentido, *Canal 9* silenció informativamente durante 19 días consecutivos la presentación de una moción de censura en septiembre de 2006 contra el presidente Camps en las Cortes Valencianas por parte del Partido Socialista del País Valenciano (PSPV-PSOE), entonces bajo el liderazgo de Joan Ignasi Pla. O, más recientemente, la televisión pública valenciana ha recibido considerables críticas por su cobertura informativa del caso *Gürtel*, escándalo de corrupción política en el que se han visto implicados tanto el máximo dirigente de la Generalitat como la cúpula del Partido Popular de la Comunidad Valenciana (PP).

La instrumentalización partidista de RTVV incluso ha provocado la actuación del Síndic de Greuges, organismo encargado de defender los derechos de los ciudadanos valencianos. Tras recibir una denuncia presentada por el PSPV y los sindicatos, esta institución emitió un dictamen, en julio de 2009, recomendando a la dirección de la radiotelevisión pública valenciana la adopción de medidas para garantizar el cumplimiento de los principios de objetividad, veracidad, imparcialidad y respeto al pluralismo político.

Otro aspecto relevante en relación con las políticas de comunicación de la radiotelevisión pública en los ámbitos de proximidad tiene que ver con la lengua de emisión empleada. Esta cuestión se ha configurado como un debate nunca cerrado en la historia de RTVV. La falta de un modelo lingüístico claramente definido y consolidado ha perseguido, desde sus orígenes, la evolución del ente público de radiotelevisión valenciano.

El análisis del idioma de emisión de los contenidos en el período 2005-2007 revela un fuerte retroceso del valenciano en RTVV, hasta el punto de verse superado por las emisiones en castellano durante el año 2007 (Gráfico 4). Considerando las horas de emisión anuales (Tabla 5), la debilitación del uso de la lengua propia en la radiotelevisión pública resulta evidente, ya que pasa de 4.343 horas anuales a 3.659. Un descenso que se cifra en torno a un 15,75%. Paralelamente, la lengua española registra un avance considerable y consolida su posición en la oferta programática de RTVV, puesto que su presencia sube un 19,58% entre 2005 y 2007, pasando de 3.218 a 3.848 horas anuales de emisión.

Año	Valenciano	Castellano
2005	4.343	3.218
2006	3.794	3.655
2007	3.659	3.848

Tabla 5. Idioma de emisión de los contenidos de RTVV (en horas de emisión anuales).

Fuente: Elaboración propia a partir de datos de Revisión Operativa de RTVV (ejercicio 2007)

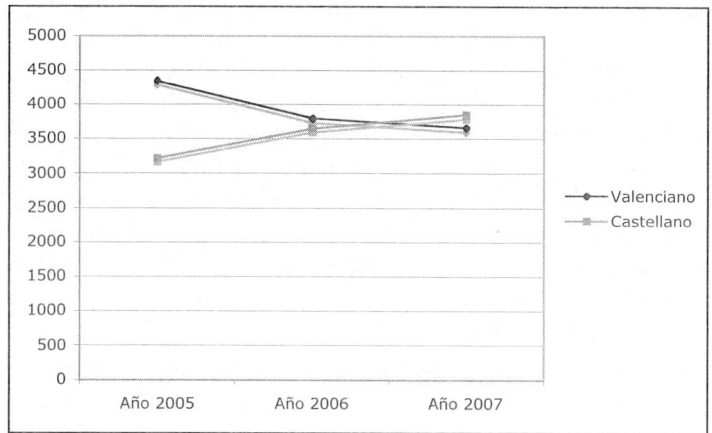

Gráfico 4. Evolución del idioma de emisión de los contenidos de RTVV entre 2005 y 2007 (en horas de emisión anuales). Fuente: Elaboración propia a partir de datos de Revisión Operativa de RTVV (ejercicio 2007)

Finalmente, en el terreno institucional, RTVV ha sufrido recientemente un cambio en la dirección general. A finales de agosto de 2009, Pedro García presentaba su dimisión del cargo que había ocupado durante los cinco años anteriores. Entre los principales aspectos a resaltar de su mandato se incluyen el cambio de imagen corporativa de *Canal 9*, la modernización tecnológica de la televisión autonómica y, especialmente, la puesta en marcha del canal televisivo todo-noticias *24.9*, que inició sus emisiones en febrero de 2009.

Por otra parte, como acabamos de analizar anteriormente, la época de García al frente de RTVV se ha visto envuelta en constantes acusaciones de instrumentalización y manipulación informativa a favor del Partido Popular (PP), que ocupa el Gobierno de la Generalitat Valenciana bajo la presidencia de Francisco Camps, de quien García fuera director de gabinete y secretario autonómico de Comunicación antes de acceder a la dirección de la radiotelevisión pública. Igualmente, la gestión de García en RTVV se visto salpicada por varios conflictos laborales y por una tendencia a la baja de los índices de audiencia de *Canal 9*, pese a su apuesta por producciones de ficción valencianas, algunas de las cuales, como *L'Alqueria Blanca* (Trivisión), han cosechado un notable éxito de público, y por una notable marginación de *Ràdio 9*, cuya audiencia alcanzó únicamente los 46.000 oyentes diarios en 2008, según datos del Baròmetre de la Comunicació i la Cultura (Casero, 2009).

Como sustituto de Pedro García se nombró al periodista José López Jaraba, procedente de la delegación en la Comunidad Valenciana del diario *ABC*, quien se había incorporado unos meses antes a RTVV como director del canal *24.9*. En su primera comparecencia parlamentaria en las Cortes Valencianas en noviembre de 2009, el nuevo mandatario afirmó su intención de instaurar una "economía de guerra" en RTVV y detalló sus tres principales propuestas: la creación del defensor de la audiencia, el establecimiento de la figura del *controller*, que se encargará de la realización de auditorias internas y de la supervisión financiera del ente público, y, finalmente, la transformación de *Sí, Ràdio*, actualmente dedicada a la radiofórmula musical, en una emisora 24 horas noticias.

El cambio en la dirección general ha vuelto a poner de manifiesto el mantenimiento de un esquema basado en la designación directa del máximo responsable de RTVV por parte del Gobierno autonómico. A diferencia de las reformas de los medios audiovisuales de titularidad pública emprendidas tanto a nivel estatal, en el caso de Radiotelevisión Española (RTVE)[1], como en el caso de algunas comunidades autónomas, como Cataluña[2], la Comunidad Valenciana sigue anclada en un modelo gubernamental de radiotelevisión pública (Humphreys, 1996), fuertemente controlado por el poder político y orientado hacia la instrumentalización, en sintonía con las características del modelo pluralista polarizado, típico de los países del Mediterráneo y del sur de Europa (Hallin & Mancini, 2004). Junto al nombramiento directo y discrecional, otros dos aspectos que revelan el elevado grado de fiscalización política de RTVV son: por un lado, la práctica disolución de su Comité de Redacción, que, actualmente, se mantiene inactivo; y, por otro, el hecho de que su Comité Asesor[3], previsto por el artículo 4 de la Ley de la Generalitat Valenciana 7/1984, de 7 julio, de creación del Ente Público RTVV y encargado de emitir dictámenes sobre la programación audiovisual, nunca ha llegado a constituirse en veinte años.

---

[1]   Ley 17/2006, de 5 de junio, de la radio y la televisión de titularidad estatal.
[2]   Ley 11/2007, de 11 de octubre, de la Corporació Catalana de Mitjans Audiovisuals.
[3]   El Consejo Asesor de RTVV estará compuesto, de acuerdo con la Ley 7/1984, por 3 representantes de los trabajadores de RTVV, 3 representantes de las sociedades dependientes de RTVV, 3 representantes del Consejo de Cultura de la Comunidad Valenciana, un representante de cada una de las Diputaciones provinciales, 3 representantes de los usuarios de los servicios públicos y 3 representantes designados por el Consell de la Generalitat.

2.2. El conflicto por las emisiones de TV3 en la Comunidad Valenciana

Otro de los aspectos fundamentales de los últimos años en relación con las políticas de comunicación en la Comunidad Valenciana tiene que ver con el intento de cierre, por parte de la Generalitat Valenciana, de las emisiones de Televisió de Catalunya (TVC), entre cuyos canales se encuentran *TV3* y *33*. La presencia de la televisión pública catalana en territorio valenciano se remonta a mediados de la década de los ochenta, cuando Acció Cultural del País Valencià (ACPV), una entidad sociocultural, puso en marcha, gracias a las aportaciones económicas de miles de ciudadanos valencianos, una red de 13 repetidores repartidos por las tres provincias de la Comunidad. Desde entonces, la recepción de *TV3*, pese a encontrarse en una indefinición legal, no había generado ningún tipo de problema ni conflicto hasta enero de 2007.

A principios de ese mismo año, en un contexto marcado por la proximidad de las elecciones autonómicas valencianas de mayo de 2007, el Gobierno de la Generalitat Valenciana abrió un expediente sancionador por emisiones ilegales contra ACPV que incluía una multa de 300.000 euros y la supresión de las emisiones de *TV3* en territorio valenciano. Se iniciaba, así, un conflicto que lleva extendiéndose a lo largo de tres años y todavía no se ha cerrado.

El Ejecutivo valenciano ha basado su postura en considerar ilegales las emisiones de *TV3* en la Comunidad Valenciana, ya que se realizan a través de un centro emisor que no cuenta con la autorización de la Generalitat. Por lo tanto, estima que ACPV presta servicios televisivos sin la preceptiva licencia administrativa que debe otorgar el gobierno autonómico. En consecuencia, la actuación de la Generalitat se ha orientado hacia el cumplimiento escrupuloso de la legalidad que conduce al uso de las multas y el cierre como única salida al conflicto. Una estrategia que se había traducido, en junio de 2008, en un total de 700.000 euros en concepto de sanción a ACPV y 6 repetidores expedientados, 5 de los cuales se encuentran cerrados desde principios de 2009.

Por su parte, ACPV ha argumentado que las frecuencias a través de las cuales se emite *TV3* en la Comunidad Valenciana son competencia estatal, concretamente del Ministerio de Industria, por lo que entiende que el Ejecutivo valenciano se ha extralimitado en sus atribuciones, ya que, en este caso, la potestad sancionadora reside únicamente en el Gobierno central y no en el autonómico. Por ello, esta entidad ha presentado diversos recursos judiciales contra las actuaciones de la Generalitat, la mayor parte de los cuales han resultado infructuosos. Paralelamente, ACPV ha buscado el apoyo de la sociedad civil valenciana para evitar el cierre de *TV3*.

La reacción de la ciudadanía se ha concretado en tres grandes frentes a lo largo del conflicto. En un primer momento, se organizaron actos de protesta para impedir el cierre de los repetidores afectados. Así, a finales de abril de 2007, unas 300 personas se concentraron frente al centro emisor de La Carrasqueta en Xixona (Alicante), evitando que el juez clausurara las instalaciones. Vista la inefectividad a largo plazo de estas medidas, puesto que los repetidores fueron finalmente precintados, los colectivos sociales contrarios al cierre de *TV3* articularon un segundo mecanismo de acción: la convocatoria de manifestaciones. Entre éstas, desarrolladas especialmente a lo largo de 2008, cabe destacar las celebradas en Castellón, en enero, y en Alicante, en abril, que congregaron a 3.000 y 6.000 personas respectivamente. Finalmente, la tercera medida, ante la escasa incidencia de la presión popular en el Gobierno valenciano, se puso en marcha en septiembre de 2009 y consistió en la puesta en marcha, bajo el impulso de ACPV, de una campaña de recogida de 500.000 firmas con el objetivo de presentar una Iniciativa Legislativa Popular que resuelva el conflicto por la vía reguladora y que ampare legalmente la emisión de *TV3* en la Comunidad Valenciana.

Igualmente, tanto partidos políticos como sindicatos e instituciones culturales mostraron su rechazo al cierre de la televisión pública catalana en territorio valenciano. Así, la actuación de la Generalitat Valenciana contó con la oposición del Partido Socialista del País Valenciano (PSPV-PSOE), Esquerra Unida (EU), Bloc Nacionalista Valencià (BNV), Iniciativa pel Poble Valencià, Esquerra Republicana del Pais Valencià, Comisiones Obreras, Unión General de Trabajadores (UGT), Intersindical Valenciana, el Institut Interuniversitari de Filología Catalana y la Academia Valenciana de la Llengua, entre otras. La mayor parte de estas organizaciones denunciaron la supresión de *TV3* y atribuyeron a razones políticas y electoralistas la estrategia emprendida por el PP desde el Gobierno valenciano, ante un ciclo electoral marcado por los comicios autonómicos de 2007 y estatales de 2008.

Respecto a los demás actores implicados en este caso, cabe analizar la actuación de la Generalitat de Catalunya, por un lado, y del Gobierno del Estado, a través del Ministerio de Industria, por el otro. El Ejecutivo catalán ha apostado por una estrategia basada en ofrecer un "pacto de reciprocidad" a su homólogo valenciano que permita a *TV3* seguir emitiendo en la Comunidad Valenciana y, en contrapartida, que la señal de *Canal 9* se pueda captar en territorio catalán. El Gobierno valenciano ha supeditado, en todo momento, la aceptación de esta propuesta, que supondría una salida al conflicto, a la concesión, por parte del Ministerio de Industria, de un segundo múltiplex autonómico de TDT para la Comunidad Valenciana, trasladando con ello la presión al Estado.

En esta línea, en abril de 2007 todos los grupos parlamentarios del Congreso de los Diputados, excepto el PP, votaron en contra de la supresión de *TV3* en la Comunidad Valenciana. Más adelante, en febrero de 2009, tanto el Congreso como el Senado, en este último caso por unanimidad, aprobaron sendas mociones que instaban al Gobierno central a favorecer y garantizar el "pacto de reciprocidad" como vía para cerrar el conflicto. No obstante, para que este acuerdo fructifique, además de atender la petición del múltiplex adicional del Ejecutivo valenciano, es necesario que el Consejo de Ministros apruebe un decreto sobre las medidas técnicas que permitan que tanto *TV3* como *Canal 9* puedan verse en ambos territorios. Sin embargo, aunque el Ministerio de Industria, primero ocupado por Joan Clos y, luego, por Miguel Sebastián, ambos pertenecientes al Partido Socialista (PSOE), ha reiterado su buena disposición para resolver el problema, la actuación del Gobierno del Estado se ha caracterizado por la indefinición y la actitud dilatoria.

Ante este panorama, en agosto de 2008 la Generalitat de Catalunya decidió dar el primer paso hacia la reciprocidad extendiendo las emisiones de *Canal 9* al conjunto del territorio catalán habilitando para ello un canal de TDT de Televisió de Catalunya. No obstante, la programación de televisión pública valenciana ya se recibía sin problemas ni conflictos en las provincias de Tarragona y Lleida desde 1998. Pese a ello, el acuerdo se encuentra, todavía, encallado.

2.3. Las concesiones de la televisión digital terrestre (TDT) autonómica y local

La llegada de la TDT ha supuesto numerosos cambios y transformaciones en el campo de las políticas de comunicación, puesto que ha abierto las puertas a una auténtica reordenación del mapa televisivo español (Marzal & Casero, 2007 y 2009), especialmente en los ámbitos local y autonómico. En este sentido, resulta interesante repasar sintéticamente las características del proceso de concesión de licencias llevado a cabo por la Generalitat Valenciana, poseedora de las competencias en la materia, realizado a lo largo del año 2005.

Por lo que se refiere a la TDT autonómica, la Comunidad Valenciana cuenta con un único múltiplex de cobertura regional. A la hora de distribuir sus programas, el Ejecutivo valenciano decidió otorgar dos canales a RTVV para la emisión de la televisión pública y destinar los otros dos a televisiones privadas. Las adjudicatarias de estas licencias fueron *Popular TV*, vinculada a la COPE, cadena radiofónica controlada por la Conferencia Episcopal Española, y *Las Provincias TV*, propiedad del grupo Vocento. Al concurso, que introducía por primera vez en la historia la televisión privada de ámbito autonómico, se presentaron tres opciones más que no obtuvieron concesión (López Cantos, 2007). La primera era *Valencia Te Ve*, auspiciada por Jesús Sánchez Carrascosa, antiguo jefe de gabinete de Eduardo Zaplana en su época como presidente de la Generalitat Valenciana, y su esposa María Consuelo Reyna, ex directora del diario *Las Provincias*. La segunda aspirante era Red de Televisión Digital Valenciana, vinculada a *Tele 5*. Finalmente, la tercera propuesta venía de la mano de *Info TV*, televisión local con vocación autonómica de corte progresista y con una programación íntegramente en valenciano, que fue excluida aduciendo que no había presentado el capital social mínimo exigido en las bases del concurso (3 millones de euros).

Por su parte, la concesión de licencias administrativas de emisión en el ámbito local (TDT-L)[4], efectuada por la Generalitat valenciana, ha provocado tres efectos interesantes sobre el panorama de la televisión de proximidad en esta comunidad autónoma. En primer lugar, se ha constatado el fuerte peso adquirido por grupos mediáticos conservadores y externos a la Comunidad Valenciana, que actúan con una lógica estatal. Se trata de casos como el de Intereconomía, que a través de Homo Virtualis ha logrado 6 licencias de TDT-L; el de Unedisa, editora del diario *El Mundo* que ha obtenido 4 licencias en las principales ciudades (Valencia, Castellón, Elche y Benidorm) y, finalmente, el de Libertad Digital, empresa propiedad del periodista Federico Jiménez Losantos, que ha conseguido 4 licencias, una de ellas en Torrent. Paralelamente, el grupo Prisa, editor del diario *El País*, únicamente obtuvo una licencia, correspondiente a la demarcación de Ontinyent-Xàtiva, pasando a ocupar una posición marginal en la televisión de proximidad valenciana.

En segundo lugar, el nuevo mapa de la TDT-L en la Comunidad Valenciana se caracteriza por la emergencia de nuevos grupos autóctonos. Entre éstos, sobresale el caso de Mediamed[5], empresa constituida sólo meses antes

---

4   Resolución de 30 de enero de 2006, del Conseller de Relaciones Institucionales y Comunicación, por la que se adjudican las concesiones para la explotación de programas del servicio público de la televisión digital terrestre con cobertura local, DOGV 5194, 08/02/06.

5   Entre los principales accionistas de Mediamed Comunicación Digital S.A destacan José Luis Ulibarri, empresario del sector de la construcción implicado en el caso *Gürtel*, *El Semanal Digital*, periódico digital cercano al PP dirigido por Antonio

de la convocatoria del concurso público de atribución de concesiones y que, directa o indirectamente, se encuentra vinculada a un total de 19 licencias. Una cifra que equivale al 47,5% de las concesiones de la TDT-L realizadas hasta el momento en la Comunidad Valenciana. Su presencia, además, se extiende a 13 de las 18 demarcaciones en las que el Plan Técnico Nacional de la TDT-L divide el territorio valenciano[6]. Con ello, Mediamed ocupa una posición predominante dentro del sector valenciano de la televisión de proximidad.

Igualmente, el grupo Prensa Ibérica, propietario de los rotativos *Levante-EMV* e *Información*, culminó su deseo de convertirse en un nuevo actor del mercado televisivo con la obtención de dos licencias. Pese a lo exiguo del número, se trata de concesiones muy interesantes, puesto que corresponden a las ciudades de Valencia y Alicante, cuya audiencia potencial es considerable debido a su elevado número de habitantes, circunstancia que ofrece unas mejores perspectivas en términos de rentabilidad económica y volumen de negocio.

En tercer término, el concurso de TDT-L ha supuesto la legalización de algunas de las emisoras históricas precursoras de la televisión local en la Comunidad Valenciana. Se trata de casos como el de *Canal 56* de Vinaròs, *Canal Nord* de Morella o *Ribera TV* de Alzira. Todas ellas son televisiones que iniciaron sus actividades durante la década de los ochenta desde el amateurismo y que progresivamente se han profesionalizado. Pese a que el proceso de concesión ha respetado la continuidad de estas experiencias pioneras, su presencia en el nuevo mapa de la televisión de proximidad resulta meramente testimonial (López Cantos, 2007).

Finalmente, conviene apuntar que todavía quedan aspectos pendientes por resolver en la transición hacia la TDT en la Comunidad Valenciana. Entre estos cabe destacar tres. En primer lugar, aún quedan por convocar los concursos de adjudicación de licencias de TDT-L privada en cuatro demarcaciones valencianas. En segundo lugar, algunos concesionarios no han iniciado, o ya han cesado, sus emisiones, mientras que otros incumplen claramente las condiciones de uso de la licencia, en cuanto a la producción de contenidos de producción propia, al empleo de la lengua valenciana y a la difusión

---

Martín Beaumont, la Fundación Universitaria San Pablo CEU y diversas empresas del sector inmobiliario (Badillo, 2007: 15).

[6]   Es conveniente señalar que 4 de las 18 demarcaciones de la Comunidad Valenciana todavía están pendientes de que la Generalitat Valenciana convoque el concurso de adjudicación de licencias.

de obras audiovisuales y cinematográficas valencianas se refiere, entre otros aspectos. Ante este contexto, la Generalitat Valenciana se encuentra instalada en la política de la pasividad y el *laisser faire*, consintiendo de facto estas situaciones al margen de la legalidad. Por último, la tercera cuestión irresuelta es la implantación de los canales de TDT-L de titularidad pública. Sólo dos de éstos, correspondientes a las demarcaciones de Valencia ciudad y Alicante, han cubierto todos los trámites y se encuentran en condiciones de emitir (Sanmartín & Bas, 2008). El resto, hasta llegar a un total de 18 en el territorio valenciano, se mueven entre la indefinición y el desinterés de los ayuntamiento implicados. Una situación que pone en peligro la existencia de TDT-L públicas en la Comunidad Valenciana.

2.4. La inexistencia del Consejo del Audiovisual de la Comunidad Valenciana

Finalmente, el cuarto elemento fundamental a tener en cuenta en un análisis de las políticas de comunicación en relación con el audiovisual en la Comunidad Valenciana tiene que ver con la inexistencia de una autoridad independiente, encargada de supervisar, promocionar y regular el sistema audiovisual valenciano. Pese a que el Estatuto de Autonomía de la Comunidad Valenciana, aprobado en 2006, en su artículo 56.3 insta a la creación del citado organismo mediante una ley específica, el Gobierno de la Generalitat todavía no ha concretado ninguna medida ni actuación en esa dirección.

Ese desinterés político, que impide la institución del Consejo del Audiovisual de la Comunidad Valenciana, revela la vigencia de una dinámica basada en la subordinación del audiovisual a los intereses políticos. No sólo perpetúa los esquemas del control político de los medios audiovisuales, sino que deja un considerable vacío en el desarrollo y potenciación del audiovisual valenciano, puesto que un organismo de este tipo, lejos de fiscalizar, dinamizaría el sector contribuyendo a su impulso, ordenación y consolidación. Por ello, la puesta en marcha de esta institución se configura como un instrumento clave en el campo de las políticas de comunicación todavía pendiente.

La ausencia de un Consejo del Audiovisual coloca a la Comunidad Valenciana al margen de una serie de autonomías que han apostado decididamente por la creación de esta clase de entidades. Así, comunidades como Cataluña, Navarra, Andalucía o, más recientemente, las Islas Baleares han implantado organismos independientes de control del audiovisual. Algo que contrasta con la inexistencia de una autoridad de ámbito estatal, pese a que ya en 1995 el Senado aprobó una moción que exhortaba a su instauración.

Recientemente, en 2009, el Gobierno socialista presidido por José Luis Rodríguez Zapatero ha incluido su puesta en marcha en el marco de la aprobación de la Ley General del Audiovisual, aunque el proceso no está cerrado.

3. SOCIEDAD DE LA INFORMACIÓN

El extraordinario crecimiento que ha vivido en las últimas décadas todo lo relacionado con el campo de la informática y las telecomunicaciones tenido profundas consecuencias sociales, económicas y, naturalmente, también en lo relacionado con el ámbito de la comunicación y el conocimiento. Este proceso, habitualmente definido como el paso de una Sociedad Industrial a una Sociedad de la Información (de una economía basada en productos a otra basada en la información y el conocimiento), ha acabado asociándose con multitud de fenómenos, avances y dinámicas sociales que a veces tienen muy poco o nada que ver entre sí, pero que sin duda están provocando cambios en diversos órdenes de la sociedad.

Sea como fuere, la indudable importancia de este proceso de digitalización y las múltiples consecuencias que comporta ha recibido diversas respuestas por parte de las Administraciones públicas, en ocasiones deseosas de liderar el proceso y, las más de las veces, de no quedarse fuera de él. En este epígrafe analizaremos cuál ha sido el impacto de la Sociedad de la Información en la Comunidad Valenciana; cuáles han sido las principales medidas y proyectos desarrollados desde la Generalitat Valenciana, a menudo en consonancia con las instituciones locales y el gobierno central, en este campo; y qué resultados concretos de dichas actuaciones pueden registrarse, centrándonos aquí en lo que ha sido el principal ámbito de interés del gobierno autonómico a lo largo de todos estos años: el Gobierno electrónico o e-Administración.

3.1. La Sociedad de la Información en cifras

La Comunidad Valenciana presenta un estado de las cosas, en lo que se refiere a la penetración de la Sociedad de la Información desde distintos puntos de vista, en líneas generales parangonable con las CCAA de nuestro entorno, con un promedio ligeramente inferior, en la mayoría de los índices, a la media española, y también a lo que correspondería por peso específico de su economía y población. Una situación que, naturalmente, se agrava a ojos vista si los sujetos de comparación pasan a ser otros países de nuestro entorno, donde la presencia de la Sociedad de la Información tiende a ser mucho mayor, en relación con la renta per cápita, de lo que es habitual en España (Fundación Orange (2009a: 28 y ss.).

Por esta razón, y para establecer una comparación que nos resulte operativa, nos ceñiremos al ámbito español. En concreto, y refiriéndonos al criterio posiblemente más universal, el uso de Internet, el índice de penetración en la Comunidad Valenciana, según datos del Estudio General de Medios (abril-mayo 2009), es del 44,9%, casi cinco puntos por debajo de la media española (49,3%). La Comunidad Valenciana se ubica en un espacio intermedio, por debajo de La Rioja (59,6%), Comunidad de Madrid (56,6%), Baleares (54,9%), Cataluña (54,9%), Canarias (53%), País Vasco (52,8%), Navarra (50,3%), Aragón (49,2%), Cantabria (48%) y Asturias (46,7%). Y por encima, en cambio, de Castilla-León (42,8%), Andalucía (42,8%), Castilla-La Mancha (41,9%), Galicia (41,9%), Murcia (38%) y Extremadura (33%).

Esta primera comparación, que vendría a colocar a la Comunidad Valenciana en una incómoda posición de cabeza del furgón de cola, se confirma, e incluso se agrava, al revisar otras variables. Por ejemplo, la referida a la incidencia del sector TIC en la Comunidad Valenciana, sensiblemente menor que en otras CCAA: "La Comunidad Autónoma con un mayor *stock* de capital humano relativo es Madrid, que aglutina el 37% del empleo en sectores TIC de toda España y que supera en un 89% al volumen de trabajadores en sectores TIC que le correspondería en función del tamaño de su economía. En el lado opuesto se sitúan Andalucía y la Comunidad Valenciana, con un 58% y un 45% menos de ocupados en sectores TIC de lo que les corresponde en función del volumen de su economía, respectivamente" (Fundación Orange, 2009a: 118). De la misma manera, la adquisición de formación en el sector TIC a través de la propia empresa o mediante la asistencia a cursos es también muy inferior a la media nacional (Fundación Orange, 2009a: 121)

Esto puede deberse, a menos en parte, al peso específico del sector turístico en la economía valenciana, poco relacionado, en principio y tal y como se ha desarrollado en España, con las TIC. Los datos de Baleares, que, a pesar de ser la CCAA más rica de España, son peores incluso que los de la Comunidad Valenciana, parecen apuntar en esta dirección.

Otro factor que podemos considerar es el de la presencia de ordenadores en los hogares (Fundación Orange, 2009a: 150). La Comunidad Valenciana alcanza aquí una tasa del 48,7%, sólo por delante de Extremadura, Galicia, Castilla-La Mancha y Castilla-León. Los datos mejoran si nos atenemos a un informe distinto, el Infobarómetro 2008, desarrollado por el Observatorio Cevalsi (ligado, como veremos a continuación, con la Generalitat Valenciana). Según el Infobarómetro, el índice de hogares con ordenador alcanza el 59,72%, diez puntos más que en el caso anteror (si bien es cierto que la muestra de la Fundación Orange distinguía entre ordenadores fijos y portátiles). Otro dato del Infobarómetro, que en este caso podemos contrastar con el EGM, es el del acceso a Internet, que aquí se cifra en un 52,2% (frente al 44,9% del EGM)[7].

El Infobarómetro es un informe referido específicamente a la Comunidad Valenciana, con lo que no nos servirá para establecer comparaciones. Sí que podemos utilizarlo, en cambio, para mostrar una imagen general de la incidencia de diversos sectores de la Sociedad de la Información, así como su evolución en los últimos años. Por ejemplo, además de los datos ya expuestos, el Infobarómetro 2008 cifra en un 85,6% el porcentaje de usuarios de telefonía móvil, y en un 64,5% el de hogares con Televisión Digital Terrestre.

En cuanto a la evolución en los últimos años, el estudio publicado por la Fundación Telefónica a finales de 2008, que incluía un capítulo sobre la Comunidad Valenciana (basado a su vez en los Infobarómetros de Cevalsi), muestra estos resultados:

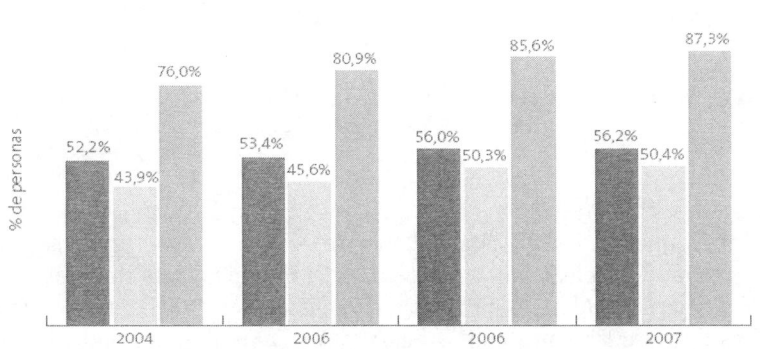

Gráfico 5. Usuarios de tecnología en la Comunidad Valenciana, 2004-2007. Fuente: Fundación Telefónica (2008: 404).

---

[7]   Una explicación de estas discrepancias es que la muestra del Infobarómetro está restringida a las edades de 16 a 74, mientras que la del EGM, por ejemplo, es de 14 o más años. Esto dejaría fuera de la muestra del Infobarómetro a un sector de la población, la de edad más avanzada, previsiblemente poco integrada en la Sociedad de la Información.

Destaca la potente presencia de la telefonía móvil respecto de otras tecnologías, como también ocurre en el caso español en su conjunto. Los datos de los Infobarómetros de Cevalsi, que en general presentan una visión sensiblemente más optimista que los de otras instancias sobre el impacto de la Sociedad de la Información, también se refieren al ámbito empresarial:

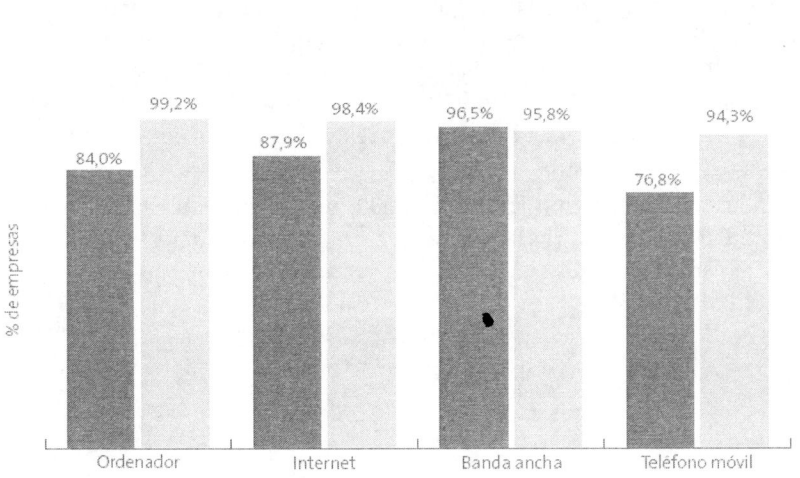

Gráfico 6. Equipamiento tecnológico de las empresas valencianas. Fuente: Fundación Telefónica (2008: 405)

Las cifras no son concluyentes, pero en su conjunto muestran un escenario en el que cabe ser —moderadamente— pesimistas. A pesar del indudable crecimiento en los últimos años, y de las iniciativas llevadas a cabo por el Gobierno central, Generalitat Valenciana e instancias locales (sobre algunas de las cuales nos centraremos en el siguiente apartado), lo cierto es que no se percibe que la Comunidad Valenciana haya alcanzado, hasta la fecha, un alto grado de desarrollo en la Sociedad de la Información; ni siquiera comparable, como hemos visto, con lo que cabría esperar de su renta per cápita, o con la media española. No es un retraso considerable, pero sí que debería ser motivo de preocupación, por lo que implica desde múltiples puntos de vista (falta de alfabetización digital de importantes sectores de la población, inexistencia de alternativas al modelo económico imperante, basado en la construcción y el turismo, …).

3.2. Planes de desarrollo llevados a cabo por las administraciones

La mayor parte de las actividades desarrolladas en materia de Sociedad de la Información por parte de los sucesivos gobiernos autonómicos han estado entroncadas en torno a la Fundación OVSI (Oficina Valenciana para la Sociedad de la Información). Fundada en 1996, a partir de un convenio en 1995 entre la Generalitat y la Comisión Europea para desarrollar la Sociedad de la Información a partir de los recursos existentes en cada territorio, OVSI ha realizado su labor a lo largo de estos años, según reza en su página web[8], "mediante el desarrollo de proyectos, así como a través del establecimiento de las fórmulas más adecuadas para lograr la participación de nuevos sectores ajenos a esta revolución digital o carentes de recursos para acometer las actuaciones necesarias".

OVSI queda integrada casi desde un principio dentro del Plan Director de Telecomunicaciones del Gobierno Valenciano (PLANTEL), que a su vez formaba parte del Plan Estratégico de Modernización de la Administración Valenciana (PEMAV). La principal consecuencia de esta temprana adscripción (actualmente consolidada en el seno de la Conselleria de Justicia y Administraciones Públicas) será que la mayor parte de la labor de OVSI, como principal dinamizadora, desde la Generalitat Valenciana, de la Sociedad de la Información en el territorio valenciano, se enfoque fundamentalmente hacia el ámbito de la e-Administración. También reviste importancia la atención a la evolución de la Sociedad de la Información en la Comunidad Valenciana a través de sucesivos Infobarómetros (a los que ya hemos hecho referencia) elaborados por CEVALSI (Observatorio Valenciano para la Sociedad Tecnológica y del Conocimiento) desde 2001, centrados en tres ámbitos fundamentales: hogares-ciudadanos, empresas y Administración Pública.

Paralelamente a esta actividad, la Generalitat Valenciana ha llevado a cabo tres planes sucesivos de desarrollo desde 1995. El ya mencionado PEMAV (1996-2000); Moderniza.com (2000-2004) y el actualmente vigente Avantic (2004-2010).

La principal realización en la que participó PEMAV a través de la Fundación OVSI sería el proyecto Infoville (1996), una experiencia coordinada con los organismos locales, considerablemente innovadora en la época, de modernización de los usos ciudadanos de la tecnología desde distintos puntos de vista (relación con la Administración y las empresas, equipamiento tecnológico y alfabetización digital, trámites administrativos e interacción social). El proyecto se desplegaría en tres fases sucesivas:

---

[8]   http://www.ovsi.com/fundacion_inicio.php

- 1996: en un principio, se desarrolló la experiencia piloto en el municipio alicantino de Villena, de unos 35.000 habitantes. Como se ha indicado, el objetivo era potenciar el acceso a Internet y el uso de las NTIC para llevar a cabo una serie de acciones cotidianas (trámites administrativos, relación con las empresas, vertebración social)

- De 1998 a 2001 van incorporándose otros municipios tanto al proyecto tecnológico como a la red digital Infoville. En el año 2001 se contaba ya con una plataforma que aglutinaba usuarios de 18 municipios repartidos en las tres provincias valencianas (Catarroja, Torrevieja, la Vall D'Uixò, Oliva, Altea, Burriana, Gandía, Alaquàs, Biar, Manises, L'Alcora, L'Eliana, San Vicente del Raspeig, Mislata, Benicarló, Castellón de la Plana y Alicante), además de la Universidad Miguel Hernández, también sede Infoville.

- A partir de 2002 se constituye Infoville 21, basada en la integración de portales y sitios web temáticos de ámbito autonómico con los de los ayuntamientos participantes, así como en el desarrollo de una comunidad virtual en torno al proyecto, que en 2004 contaba con unos 57.000 usuarios registrados y casi 6000 visitas diarias (Martínez de Vallejo, 2004: 43).

El indudable éxito de la experiencia de Infoville queda de manifiesto no sólo por su expansión a otros municipios o la relevancia, aún hoy, de los sitios web y experiencias desarrolladas mediante Infoville, sino por datos como el que se deduce de la comparación, desarrollada por la propia Fundación OVSI en 2001 (2002: 6), entre Villena y Ontinyent (municipios de similar población, nivel de vida y características), de la que puede deducirse una fuerte incidencia de Infoville como explicación plausible de los mejores resultados que obtiene Villena; o el hecho, más de una década después de que comenzase Infoville, de que Villena cuente con una oferta de cibermedios de ámbito local muy superior a la de otras poblaciones valencianas de similares características[9].

Posteriormente la Generalitat Valenciana continuaría desarrollando planes genéricos (los mencionados Moderniza.com y el actual Avantic) y líneas de actuación específicas, ninguna de las cuales alcanzaría la incidencia de Infoville. Cabe destacar, en cualquier caso, *Correo CV*, cuyo propósito es sistematizar la relación del ciudadano con la Administración autonómica

---

[9]   Puede consultarse al respecto la siguiente base de datos de cibermedios valencianos: http://cibermediosvalencianos.es/corpus-de-cibermedios/

y facilitar la realización de trámites online; el programa *Internauta*, "que constituye la plasmación práctica de la voluntad de la Generalitat en aumentar la capacitación del ciudadano en el uso de las nuevas tecnologías" (VV.AA., 2008: 407), y que cuenta, según datos de la propia Generalitat, con 20.655 ciudadanos matriculados (cifras de 2007); por último, el proyecto *Alcoy Ciudad Digital* (2004-2006), establecido mediante convenio en 2003 entre la Generalitat Valenciana y el Ministerio de Ciencia y Tecnología[10], que viene a continuar el tipo de planteamiento colaborativo entre diversas administraciones y empresas, así como los objetivos, de Infoville (Martínez de Vallejo, 2004: 42).

En general, y partiendo del reconocimiento al esfuerzo realizado todos estos años, así como de sus resultados, detectamos tres problemas principales en las políticas desarrolladas desde la Generalitat en materia de sociedad de la información:

- De una parte, una cierta fatiga de ideas, falta de innovación, en los planteamientos que se desarrollan en los planes sucesivos, casi miméticos en sus líneas de actuación fundamental. Lo que funcionó muy bien hace años ahora probablemente sirva de poco.

- Por otra parte, los planes de la Generalitat Valenciana parecen dejar de lado aspectos de la Sociedad de la Información tan importantes como los contenidos digitales, el comercio electrónico o la interacción ciudadana, centrándose sistemáticamente, en cambio, en el espíritu y también en la forma de sus planteamientos, en el sector del Gobierno electrónico. Algo que resulta lógico e incluso obvio, dado que hablamos de una institución pública que primero trata de mejorar lo que tiene más a mano, pero que también se antoja insuficiente.

- Finalmente, el tono general de los informes, documentos y análisis elaborados desde la Generalitat Valenciana resulta de un irritante triunfalismo, que puede preocupar en cuanto síntoma de falta de flexibilidad y capacidad para aceptar las críticas e integrarlas en sus planteamientos. Sirva como ejemplo este fragmento del Informe sobre la Comunidad Valenciana (elaborado por la Dirección General de Modernización de la Conselleria de Justicia y Administraciones Públicas), publicado en el mencionado estudio colectivo de la Fundación Telefónica: "Estas novedades en el campo del comercio electrónico

---

[10] http://www.mityc.es/telecomunicaciones/es-ES/Legislacion//DocumentosAyudas/03.-%202003/10Re161003Alcoy.pdf

no hacen más que mostrar una Sociedad de la Información cada vez más sólida y consistente en la Comunitat Valenciana, una madurez tecnológica cuya base se asienta en la Estrategia del Consell en materia de Telecomunicaciones Avanzadas y de Sociedad de la Información, Avantic 2004-2010, así como a la permanente colaboración en la materia entre las administraciones valencianas, las empresas y los ciudadanos" (VV.AA., 2008: 407).

3.3. e-Administración

La importancia conferida por la Generalitat Valencia al Gobierno electrónico justifica que le prestemos una mayor atención, no tanto a las medidas, ya mencionadas, sino a sus resultados prácticos. Por una parte, mediante el análisis comparativo, como hacíamos al principio del epígrafe, con otras Comunidades Autónomas. Por otra, mediante un estudio propio que nos permita observar la tasa de respuesta al ciudadano.

La Fundación Orange desarrolló en 2009 dos informes específicamente dedicados a la e-Administración en el ámbito autonómico. El primer informe, titulado "Estudio comparativo 2009 de los Servicios Públicos *on-line* en las Comunidades Autónomas Españolas", se basa en la comparación de la disponibilidad media de servicios públicos online (a partir de una muestra de 26 servicios públicos). La Comunidad Valenciana se ubica en un 71% del total de servicios, ligeramente por debajo de la media nacional (72%) (Fundación Orange, 2009b: 5).

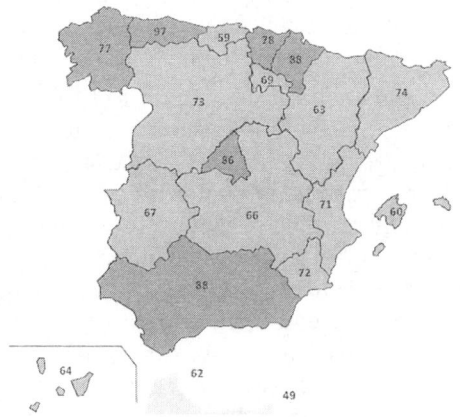

Gráfico 7. Presencia de la e-Administración, por CCAA. Fuente: Fundación Orange (2009b: 6)

Como dato negativo, es la única CCAA que no cuenta con ninguna vía telemática para transmitir a la Administración las quejas y sugerencias del ciudadano, ni siquiera a través de Internet (Fundación Orange, 2009b: 41). También destaca negativamente la baja accesibilidad de sus páginas web (sólo 6 de 26), muy por debajo de la mayoría de CCAA (Fundación Orange, 2009b: 49).

La Comunidad Valenciana sale, en cambio, bien parada de la comparación con las restantes CCAA en cuando al número de documentos requeridos para tramitar un total de diez solicitudes administrativas que sirven de ejemplo en este informe (Fundación Orange, 2009b: 52-57). También destaca positivamente el grado de penetración de la SI en el campo sanitario (petición de cita online, presencia de instrumental sanitario de alta tecnología, etc.) (Fundación Orange, 2009a: 187-188).

El segundo informe, titulado "Análisis del uso de los procedimientos básicos de eAdministración en las CCAA por parte de los ciudadanos y las empresas", resulta complementario al anterior, por cuanto no se centra en la oferta de servicios públicos, sino en el uso que hacen los ciudadanos de ellos. Por desgracia, la Comunidad Valenciana sale aquí sensiblemente peor parada, como se muestra en el gráfico:

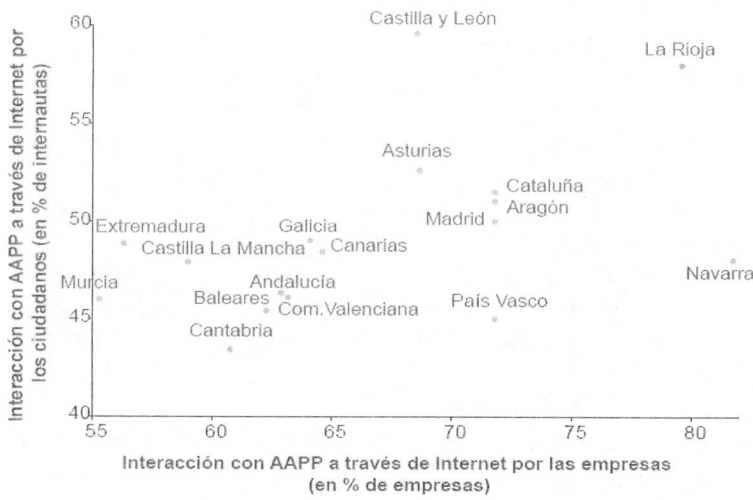

Gráfico 8. e-Administración en ciudadanos y empresas, por CCAA. Fuente: Fundación Orange (2009c: 2)

La Comunidad Valenciana ocupa los puestos duodécimo (empresas) y decimoquinto (ciudadanos) de las diecisiete comunidades autónomas en cuanto al uso de sus servicios de e-Administración. El balance es, por tanto, indudablemente negativo: los esfuerzos de la Generalitat en este campo no sólo no permiten destacarse respecto de la oferta de otras comunidades autónomas (podría argumentarse aquí que posiblemente también ellas centren sus esfuerzos en este mismo sector), sino que los resultados resultan mucho peores en lo que se refiere a la implicación ciudadana. Se trata, por tanto, de un problema de alfabetización digital, de conocimiento de los ciudadanos no sólo de que dichas herramientas de tramitación electrónica existen, sino también de cómo utilizarlas.

Para finalizar este epígrafe, quisiéramos hacer mención de un estudio propio (López García, 2008b), desarrollado en julio de 2008, que nos permitirá arrojar cierta luz sobre el funcionamiento de la e-Administración en la Comunidad Valenciana. El estudio se basó en crear un e-mail de un ciudadano ficticio que envió un total de 39 correos electrónicos a otros tantos organismos públicos dependientes de la Generalitat: consellerias, direcciones generales, instituciones específicas como el Ivam o Ferrocarrils de la Generalitat Valenciana[11],... En cada uno de los correos que enviamos a los organismos autonómicos buscábamos explícitamente una respuesta a alguna pregunta concreta, de manera que, aunque la respuesta fuera negativa, pudiéramos contabilizarla igualmente.

De entrada nos encontramos con un primer problema: de las 39 instituciones a las que tratamos de escribir, cinco de ellas no tenían (o no les funcionaba) página web propia. Asimismo, en siete de los casos el correo electrónico o formulario de contacto no funcionaba correctamente y devolvía un mensaje de error.

Por tanto, al final fueron 32 las instituciones a las que les enviamos otras tantas preguntas. Todos los correos se enviaron el día 3 de julio por la mañana, desde una dirección de Gmail creada al efecto. La tasa de respuesta que recibimos fue de un 59% (19 respuestas), mientras que en un 41% de los casos (correspondientes a doce instituciones) no hubo ninguna reacción.

Cabría destacar, de entre las doce instituciones públicas que no respondieron, la presencia de las Consellerias de Presidencia, Bienestar Social,

---

[11]   Pueden consultarse los datos en bruto de la investigación aquí: http://www.cibermediosvalencianos.es/correosgva.doc

Turismo y Cultura, ninguna de las cuales respondió. Tampoco lo hizo el IVAJ (Institut Valencià de la Joventut), una no-respuesta particularmente criticable si tenemos en cuenta que, en este caso en concreto, es más que previsible que buena parte de los ciudadanos que se pongan en contacto con el IVAJ lo hagan vía correo electrónico. Por último, nos llamó poderosamente la atención que no respondieran las dos instituciones, la Fundación OVSI y CEVALSI, que como hemos visto constituyen la principal apuesta de la Generalitat Valenciana por propiciar el desarrollo de la Sociedad de la Información.

En cuanto a las 19 instituciones que respondieron, casi la mitad, 8 (un 42%) lo hicieron el mismo día 3 de julio. Otras tres (15,7%) contestaron el día siguiente. Seis (31,4%) instituciones contestaron a lo largo de la semana siguiente. Por último, una de las instituciones contestó doce días después, y otra un mes después.

Entre las que contestaron el mismo día o el día siguiente, encontramos a las Consellerias de Industria, Economía y Medio Ambiente. Particularmente destacable es este último caso, puesto que no sólo fueron los primeros en contestar (apenas cinco minutos después de haber enviado el correo), sino que aquí concurre el mérito añadido de que la Conselleria de Medio Ambiente organiza las consultas del ciudadano previamente por temas, con lo que nos contestaron desde una dependencia específica de esta conselleria. Enviamos un correo en el que preguntábamos si había alguna manera de consultar mapas del territorio valenciano cogidos por satélite, en la sección "Cartografía", que recibió, además de esa respuesta casi inmediata, una segunda respuesta esa misma tarde, en la que se ofrecían aún más datos de interés.

4. PRENSA ESCRITA: DIARIOS Y REVISTAS

Por lo que concierne a los medios escritos, las políticas llevadas a cabo desde la Generalitat Valenciana y los organismos provinciales y locales están extraordinariamente ligadas con el signo político del Gobierno, en su cuantía, su ejecución y también en el propósito que las anima.

Cuando, en 1988, el Gobierno del PSOE da término a la política de ayudas directas a la prensa heredada del Gobierno anterior, ante la protesta de la *Asociación de Editores de Diarios Españoles* (Martín, 2003: 203), la Generalitat Valenciana, entonces gobernada por el PSPV, decide desarrollar una serie de ayudas dirigidas a los medios locales (Xambó, 2001: 93-94). De una parte, a través del decreto 3/89, la Generalitat crea una línea de ayudas para la creación o modernización de medios escritos de ámbito local y comarcal. Estas ayudas, vigentes sólo en el año 1989, ascenderían finalmente a unos 6 millones de pesetas (36.000 euros).

De otra parte, el decreto 4/89, y después el 10/91, regulaba la concesión de ayudas a medios escritos que publicasen contenidos en valenciano. A lo largo de los años 1989 a 1995 se concedieron unos 100 millones de pesetas (600.000 euros).

Sin embargo, esta política de ayudas, más o menos consolidada en el caso de los incentivos a la publicación en valenciano, desaparecería a partir de la llegada, en 1995, del PP al Gobierno autonómico, que no consideraría, en sucesivas legislaturas, el desarrollo de una política de subvención directa a los medios escritos. De hecho, muy recientemente (2009) las Corts han rechazado, con el voto del PP, una propuesta de ley presentada por el parlamentario socialista Ximo Puig, que proponía un plan de fomento de la lectura de prensa en virtud del cual la Generalitat Valenciana pagaría la suscripción de los jóvenes a un medio escrito[12].

Los sucesivos Gobiernos del PP han limitado su intervención en este ámbito al fomento genérico de la lectura entre la ciudadanía, a través de la creación de programas de lectura de libros en valenciano, o el desarrollo de incentivos para promocionar la lectura entre los jóvenes, en un ámbito ligado con el sector editorial y educativo en el que los medios periodísticos, hasta ahora, no han entrado.

Naturalmente, la ausencia de ayudas directas no significa que los distintos Gobiernos del PP no hayan intervenido en el sector de la prensa escrita. Por un lado, y como ha podido verse en el primer capítulo de este libro, beneficiando a los medios afines a través de un tratamiento privilegiado en las instituciones públicas, como fue el caso de la suscripción obligatoria de todos los centros escolares al diario *Las Provincias* al poco de llegar el PP al poder (Xambó, 2001: 140). Pero donde las políticas de comunicación llevadas a cabo en este sector por parte de los poderes autonómicos y locales adquirirían un mayor grado de desarrollo (y de contestación) sería a través de la publicidad institucional.

Este recurso, de capital importancia para la financiación de los medios impresos, vivió un cambio sustancial a partir de la llegada al poder de Eduardo Zaplana en 1995. José Vicente Gámir explica pormenorizadamente

---

12   http://www.elperiodicomediterraneo.com/noticias/noticia.asp?pkid=470512

esta circunstancia: "al igual que *Las Provincias* y *ABC* denunciaron durante la administración socialista que recibían menos publicidad institucional que el resto de medios, los periódicos *Levante-EMV* e *Información* (...) han llegado a denunciar ante los tribunales que el Consell presidido por Eduardo Zaplana y otras empresas y organismos oficiales autonómicos les contrataban menos publicidad que a sus competidores como consecuencia de su línea editorial crítica. *Levante-EMV* cifró en más de 29 millones de pesetas el perjuicio económico que le había supuesto dicha marginación desde la entrada del nuevo Consell hasta el 17 de julio de 1996 en un recurso contencioso administrativo presentado ante el Tribunal Superior de Justicia de la Comunidad Valenciana. El TSJ falló en febrero de 2001 a favor de Editorial Prensa Valenciana, la empresa editora de *Levante-EMV*, y condenó a la Generalitat Valenciana a pagarle la cantidad reclamada" (2005: 16-17).

Posteriormente, en marzo de 2003, las Corts aprobaron la *Ley de Publicidad Institucional* para regular la inversión pública en los medios de comunicación. Con la llegada a continuación de Francesc Camps al Gobierno autonómico la situación se ha normalizado, aunque sin que desaparecieran totalmente las denuncias de partidismo del Consell por parte de *Información* y *Levante-EMV*.

En un nivel menos visible, por último, no podemos obviar la crucial importancia de los ayuntamientos y diputaciones provinciales para los medios de ámbito local, muchos de los cuales sobreviven gracias a la publicidad de estas instituciones, en un contexto en el que puede detectarse una clara correlación entre la ideología del medio y la de los partidos políticos gobernantes en cada caso. Es ésta una tendencia que no ha hecho sino acentuarse con el desarrollo de diversos cibermedios de ámbito local (López García, 2008a: 77-81). Asimismo, muchas publicaciones locales son directamente financiadas y editadas por instituciones públicas, e incluso por los partidos políticos.

5. CONCLUSIONES

El análisis efectuado permite extraer algunas conclusiones sobre la naturaleza y las características de las políticas de comunicación desarrolladas en la Comunidad Valenciana en un contexto marcado por el tránsito hacia la digitalización. Así, podemos afirmar que se trata de unas políticas que combinan, aunque resulte paradójico, una notable tendencia a minimizar la intervención pública en el campo comunicativo con una considerable voluntad de control de los medios de comunicación por parte del sistema político.

El primer aspecto tiene que ver con el peso asumido por unas políticas de comunicación basadas en el predominio del mercado como mecanismo rector y regulador del sistema comunicativo valenciano. Algo que concuerda con la primacía de una óptica neoliberal propia de la digitalización (Freedman, 2008), marcada, además, por la entronización del *laisser faire* en materia comunicativa y la retirada de los poderes públicos del campo comunicativo. Éstos únicamente han intervenido de manera muy limitada y en campos muy concretos, especialmente en el audiovisual. No obstante, incluso en este ámbito quedan, todavía, múltiples cuestiones pendientes, como la creación del Consejo del Audiovisual, el desarrollo de las TDT-L públicas, la observancia del cumplimiento de los requisitos por parte de los operadores digitales de TDT privada con licencia o el cierre de canales analógicos desprovistos de concesión administrativa, entre otros aspectos. Por su parte, la actuación pública en la prensa escrita y en la introducción de la Sociedad de la Información ha resultado escasa o poco efectiva. Además, en este último caso se ha caracterizado por su falta de innovación y por orientarse, casi exclusivamente, hacia la potenciación de la e-administración, logrando, pese a ello, pobres resultados.

La segunda tendencia que define las políticas de comunicación en la Comunidad Valenciana es la fuerte voluntad de control político de los medios de comunicación, particularmente de la televisión. En este sentido, la acción gubernamental se ha centrado, por un parte, en el fomento del clientelismo, a través de las concesiones de TDT privada de proximidad, que ha favorecido a los medios y grupos empresariales conservadores (Intereconomía, COPE, Vocento, Unedisa,...), cuya presencia es elevada en el sistema comunicativo valenciano. Por otra, esta característica se ha manifestado en el desarrollo de una notable instrumentalización de los medios públicos por parte del Gobierno valenciano, que ha afectado particularmente a RTVV.

Con todo, las políticas de comunicación no han formado parte, ni el pasado ni en la actualidad, de las prioridades de la agenda pública en la Comunidad Valenciana. Se trata de un diagnóstico que afecta tanto a los gobiernos del PP, encabezados por Eduardo Zaplana, José Luis Olivas y Franscisco Camps, respectivamente, como a los del PSOE, presididos por Joan Lerma. Más bien, las políticas de comunicación están, y han estado, subordinadas a la dinámica política general. Una clara muestra la encontramos en el conflicto por el cierre de *TV3*, que ha sido utilizado por el Ejecutivo de Camps (PP) como recurso electoral en época preelectoral apelando al sentimiento anticatalanista, por un lado, y como mecanismo de presión al Gobierno del

Estado, en manos del PSOE, para obtener un segundo múltiplex autonómico de TDT, por otro. En este caso, las políticas de comunicación han quedado subordinadas a la confrontación política partidista y han perdido su conexión con la defensa del interés general y las demandas de la sociedad civil. Más allá de ejemplos concretos, las políticas de comunicación en la Comunidad Valenciana, sometidas a esta dinámica, han carecido de una entidad, identidad y autonomía propias y específicas. En consecuencia, se han configurado como unas políticas débiles y desestructuradas, sin una visión clara y coherente de futuro.

BIBLIOGRAFÍA

BADILLO, A. (2007). "La nueva televisión de proximidad: Un (incompleto) mapa de la TDT local y autonómica". En MARZAL, J. & CASERO, A. (eds.). *El desarrollo de la televisión digital en España*. La Coruña: Netbiblo.

BUSTAMANTE, E. (2007). "Lecciones de un laboratorio peculiar. La televisión digital y sus tortuosos caminos". En BUSTAMANTE, E. (ed.): *Cultura y comunicación para el siglo XXI*. La Laguna: IDECO.

CASERO, A. (2009): "Transparency in the structure of the Catalan communication system: The Communication and Culture Barometer". En *Catalan Journal of Communication & Cultural Studies*, Vol. 1 (1), pp. 111-117.

CEVALSI (2008). "Infobarómetro Social de la Comunidad Valenciana". Disponible en http://www.cevalsi.org/docs/documentos/resumen/resumen_ejectutivo_65. pdf

FUNDACIÓN ORANGE (2009a). *e-España 2009. Informe anual sobre el desarrollo de la Sociedad de la Información en España*. Disponible en http://www.fundacionorange.es/areas/25_publicaciones/e2009.pdf

FUNDACIÓN ORANGE (2009b). "Estudio comparativo 2009 de los Servicios Públicos on-line en las Comunidades Autónomas Españolas". Disponible en http://www. fundacionorange.es/areas/25_publicaciones/eadministracion2009.pdf

FUNDACIÓN ORANGE (2009c). "Análisis del uso de los procedimientos básicos de eAdministración en las CCAA por parte de los ciudadanos y las empresas". Disponible en http://www.fundacionorange.es/areas/25_publicaciones/uso_eadministracion_ccaa2009.pdf

FUNDACIÓN OVSI (2002). "Infoville 21". Disponible en http://www.ovsi.com/proyectos/1.pdf

FREEDMAN, D. (2008). *The Politics of Media Policy*. Cambridge: Polity Press.

GÁMIR RÍOS, J.V. (2005). "Poder político y estructura mediática: la comunicación en la Comunidad Valenciana durante la presidencia de Eduardo Zaplana (1995-2002)". En *Aposta. Revista de ciencias sociales* nº 23. Diciembre 2005. Disponible en http://www.apostadigital.com/revistav3/hemeroteca/gamir.pdf pp. 1-22

HALLIN, D. & MANCINI, P. (2004). *Comparing Media Systems. Three Models of Media and Politics*. Cambridge: Cambridge University Press.

HUMPHREYS, P. (1996). *Mass Media and Media Policy in Western Europe*. Manchester: Manchester University Press.

LÓPEZ CANTOS, F. (2007). "El panorama de la TDT en la Comunidad Valenciana". En MARZAL, J. & CASERO, A. (eds.). *El desarrollo de la televisión digital en España*. La Coruña: Netbiblo.

LÓPEZ GARCÍA, Guillermo (2008a). *Los cibermedios valencianos: cartografía, características y contenidos*. Valencia: Servei de Publicacions de la Universitat de València. Disponible en http://www.cibermediosvalencianos.es/cibermedios.pdf

LÓPEZ GARCÍA, Guillermo (2008b). "CiberPSPV comprueba la tasa de respuesta por email de la Generalitat Valenciana". Disponible en http://www.ciberpspv. net/2008/11/29/ciberpspv-comprueba-la-tasa-de-respuesta-por-email-de-la-generalitat-valenciana/

MARTÍN, Mª Antonia (2003). "Políticas de comunicación en la España multimedia". En *Historia y Comunicación Social* nº 8. pp. 187-2005.

MARTÍNEZ DE VALLEJO, Blanca (2004). "Alcoy, modelo europeo de Ciudad Digital". En *Bit* nº 145, Junio-Julio 2004. Disponible en http://www.coit.es/publicac/publbit/bit145/esp_martinez.pdf. pp. 42-43.

MARZAL, J. & CASERO, A. (eds.) (2007). *El desarrollo de la televisión digital en España*. La Coruña: Netbiblo.

MARZAL, J. & CASERO, A. (2008). "La investigación sobre la televisión local en España: nuevas agendas ante el reto de la digitalización". En *Zer*, nº 25, pp. 83-106.

MARZAL, J. & CASERO, A. (2009). "Las políticas de comunicación ante la implantación de la TDT en España. Balance crítico y retos pendientes". En *Sphera Publica*, nº 9, pp. 95-113.

MURCIANO, M. (2006). "Las políticas de comunicación ante los retos del nuevo milenio: Pluralismo, diversidad cultural, desarrollo económico y tecnológico y bienestar". En *Zer*, nº 20, pp. 371-398.

ORTEGA, F. (ed.) (2006). *Periodismo sin información*. Madrid: Tecnos.

SANMARTÍN, J. & BAS, J. J. (2008). "La televisión digital local pública en la Comunidad Valenciana: estado de la cuestión". En MEDINA, M. & FAUSTINO, P. (org.). *The Changing Media Business Environment*. Lisboa: Media XXI.

VV.AA. (2008). "Comunitat Valenciana". En FUNDACIÓN TELEFÓNICA (2008). *La Sociedad de la Información en España 2008*. Barcelona: Ariel. Disponible en http://e-libros.fundacion.telefonica.com/sie08/aplicacion_sie/ParteA/pdf/Cap.15.pdf. pp. 402-413

XAMBÓ, Rafael (2001). *Comunicació, política i societat. El cas valencià*. Valencia: Tres i Quatre.

6

LA PRENSA EN LA COMUNIDAD VALENCIANA: PERIÓDICOS TRADICIONALES, GRATUITOS Y MEDIOS ÉTNICOS[1]

José Luis González
Universidad Miguel Hernández

Francesc Martínez Sanchis
Universitat de València

Montserrat Jurado
Universidad Miguel Hernández

Hugo Doménech
Universitat Jaume I

1. PRENSA TRADICIONAL EN LA PROVINCIA DE ALICANTE

El panorama de la prensa tradicional en la provincia de Alicante ha cambiado a ritmo vertiginoso durante los últimos años, consolidándose esta plaza como bastante voluble y con un líder muy asentado en el ámbito local, como es el diario *Información*, del grupo Prensa Ibérica. Dentro de la tipología de prensa de papel de pago en la provincia de Alicante tenemos los diarios de información local, las ediciones de periódicos nacionales, la prensa deportiva y la económica, muy residual. La prensa de proximidad tiene un protagonismo fundamental en el entramado mediático español; no en vano se trata de los periódicos que, sumados, más audiencias y difusión tienen, así como los que más puestos de trabajo proporcionan.

1.1. Prensa local alicantina

El diario líder en la provincia de Alicante es *Información*, de Prensa Ibérica. Dicho liderazgo se comparte en todas las comarcas alicantinas, aunque

[1] Agradecimientos: A los periodistas Jorge Quintana, Joaquín Clemente, Julia Brines, Carles Puig Folgado, Pedro Morata, Cruz Sierra, Mariola Cubells, David Burguera, Marina Iriarte, Rocío Ruiz, Jesús Javier Vera y Fátima Mohamad

es L'Alacantí, en toda la zona de influencia de la capital provincial, donde *Información* tiene sus mejores números, con una difusión diaria superior a los 30.000 ejemplares[2]. Estamos, por tanto, ante un periódico líder que representa una prensa de proximidad potente, influyente y extraordinariamente arraigada en los territorios mencionados. La penetración más importante de *Información* se produce en las áreas metropolitanas de Alicante y Elche (más de 500.000 habitantes entre ambas), cediendo terreno a la competencia en aquellas comarcas donde históricamente, por razones territoriales, otros periódicos han estado muy consolidados; es el caso de *Las Provincias (Vocento)* y *Levante (Prensa Ibérica)* en las comarcas del norte de la provincia de Alicante, de *La Verdad*, en la Vega Baja y también en Elche, y del *Ciudad de Alcoy* (Zeta) que durante la presente investigación (otoño 2009) podría quedarse como el único diario de Alcoy, ya que *Información* estudiaba el cierre de su delegación alcoyana, reconvirtiéndola en una mera corresponsalía.

El diario *Información* es un periódico con un perfil de lector que tiene un nivel educativo medio-alto. Los lectores son muy fieles. Destaca, en este sentido, que el 48% de los lectores de prensa en la provincia de Alicante opten por prensa local o de proximidad, siendo los motivos principales de tal decisión: la información cercana y la opinión, la credibilidad y la tradición familiar. Si comparamos modelos de prensa local españoles, como éste, con otros norteamericanos, se invierten los porcentajes en la forma de hacerse con el periódico; es decir, el 80% de suscripciones de un diario tipo local estadounidense, aquí apenas llega hoy en día al 10%. La forma de adquisición del periódico también influye en los hábitos de lectura, que difieren mucho entre unos y otros modelos: mientras el ejemplar del periódico norteamericano se entrega a domicilio y propicia la lectura de un ejemplar por unidad familiar, en el caso de *Información*, está muy arraigada la lectura en lugares públicos.

Los últimos datos de OJD (control difusión y tirada) del diario *Información* revelan que la tirada se sitúa en los 37.529 ejemplares, con una difusión diaria de 31.239 periódicos vendidos. Por otra parte, el último OJD interactivo sitúa a la edición online de *Información*: http://www.diarioinformacion.com en 416.034 visitantes únicos al mes, con un promedio diario de 30.377 usuarios únicos de lunes a viernes. Es decir, sin apenas inversión para Internet, el periódico obtiene el mismo rendimiento, en cuanto a visitantes únicos y compradores del diario, tanto en la Red como en papel. Dichos resultados sitúan a este periódico en el puesto 42º del ranking nacional online (visitantes únicos/mes), muy lejos de la edición online de

---

[2]   Datos OJD 2009

su principal competidor, *La Verdad:* http://www.laverdad.es que promedia habitualmente entre 65.000 y 70.000 visitantes únicos diarios, muy por encima de los 38.155 compradores diarios del papel; pero que sí, en cambio, viene desarrollando distintas estrategias para reforzar la web.

El arraigo al territorio, la proximidad con el público, el mercado publicitario propio, la flexibilidad empresarial, las formas directas para la contratación de los redactores, la función social y cultural, y la identidad de grupo son algunas de las características que fortalecen este tipo de prensa. Las perspectivas de futuro de la industria periodística local, comarcal y regional en España, pasan por el aprovechamiento de sus ediciones digitales, algo que no ocurre y que es la diferencia principal con otros modelos anglosajones o nórdicos (González Esteban, 2009). Llegados este punto conviene citar el caso del *Christian Science Monitor*, rotativo norteamericano que en abril de 2009 dejó de ser un diario para potenciar su edición digital y publicarse en papel solamente los fines de semana. Se trata de un periódico centenario, ganador de siete premios Pulitzer, que está innovando y reinventándose para no desaparecer del mercado. Los editores del *Christian Science Monitor* han tomado la decisión de prescindir del papel diario, un formato que queda acotado a los fines de semana, con contenidos de calidad, grandes reportajes y mucho análisis. Paralelamente, lo que ya está haciendo este periódico norteamericano es innovar en su edición online, que se actualizará las 24 horas del día, durante los siete días de la semana, y con contenidos propios.

Los responsables de *Información*, por el momento, no plantean ir en esta dirección a corto plazo. Es decir, confían en mantener el diario en papel durante un tiempo razonable, aunque todo cambia respecto a las estrategias respecto las ediciones online. Baldomero R. Díaz, subdirector de *Información*, asegura que: "El actual modelo de periodismo está muerto, hay que recomponerlo todo, reinventar el modelo y saber conjugar el periódico papel con la web multimedia". Las cosas están cambiando, pero el papel manda en *Información*, y las primicias nunca van en la web antes que en papel, ni siquiera noticias de agenda común como pudieran ser ruedas de prensa, eventos culturales o crónicas deportivas. Todo pasa primero por el filtro del papel, y a las cinco de la madrugada se produce un volcado automático a la web. "Ahora y aquí es inviable, mataríamos el papel, aunque no dudo que en un futuro vayamos hacia una convergencia y hacia algo similar a aquello", dice Díaz[3].

---

[3]   Entrevista personal con Baldomero R. Díaz, subdirector del diario Información, realizada en mayo de 2009.

Estas rutinas son el denominador común en los medios tradicionales españoles. Así, por ejemplo, se indicaba en las conclusiones obtenidas tras el último encuentro de las universidades de la Xarxa Luis Vives (Cataluña, Valencia y Baleares), donde se habló del cambio digital de los medios de proximidad, de las transformaciones generadas por la introducción de las tecnologías digitales en las redacciones de la prensa comarcal, radios y televisiones locales, llegándose a la principal conclusión, según el profesor Carlos Scolari que: "En la prensa local y comarcal catalana —como en la mayoría de España— se desconfía del entorno web" (Scolari Jarque y Perales, 2008).

Pero además de las estrategias que rodean al diario *Información*, líder en la provincia de Alicante, también es importante resaltar el posicionamiento de la competencia del grupo Vocento. En el año 2000, Vocento aceptó la decisión de la familia Doménech, que entonces controlaba más del 50% de las acciones de *Las Provincias*, de abrir una delegación del periódico valenciano en la capital alicantina. Aquella decisión no fue bien vista por *La Verdad*, uno de los periódicos fuertes de Vocento, ya que entrarían en competencia dos diarios del mismo grupo y la delegación del diario murciano, abierta en Alicante en 1963, ya estaba empezando a tener problemas de pérdida de lectores. Desde 2000, *La Verdad* y *Las Provincias* han tenido sendas delegaciones en Alicante. Los primeros no frenaron nunca la caída de lectores y los segundos no lograron consolidar la plaza. La crisis exógena y la crisis endógena de la prensa han sido el argumento perfecto para que Vocento decidiera cambiar su estrategia en Alicante, cerrando ambas delegaciones, despidiendo a la mitad de los trabajadores y juntando a la otra mitad en una sola delegación donde con una sola redacción se siguen haciendo ambas cabeceras, manteniendo, por tanto, la tarta publicitaria que sigue entrando por las dos cabeceras, pero con un nivel de calidad muy discutible.

Al frente de la redacción única para dos redacciones, un solo director: Julio Fernández, siendo desterrados los responsables de las delegaciones anteriores, Jesús Fernández (*La Verdad*) y José Soto (*Las Provincias*) a Elche y Valencia, respectivamente. Esta insólita convergencia redaccional también acogió a redactores del gratuito *Qué!*, hasta que Vocento decidió el cierre de la edición alicantina. Finalmente, los corresponsales de *ABC* en Alicante también han pasado a formar parte de la nueva estructura que tiene su sede en la céntrica Explanada de España, en Alicante.

1.2. Ediciones nacionales en Alicante

Público es un diario de tirada nacional que no tiene ninguna delegación en la Comunidad Valenciana, aunque ya cuenta con una en Andalucía y otra en Cataluña. Tiene un colaborador en la elaboración de los textos que trabaja desde Valencia, y toda su información le viene servida de agencias. El diario *La Razón* es el único que no dispone de una redacción en Alicante y coordina la gestión de informaciones de la provincia desde Valencia. *La Razón* cuenta con *un corresponsal* en Alicante que es responsable de todos los temas que se deban cubrir. Los diarios *El País*, *El Mundo* y *ABC* sí tienen delegación en Alicante, ciudad desde donde cubren todos los eventos de los municipios de la provincia.

En el primer caso, *El País*, cuenta con una plantilla de tres redactores y una colaboradora en la delegación de Alicante, además de varios corresponsales en las principales ciudades de la provincia, como son Elche, Denia, Alcoy y Benidorm. Estos profesionales envían sus textos, ya sea de temas de las mismas ciudades o de municipios cercanos. Además, trabajan de manera paralela con colaboradores y columnistas para temas diversos y con agencias.

El Mundo tiene una plantilla de unas 12 personas con formación universitaria. Además, cuenta con corresponsales en las ciudades de Elche y Benidorm. Son habituales también tres colaboradores (opinión, gastronomía, etc.) para cumplir con una media de 16 páginas diarias. *ABC* tenía su delegación en la calle Mayor en Alicante, donde trabajaban tres redactores —dos ellos licenciados en Ciencias de la Información y los tres con formación universitaria— que ahora se han trasladado a la redacción común de Vocento con *La Verdad* y *Las Provincias*. El diario no cuenta con una sección concreta para los temas de Alicante, sino que son insertados en las páginas destinadas a las Comunidad Valenciana.

2. PRENSA GRATUITA DE LA PROVINCIA DE ALICANTE

La prensa gratuita en la provincia de Alicante es poco numerosa y en los últimos meses está sufriendo modificaciones que no se descarta que sigan produciéndose aún cuando este trabajo haya sido publicado. La página web de la Asociación Española de Prensa Gratuita[4] no tiene registrado ningún medio en la provincia de Alicante[5]. La Asociación de Jóvenes Empresarios

---

[4]   http://www.aepg.es/
[5]   Sí tiene registrados dos medios impresos en la Comunidad Valenciana: uno en Valencia, *Padres y Nones*, de temas educativos y con una tirada de 10.000 ejemplares,

de la Provincia de Alicante[6] cuenta en su base de datos con una sección de prensa gratuita en la que tiene inscrito *Activa Orihuela*, un semanal de esta localidad. Tiene una tirada de 12.000 ejemplares, página web propia[7], se edita a color y con 20 páginas.

La prensa gratuita en la provincia de Alicante está liderada por el grupo de comunicación Grupo Noticias S.L., que cuenta con diarios, semanales, una revista, televisión, radio y las versiones digitales de sus diarios y semanales. En la actualidad, y en lo relativo a los soportes impresos, cuenta son un diario: *Noticias Benidorm*, y cuatro semanales: *Noticias Elche-Santa Pola*, los martes; *Noticias Comarcal*, los miércoles; *Noticias Alfaz-Altea*, los jueves; y los viernes, *Noticias Vilajoiosa*. La crisis ha hecho una auténtica mella en este grupo, que nació en diciembre de 2000 y llegó a contar con tres diarios y siete semanales.

2.1. Ediciones de gratuitos nacionales en Alicante

Los periódicos gratuitos han sido los primeros en sufrir la crisis económica. Algunos han cerrado sus delegaciones y en el mejor de los casos han logrado mantenerse en su versión digital[8]. Los tres grandes diarios gratuitos con presencia en la provincia de Alicante así lo reflejan. *Metro y 20 Minutos* se lanzaron en Alicante en 2004 (Carvajal, 2008: 316-317). *Metro* llegó incluso a tener edición para la ciudad de Elche. El diario cerró sus puertas en enero de 2009. *Mini Diario*, nacido en 1992, dejó de publicarse en julio de 2008. *20 Minutos* sigue publicando en la actualidad una sección de dos páginas de Alicante de una extensión total de unas 20 diarias, con corresponsal y sin delegación propia.

3. PRENSA TRADICIONAL EN LA PROVINCIA DE CASTELLÓN

La prensa tradicional de pago en la provincia de Castellón se encuentra sumida en la crisis que afecta al conjunto de medios de comunicación. Un

---

y otro en Castellón, *15 Días*, de información local y con una tirada de 13.000 ejemplares.

[6]   http://www.jovempa.org/

[7]   http://activaorihuela.es

[8]   http://www.farodevigo.es/secciones/noticia.jsp?pRef=2008111900_26_275107__ Ciencia-y-Tecnologia-prensa-gratuita-apuesta-Internet-para-superar-crisis

apunte relevante que ejemplifica este periodo negro para la prensa castellonense, como hecho paradigmático de la situación general en los medios
provinciales, se muestra con el goteo constante de despidos en los cuatro
diarios de referencia de la provincia. En este sentido, el presidente de la
Asociación de Periodistas de Castellón (APC), Basilio Trilles, ha advertido
que la profesión en la capital de la Plana está sumida desde hace meses en
un doloroso trance degenerativo, a consecuencia del cual más de cincuenta
profesionales ya han perdido su condición de trabajadores o de colaboradores en los medios de comunicación provinciales[9].

3.1. Prensa local castellonense

En la actualidad, el conjunto de la prensa local de pago está conformado
por cuatro diarios que tienen sede en la capital de la Plana: *El Periódico Mediterráneo*, *El Mundo de Castellón al día*, *Levante de Castellón* y *Las
Provincias-Castellón*.

El diario decano de la provincia de Castellón y líder en difusión es *El
Periódico Mediterráneo*, que en la actualidad pertenece al Grupo ZETA. El
diario *Mediterráneo* nace el 14 de junio de 1938 al adquirir la Falange las
instalaciones del *Diario de Castellón*, uno de los siete periódicos que se
editaban en Castellón antes de la Guerra Civil y que fue fundado en 1924
por la Federación Castellonense de Sindicatos Agrícolas. Bajo la cabecera
de *El Mediterráneo* y el segundo nombre de *Diario de Castellón* que actualmente conserva, el primer número fue simplemente una página, formato
sábana, con la fotografía de Franco y los titulares "Arriba España" y "Viva
Franco".

Hasta 1977 el periódico perteneció a la cadena de la Prensa del Movimiento y a partir de entonces se integra en el nuevo organismo Medios de
Comunicación Social del Estado. Por la dirección del diario pasaron sucesivamente Carlos Briones, José María Marcelo, Luis Herrero y José Luis Torró.
En 1992 entra en el accionariado el Grupo ZETA, que nombra director a
Jesús Montesinos. Con ZETA, se produce la transición del diario hacia su
integración en el holding multimedia. *Mediterráneo* se convierte en la punta
de lanza periodística de la prensa castellonense, amplía notablemente su
liderazgo y su sociedad editora inicia una labor imparable, diversificando la
línea de negocio con otros productos impresos y audiovisuales.

---

[9]　　http://periodismoparaperiodistas.blogspot.com

El punto de inflexión se produce en 1996, cuando adquiere una nueva rotativa y un nuevo sistema informático que conlleva una profunda renovación tecnológica que afecta a todas las áreas de la empresa, al tiempo que las instalaciones son objeto de una profunda obra civil. Se introduce el color con un nuevo y avanzado diseño. En noviembre del 2005 se produce el relevo en la dirección del diario. Jesús Montesinos es sustituido en el cargo por José Luis Valencia, quien continúa al frente de este proyecto.

Durante la década de los noventa este periódico se mantuvo en una horquilla de difusión diaria que osciló, según las cifras que presenta la OJD, entre los 9.000 y 11.500 ejemplares de difusión promedio diaria[10]. La posición dominante de *Mediterráneo* en el mercado de la prensa de información general en Castellón es una circunstancia que se repite desde hace décadas. En la actualidad, este histórico diario lidera tanto la audiencia —número de ejemplares leídos— como la difusión, al triplicar al resto de sus competidores. El promedio de difusión durante el periodo 2007-2008 alcanzó los 10.295 ejemplares diarios[11]. Así mismo, la audiencia media de este diario en el año 2007 fue, según los datos que ofrece el Instituto Valenciano de Estadística, de cerca de 86.000 personas[12].

El siguiente periódico generalista de pago y local con mayor difusión en la provincia de Castellón es *El Mundo Castellón al Día*, con una cifra de 4.226 ejemplares de media diaria, según los últimos datos de la OJD[13]. Eso sí, esta publicación gestionada por la empresa Medios de Azahar, S.A; aumenta significativamente su difusión en domingo, cuando aparece a la venta junto a El Magazine, de difusión estatal, hasta alcanzar un promedio de más de 6.000 ejemplares en las comarcas de Castellón y en la capital. Por otra parte, el diario *Levante de Castellón*, cabecera filial de *El Mercantil Valenciano* y gestionado por la empresa Editorial Prensa Valenciana S.A., obtuvo durante 2008 una media de difusión de lunes a sábado de 2.939 unidades, cifra que aumenta ligeramente en domingo. Por último, la cuarta cabecera diaria con sede en la capital, *Las Provincias* en su circunscripción de Castellón, mantiene un grupo mínimo de redactores que personalizan y ofrecen información de carácter local en menos de diez páginas de media al día.

---

10   El informe "Libro Blanco de la Prensa Diaria en España. Año 2007"
11   http://www.introl.es/OJD/Portal/diarios_ojd/_4DOSpuiQo1Y_FOivPcLIIA
12   http://www.ive.es/
13   http://www.introl.es/OJD/Portal/diarios_ojd/_4DOSpuiQo1Y_FOivPcLIIA

3.2. Ediciones nacionales en Castellón

La cabecera nacional con un mayor arraigo en Castellón capital y provincia es el Diario *El Mundo* a través de su filial radicada en la capital de la Plana. *El Mundo Castellón al Día* es el único diario de ámbito estatal con redacción en la ciudad. El equipo de redacción elabora una información distribuida en unas 15 páginas de media diaria. Las secciones temáticas que distribuyen los contenidos son básicamente "Castellón" (política, sociedad y economía) y "Comarcas", además de un repaso a la actualidad deportiva provincial en la sección "Deportes". Sin embargo, la audiencia media de este diario en la provincia de Castellón es pareja a la que ofrece el periódico nacional *El País*, según los datos para el 2007 del EGM. *El País* cuenta en Castellón con una corresponsalía constituida por una redactora y un fotógrafo. El diario *ABC*, por su parte, mantiene una delegación en la provincia conformada por una sola redactora. El resto de diarios de ámbito nacional no poseen delegación o corresponsalía en la provincia de Castellón.

4. PRENSA GRATUITA DE LA PROVINCIA DE CASTELLÓN

La presencia de las ediciones gratuitas en la provincia de Castellón se limita a la distribución del diario *Qué!*, publicación que pertenece al Grupo Vocento. Por su parte, *ADN-Castellón* cerró su delegación hace unos meses, al igual que sucedió con otras delegaciones del gratuito en el panorama nacional. Sin embargo, su web sigue operativa como un volcado de contenido del periódico y material de agencias, donde se pueden seleccionar las informaciones relativas a Castellón y provincia. La plantilla de este diario gratuito, en su mayor parte, forma actualmente el equipo de redacción y fotografía de *Qué*;

5. PRENSA TRADICIONAL EN LA PROVINCIA DE VALENCIA

5.1. Prensa de pago de Valencia. Levante-EMV y Las Provincias, el posicionamiento multimedia

La Comunitat Valenciana, carente de una prensa regional de fuerte implantación en las tres provincias, tiene un modelo de prensa provincial. El mercado de Valencia está controlado desde la transición a la democracia hasta hoy por los diarios *Levante-EMV* y *Las Provincias*, convertidos en los albores del nuevo siglo en empresas periodísticas multimedia integradas en grandes grupos de comunicación de ámbito estatal.

Levante-EMV, sucesor de *El Mercantil Valenciano* fundado en 1872, pertenece a Editorial Prensa Ibérica, uno de los grupos más importantes de prensa regional de España, editor de 17 diarios en nueve comunidades autónomas. Prensa Ibérica inicia su expansión en el territorio valenciano en 1984 con la compra de *Levante* e *Información*, antiguos periódicos del Organismo Autónomo Medios de Comunicación Social del Estado. Asimismo, *Las Provincias* (fundado en 1866 por Teodor Llorente) forma parte desde 1999 del grupo Vocento, editor del periódico *ABC* y de otros doce diarios regionales, además del gratuito *Qué!* Tanto Prensa Ibérica como Vocento son propietarios de un buen número de medios digitales y emisoras de radio y televisión en toda España.

Los dos rotativos han construido grandes sedes dotadas de los más modernos avances tecnológicos en el polígono Vara de Quart de Valencia, donde han integrado la redacción y la rotativa, convirtiéndose en grandes empresas periodísticas con una plantilla media cada uno de más 150 trabajadores, de los que casi la mitad son periodistas.

La integración de los dos diarios en estos grupos de comunicación los ha afianzado en el mercado, consolidando además el modelo de edicionalización comarcal que ambos iniciaron a finales de los años ochenta como respuesta empresarial a la penetración de la prensa de Madrid. El aumento de la difusión de los diarios de Madrid en la Comunitat Valenciana alertó a *Levante-EMV* y *Las Provincias*, que inician una política de creación de ediciones comarcales para ganar mercados publicitarios y lectores. El pionero fue *Levante-EMV* con la creación de la edición de La Safor en 1987.

Durante el período 1987-1994 *Levante-EMV* ha abierto siete ediciones comarcales y una edición provincial en Castellón. Las ediciones en comarcas son La Safor, La Ribera, El Camp de Morvedre, Requena-Utiel-La Hoya-El Valle, La Costera-La Vall d'Albaida-La Canal, L'Horta y La Marina Alta. Esta política empresarial ha contribuido al crecimiento y afianzamiento del periódico. Por su parte, *Las Provincias* ha seguido la misma estrategia. A lo largo de los años 1988-2005 el periódico ha creado ocho ediciones comarcales en las zonas de mayor concentración de población: L'Horta, La Safor, La Marina, La Ribera, El Camp de Morvedre, La Costera-La Vall-La Canal, Castellón y Alicante[14].

---

[14]   Para ver con más amplitud la renovación y modernización de *Levante-EMV* en los últimos años consultar: Laguna y Martínez (1992); VV. AA. (2009) "Periodismo riguroso, cercano e independiente". *Levante-EMV*, 27-V-2009. Suplemento especial conmemorativo de los 25 años de *Levante-EMV* en Editorial Prensa Ibérica.

Levante-EMV y *Las Provincias* son dos periódicos locales con vocación regional. Sin embargo, el consumo mayoritario de ambos rotativos sigue siendo la provincia de Valencia, a pesar de que en la primera década del siglo XXI ha crecido la difusión de los dos diarios en Alicante y Castellón. De hecho, en 1999 el 96,7% de la tirada de *Levante-EMV* y el 92% de *Las Provincias* se vendía en la provincia de Valencia, porcentaje que disminuye en 2008 a 88,1% y 86,7%, respectivamente (EGM, 1999 y 2008).

La apuesta por la información de proximidad, la comarcalización de los contenidos, ha sido una de las claves del éxito de permanencia de *Levante-EMV* y *Las Provincias*. Los dos diarios han sido capaces de consolidar un modelo de prensa que combina localismo y globalidad, capaz de competir con la prensa nacional. Pero esto no es suficiente. Con el cambio de siglo han surgido nuevas amenazas. La expansión de la prensa gratuita y los cibermedios y la caída de la publicidad, además de la ya histórica competencia de la televisión y la radio, han obligado a Editorial Prensa Ibérica y Vocento a crecer y diversificar la oferta mediática y los contenidos informativos con la creación de empresas multimedia bajo la órbita de las cabeceras *Levante-EMV* y *Las Provincias*.

Crecer para sobrevivir e inversión productiva (innovación técnica e inversión en medios y herramientas), esta es la estrategia empresarial multimedia. Nuevamente el camino lo marcó *Levante-EMV* con la creación en junio de 1998 de la edición digital www.levante-emv.com, la primera en nacer de entre los diarios valencianos. Más adelante, en 2003 Editorial Prensa Ibérica adquirió el diario deportivo *Superdeporte* y el semanario económico *El Boletín*, periódicos editados hasta entonces por un empresario local. Y finalmente dio el salto hacia los medios audiovisuales con la adquisición de la emisora InterValencia (97.7 FM) y la creación de las televisiones locales en TDT Levante TV e Información TV, que comenzaron sus emisiones en noviembre de 2008. Del mismo modo, en 2004 surgió Las Provincias Multimedia, que aglutina el diario *Las Provincias*, la edición digital www.lasprovincias.es, el gratuito *El Micalet* (2003) y las emisoras LP Radio y LP Televisión Valenciana, creada en 2000 y con licencia autonómica de TDT desde 2005[15].

Esta estrategia de defensa de los dos diarios frente a la prensa foránea no oculta la fuerte competencia de ambos en casa. *Levante-EMV* comienza

---

[15]   El suplemento especial 'Las Provincias Multimedia. Extra nueva sede' (*Las Provincias*, 31-V-2004) analiza el proceso de cambios y transformación de este diario y su conversión en grupo multimedia.

la transición con una rémora, una escasa difusión frente a su competidor *Las Provincias*, líder entonces que superaba a *Levante-EMV* en más de 5.300 ejemplares a principios de los años ochenta (Laguna, 2000: 82). En 1990 *Las Provincias* ocupaba el puesto 16 en el ranking de la prensa diaria española por volumen de difusión, mientras que *Levante-EMV* tenía el 23. Pero la situación se invierte antes de finalizar la década de los noventa. A partir de 1997 *Levante-EMV* superará a *Las Provincias* y mantendrá el liderazgo hasta hoy, tanto en difusión como en audiencia, ocupando en 2008 el puesto 15 en el ranking de audiencia de los diarios españoles frente al 25 de *Las Provincias*. *Levante-EMV* ha ganado la batalla de la difusión y es desde los años noventa el diario líder en la Comunitat Valenciana. En el proceso de construcción de este liderazgo ha sido determinante la línea periodística de rigor, proximidad e independencia marcada por los tres directores que ha tenido *Levante-EMV* en los últimos 25 años: Jesús Prado, Ferran Belda y Pedro Muelas.

Los años noventa fueron tiempos de crecimiento en la difusión y la audiencia de ambos diarios. *Levante-EMV* pasa de 253.000 lectores en 1990 a 344.000 en 2000, alcanzando el pico más alto en 2004 con 356.000 lectores. O sea, en poco más de una década su audiencia aumenta en más de cien mil lectores. El crecimiento ha sido menor en *Las Provincias*, que pasa de 214.000 en 1990 a 239.000 lectores en 2000. Esta subida se explica por la activa política comercial expansiva que mantienen ambos periódicos para fidelizar lectores. Una política que ha tenido continuidad en la primera década del siglo XXI y que se caracteriza por el incremento de las promociones comerciales de productos valencianos y la ampliación de la oferta editorial a través de suplementos semanales y revistas dominicales, las cuales se distribuyen también en otros diarios del mismo grupo de comunicación. Así, *Las Provincias* toma posiciones con las revistas *XL Semanal, Mujer de Hoy, Pantalla* y *MH Corazón,* que también distribuye *La Verdad;* mientras que *Levante-EMV* hace lo propio con el *Magazine,* que lo comparten también *La Vanguardia* e *Información*. Destacar también la buena aceptación que tienen los suplementos semanales de ocio *El Micalet* de *Las Provincias* y *La Cartelera* de *Levante-EMV*.

Año	Levante-EMV		Las Provincias	
	Difusión media (ejemplares)	Audiencia media total (lectores/día)	Difusión media (ejemplares)	Audiencia media total (lectores/día)
1990	46.133	253.000	57.984	214.000
1992	43.656	252.000	58.805	217.000
1994	56.172	324.000	59.050	235.000
1996	56.383	348.000	59.351	304.000
1998	60.293	345.000	57.552	262.000
2000	56.946	344.000	51.416	239.000
2002	47.173	267.000	42.905	182.000
2004	47.866	356.000	42.921	194.000
2006	60.170	305.000	56.228	192.000
2008	41.021	316.000	38.278	192.000

Tabla 1. Difusión y audiencia de *Levante-EMV* y *Las Provincias*. Años 1990-2008. Fuente: Institut Valencià d'Estadística (datos extraídos de la OJD y EGM).

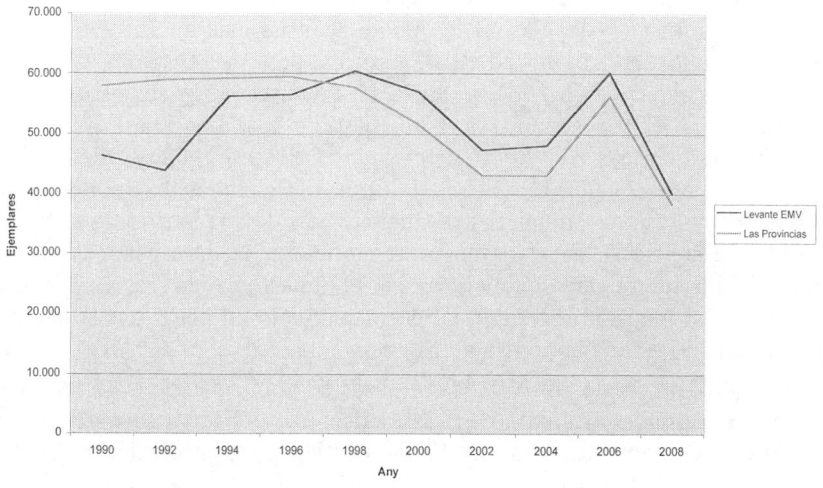

Gráfico 1. Difusión de Levante-EMV y Las Provincias (1990-2008)

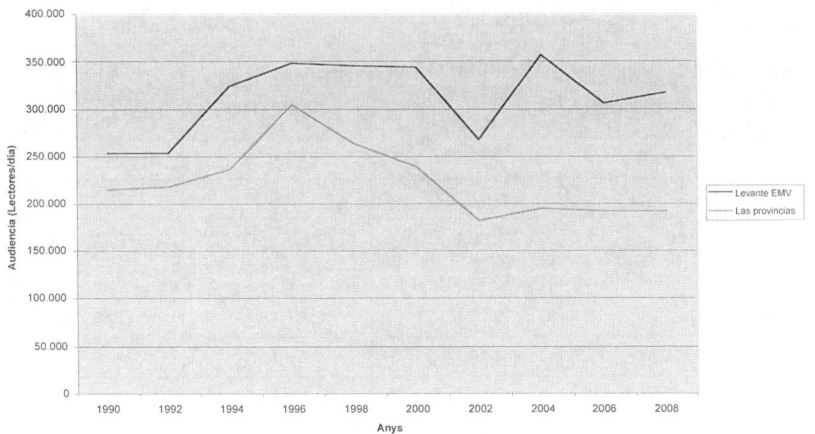

Gráfico 2. Audiencia de Levante-EMV y Las Provincias (1990-2008)

Sin embargo, el nuevo milenio ha empezado para la prensa de pago de Valencia con un difícil entorno competitivo y publicitario. Después de una década de crecimiento, se observa a partir de 2002 una bajada de la difusión y la audiencia como consecuencia —entre otras cusas— del impacto de la prensa gratuita en Valencia, crisis que se acentúa más en *Las Provincias* que en *Levante-EMV*. De hecho, *Las Provincias* pasó de tener una difusión de 51.416 ejemplares en 2000 a 38.278 en 2008, es decir, sus ventas han bajado más de 13.000 ejemplares. Y en cuanto a la audiencia, el diario decano ha perdido más de 47.000 lectores entre 2000 y 2008. Si bien hubo en 2006 un espectacular repunte de la difusión de ambos diarios debido a la buena coyuntura económica, la tendencia ha sido a la baja en la primera década del siglo XXI. Un panorama que se ha agudizado a partir de 2007 debido a una fuerte caída publicitaria por el impacto de la crisis económica internacional iniciada en verano de ese mismo año en EEUU, crisis que se hace extensiva a toda la prensa escrita española.

A modo de ejemplo, en 2008 los ingresos de publicidad de los diarios de Vocento disminuyeron un 18,8%[16]. Esta crisis ha obligado a *Levante-EMV* y *Las Provincias* a tomar medidas duras de ajuste y reestructuración en 2009, las cuales se han traducido lamentablemente en despidos laborales (más de 80 trabajadores entre los dos diarios) y en cambios en la dirección en los

---

[16]   Vocento, SA y Sociedades Dependientes. Informe de resultados 2008. p.6.

dos rotativos... así como el cierre de algunas ediciones comarcales, como las de Requena-Utiel y Alicante de *Levante-EMV* y L'Horta de *Las Provincias*. Además, Editorial Prensa Ibérica, para reducir costes, ha trasladado las redacciones de *Superdeporte* y la edición de L'Horta de *Levante-EMV* a su sede central del polígono Vara de Quart de Valencia.

Finalmente, hay que constatar otro hecho histórico: el fracaso del tercer diario de pago en la ciudad de Valencia se mantiene latente. La fuerte competividad de *Levante-EMV* y *Las Provincias* impide que se consolide otro rotativo en la ciudad. Hay que recordar que en los años ochenta cerraron *Diario de Valencia* (1980-1982) dirigido por Jesús Montesinos, y *Noticias al Día* (1982-1984) cuyo director fue J.J. Benlloch. Y ahora, en los albores del nuevo siglo, se añaden a la lista de cierres del *Diario de Valencia* (2000-2007), dirigido por Jesús Sánchez Carrascosa y que en sus mejores tiempos tuvo 23.000 lectores, así como el diario *Valencia Hui* (2007-2008), impulsado por Baltasar Bueno.

5.2. La edicionalización regional. Los periódicos nacionales en Valencia

El estancamiento de la difusión de la prensa nacional durante la Transición empujó a los diarios de Madrid a la edicionalización regional. La prensa central inicia una política expansiva en busca de la ampliación de mercados mediante la creación de ediciones territoriales en las comunidades autónomas.

El primer diario en crear una edición de ámbito autonómico en Valencia fue *El País*, en 1990. En cambio, *ABC, Diario 16* y *El Mundo* apostaron por ediciones provinciales. *ABC* creó dos ediciones diferenciadas: una en Alicante en 1988 y otra de Valencia y Castellón en 1990, hasta convertirse posteriormente en una única edición regional. El mismo camino siguió *Diario 16*, que crea la edición provincial de Valencia en 1991 ampliándola en 1995 a todo el territorio valenciano, hasta su desaparición en 1997 (Xambó, 2002: 86-87). Asimismo, *El Mundo* abrió a partir de 1993 tres ediciones provinciales diferenciadas en Valencia, Alicante y Castellón. El último diario en crear una edición regional valenciana ha sido *La Razón*. Por otra parte, los diarios de Barcelona *La Vanguardia* y *El Periódico* y el madrileño *Público* han optado por crear corresponsalías en Valencia.

Las ediciones regionales funcionan como redacciones independientes de sus cabeceras matrices, elaborando información exclusivamente valenciana. Mediante esta estrategia empresarial, estos diarios han conseguido en conjunto una difusión alta, hasta el punto de lograr fragmentar la audiencia y entrar en una fuerte competencia con los rotativos provinciales. De hecho, la audiencia de la prensa foránea de pago de información general ha aumentado un 14,46% en el territorio valenciano durante los años 1992 a 2007, llegando a representar en 2007 el 34,78% del consumo global.

	Año 1992	Consumo global prensa	Año 2007	Consumo global prensa
Audiencia diarios nacionales	**201.000**	20,32 %	**430.000**	34,78 %
Audiencia diarios regionales	**788.000**	79,67 %	**806.000**	65,21 %

Año 1992. Prensa nacional: *El País, El Mundo* y *Diario 16*.
Prensa regional: *Levante, Las Provincias, Información, Mediterráneo, La Verdad* y *Castellón Diario*.
Año 2007. Prensa nacional: *El País, El Mundo, ABC, La Razón, La Vanguardia* y *El Periódico*.
Prensa regional: *Levante-EMV, Las Provincias, Información, El Periódico Mediterráneo* y *La Verdad*.

Tabla 2. Audiencia media (miles de lectores) de prensa diaria de pago información general en la Comunitat Valenciana. Fuente: IVE (datos del EGM de la AIMC).

El País y *ABC* son los únicos diarios que vertebran informativamente todo el territorio valenciano, frente a otros medios que apuestan por la información de ámbito provincial. Desde los años ochenta, *El País* es el diario nacional más leído en la Comunitat Valenciana. Actualmente mantiene su hegemonía y es el periódico líder en difusión los domingos (81.266 ejemplares en 2005 frente a 63.978 de *Levante-EMV*). De igual manera, la revista *El País Semanal* es líder en audiencia en el territorio valenciano, llegando en 2008 a una media de 240.200 lectores, por delante del *Magazine*.

En 1995 *El País* reforzó su presencia con la edición de un cuaderno de 16 páginas de información valenciana. En 2004 contaba con 18 redactores (15 en Valencia y 3 en Alicante) y un corresponsal en Castellón, además de varios colaboradores y corresponsales en algunas ciudades de comarcas[17]. Esta estructura redaccional se corresponde con sus audiencias provinciales. El 56,7% de los lectores se concentra en la provincia de Valencia, el 35,4%

---

[17]   "Comunidad Valenciana. Locales, pero también globales". Suplemento "El País 10.000". *El País* 18-X-2004.

en Alicante y el 7,5% en Castellón (IVE, 2005). Una de las claves del crecimiento de *El País* (su audiencia entre 1992 y 2008 aumentó de 139.000 a 222.000 lectores) ha sido la vertebración informativa del territorio valenciano y la potenciación de las informaciones transversales (política, economía sociedad). El delegado actual en Valencia es Josep Torrent.

El País también ha sabido llegar a un público culto mediante la publicación del suplemento cultural en valenciano *Quadern* y la página especial universitaria *Apuntes*. Además, para mejorar la cobertura de las informaciones de última hora y la distribución en los quioscos, *El País* lleva a cabo una multimpresión descentralizada y se imprime en talleres de Valencia. *El País* tiene otras delegaciones regionales en Cataluña, Andalucía, País Vasco y Galicia.

	1992	1997	1999	2000	2001	2004	2007	2008
El País	139	115	125	142	147	202	227	222
El Mundo	42	51	81	82	89	106	139	139
Diario 16	20	10	7					
ABC			39	35	38	32	29	30
La Razón					26	30	29	36
El Periódico			2	5	3	2	3	
Público								17
La Vanguardia			2	3	7	5	4	

Tabla 3. Diarios nacionales de información general. Audiencia media (miles de lectores) en la Comunitat Valenciana. Fuente: IVE (datos extraídos del EGM)

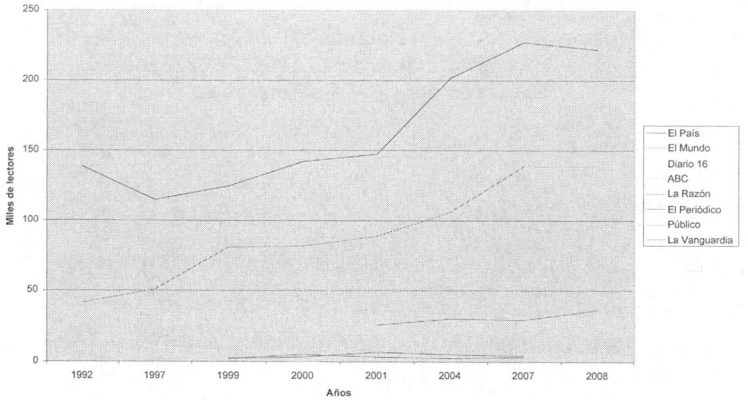

Gráfico 3. Audiencia prensa nacional en el País Valenciano. Años 1992-2008

El Mundo también posee una nutrida redacción en Valencia, pero se sitúa por detrás de El País en difusión y audiencia, a pesar de que ha tenido un crecimiento espectacular en los últimos años (de 42.000 lectores en 1992 ha pasado a 139.000 en 2008). La provincia de Valencia consume el 49% de la tirada de El Mundo en la Comunitat Valenciana. Su mayor implantación frente a otros diarios conservadores, como ABC y La Razón, se debe fundamentalmente a la diversificación de contenidos y a una apuesta por la información de proximidad. La edición de El Mundo de Valencia, de 16 páginas, edita a lo largo de la semana cinco suplementos especializados con información valenciana: La revista de los barrios de Valencia, Comarcas, Innovadores (economía y empresas), Bio Medio Ambiente y El Mundo de la Pilota. Estos suplementos, que oscilan entre cuatro y dieciséis páginas, se dirigen a públicos heterogéneos, con el objetivo de ganar más lectores. Por otra parte, ABC y La Razón se han afianzado con una audiencia más modesta, que en 2008 era de 30.000 y 36.000 lectores, respectivamente.

Año	El País	El Mundo	ABC
1998	34.919	20.264	13.983
2000	34.847	24.717	13.332
2002	34.889	26.632	13.763
2004	39.973	28.626	16.274
2006	37.158	31.140	12.720
2008[1]	32.463	28.363	13.653
1. Difusión 2008 de lunes a sábado.			

Tabla 4. Difusión media total (ejemplares) de los principales diarios de Madrid en la Comunitat Valenciana (1998-2008). Fuente: EGM y Mediaedmedge.Cia Mediterránea.

La prensa foránea nacional, igual que la regional, también ha sufrido el impacto de los gratuitos, Internet y la crisis económica. Los dos principales rotativos de Madrid han sufrido importantes pérdidas de ventas en el territorio valenciano. La difusión de El País en el período 2006-2008 ha bajado más de 4.600 ejemplares y El Mundo más de 2.700.

La prensa nacional también ha sobrevivido a la bajada de difusión de los últimos años gracias a las promociones comerciales. A modo de ejemplo, en 2005 la prensa española obtuvo 334 millones de euros de ingresos en promociones, lo que representa el 12,35% del total de ingresos de explotación, que ese mismo año alcanzó 2.702 millones[18].

Finalmente, la prensa de intercambio regional ha sido más irrelevante en Valencia. Se limita básicamente al movimiento de la prensa de Barcelona, principalmente *La Vanguardia* y *El Periódico*, cuya audiencia ha permanecido bastante estable en el período 2000-2008, con ligeras subidas y bajadas, oscilando entre 2.000 y 7.000 lectores.

5.3. Prensa de información económica en Valencia

La valenciana es la quinta comunidad autónoma en consumo de prensa económica. En 2007 la difusión de la prensa color salmón representa el 4,6% del total[19]. El inicio del nuevo siglo comenzó para esta prensa con una bajada de la difusión, que empezó a recuperarse a partir de 2004, coincidiendo con un ciclo de bonanza económica y el *boom* inmobiliario, cuya crisis a final de la década ha tambaleado la economía, reduciendo considerablemente los ingresos publicitarios de la prensa valenciana.

Sin embargo, la crisis de 2007 ha despertado un mayor interés por la situación de la economía y ha hecho crecer la difusión de la prensa económica en la Comunitat Valenciana. En 2008 toda la prensa bajó, salvo la económica. Mientras desciende la prensa de pago de información general un 1,9%, así como los gratuitos un 4,6% y los deportivos un 1,3%, la prensa económica crece un 16,1%, siendo *Expansión* el que más ha subido (un 28,5%) en el ámbito valenciano[20].

El panorama en este sector en Valencia en la primera década del nuevo siglo es dual. Por una parte, encontramos los grandes periódicos nacionales foráneos que tienen delegación o corresponsalía autonómica o provincial en Valencia, como los diarios madrileños *Expansión*, *Cinco Días*, *El Economista* y *La Gaceta de los Negocios*, o el periódico vasco *Transporte XXI*. Y por otro, tenemos periódicos regionales especializados en áreas concretas de la economía, algunos de los cuales son de capital valenciano, entre los que destacan *Valencia Fruits*, *Economía 3*, *Empresas y Finanzas*, *El Boletín*, *La Cámara*, *Valencia en Feria*, *Vida Cooperativa*, *El Sector* y *Diario del Puerto*.

---

[18] Nota informativa de la Asociación de Editores de Diarios Españoles (AEDE) en la que ofrece un avance sobre las conclusiones del *Libro Blanco de la Prensa Diaria 2007*.

[19] Nota informativa de la Asociación de Editores de Diarios Españoles (AEDE) en la que ofrece un avance sobre las conclusiones del *Libro Blanco de la Prensa Diaria 2008*.

[20] EGM Comunidad Valenciana (3° acumulado 2008). Informe de Mediaedge Compañía Mediterránea.

En lo que se refiere a los diarios económicos que salen de lunes a sábado, los más leídos son los rotativos nacionales *Expansión* y *Cinco Días*. El líder en España y en la Comunitat Valenciana es *Expansión*, perteneciente a Unidad Editorial SA, el grupo editor de *El Mundo*. *Expansión* cuenta desde 1986 con un delegación autonómica en Valencia, cuyo primer delegado fue José Orihuel. En los primeros años no hubo edición, se insertaba información de economía valenciana en la edición nacional. En septiembre de 1999 el diario da un salto importante y crea la edición valenciana, que edita dos páginas diarias de la Comunitat Valenciana. En septiembre de 2009 la redacción estaba formada por dos periodistas y dos analistas bursátiles. La delegada actual es Julia Brines. En 2008 *Expansión alcanzó* una difusión media de 8.678 ejemplares y una audiencia de 15.000 lectores.

Asimismo, *Cinco Días,* del Grupo Prisa, tiene delegación sin edición en Valencia desde 1982, compuesta por una sola persona que es a la vez delegado y redactor. Este diario incorpora información valenciana en la edición nacional. *Cinco Días* se ha mantenido estable desde 2004 hasta el momento actual con una audiencia media de 5.000 lectores. El actual delegado es Joaquín Clemente.

Año	Expansión	Cinco Días
2001	15.000	5.000
2002	10.000	5.000
2003	3.000	1.000
2004	9.000	4.000
2005	8.000	5.000
2007	12.000	5.000

Tabla 5. Audiencia media (miles de lectores diarios) de *Expansión* **y** *Cinco Días* **en la Comunitat Valenciana. Fuente: IVE Generalitat Valenciana**

Otros periódicos foráneos con presencia en el territorio valenciano son *La Gaceta de los Negocios* y *El Economista*. El primero abrió delegación autonómica en Valencia en 1999, pero la cerró en 2008 debido a la crisis económica. El segundo mantiene una delegación sin edición en la capital valenciana, editando los viernes la página especial "Economía valenciana" que aparece en la edición nacional. Destaca también *Transporte XXI*, periódico de referencia del transporte intermodal de mercancías aparecido en 1992 en Vizcaya, el cual ofrece información sobre el sistema portuario valenciano en la sección "Comunidad Valenciana". Su difusión media en España es de 8.005 ejemplares.

La prensa económica tiene una de sus mejores plataformas en los suplementos dominicales de economía que ofrecen los diarios nacionales y regionales de información general, los cuales tienen ese día las cifras más altas de audiencia. De hecho, los cuatro diarios más leídos de Valencia sumaban en 2007 una difusión media los domingos de 231.976 ejemplares, según la OJD, más del doble de lo que venden toda la semana *Expansión* y *Cinco Días*. Nos referimos a los suplementos Negocios de *El País*, El Mercantil Valenciano de *Levante-EMV*, Dinero y Empleo de *Las Provincias* y Mercados de *El Mundo*.

Por otra parte, Valencia cuenta con periódicos económicos de capital autóctono. El decano es el semanario de pago *Valencia Fruits,* especializado en agricultura, ganadería y pesca. Fundado por José Ferrer Camarena, salió a la luz el 15 de junio de 1962. En 2008 tenía una difusión media de 2.600 ejemplares. *Valencia Fruits,* editado por Sucro SL, es un periódico regional de 28 páginas a color con un cuidado diseño gráfico. El semanario presta especial atención al campo valenciano, ofreciendo información de análisis sobre cultivos y políticas agrarias de España y la Unión Europea que influyen en la agricultura valenciana, así como una amplia información de precios y comercialización de productos agropecuarios en los mercados. El semanario incorpora además dossiers monográficos de doce páginas sobre temas actuales de economía agrícola. En conclusión, *Valencia Fruits es* uno de los exponentes más notables de toda una larga tradición de publicaciones ligadas a la agricultura valenciana (Laguna, 1990: 329).

Otro medio económico influyente es el quincenal *Empresas y Finanzas,* fundado en 1999, cabecera líder del Grupo Prensa Económica. Se trata del único periódico valenciano que ha crecido fuera de la comunidad autónoma, ya que además de su redacción regional de Valencia, mantiene ediciones autonómicas en Andalucía, Murcia y Galicia, con una tirada de 85.000 ejemplares. *Empresas y Finanzas* ha consolidando su presencia en Valencia con una difusión de 20.000 ejemplares en 2007[21]. Destaca también la revista mensual *Economía 3*, fundada en 1991 por Eco3 Multimedia SA. Ofrece información del mundo financiero y empresarial valenciano. Es un periódico regional nacido en Valencia que cuenta con delegaciones en Alicante y Castellón.

Otro periódico valenciano de referencia de esta década es el semanario *El Boletín* de Empresas, Empleo y Finanzas. Un medio de ámbito autonómico hecho íntegramente en nuestro territorio, fundado en 2000 por el empresario Rafael Castillo, editor también de *Superdeporte*. Ambos periódicos fueron com-

---

[21]   Informe del Grupo Prensa Económico, 2008.

prados en 2003 por Editorial Prensa Ibérica, que les imprimió una profunda renovación de diseño y contenidos. Desde esta fecha hasta su desaparición, el 18 de julio de 2009, *El Boletín* ha sido un ejemplo de periodismo crítico desde el análisis de las tendencias económicas de la Comunitat Valenciana. Dirigido por Cruz Sierra, ha llegado a tener una plantilla de 16 trabajadores, seis de ellos periodistas. *El Boletín* editó productos editoriales propios que tuvieron un gran éxito en el mundo de los negocios, como el *Quien es quien en la Comunidad Valenciana*, la *Guía de Vinos y Bodegas de la Comunidad Valenciana* y la revista de economía local *Estrellas del éxito empresarial*.

Pero *El Boletín* acabó siendo una víctima más de la crisis del ladrillo, ya que su publicidad dependía fundamentalmente del sector inmobiliario. El semanario llegó a acumular pérdidas económicas por la fuerte disminución de la publicidad (entre un 40% y un 60%) y una desacertada gestión económica, lo que llevó a Prensa Ibérica a cerrar el periódico y despedir a la plantilla. Antes de su cierre se barajaron algunas alternativas de supervivencia, finalmente descartadas, como convertir *El Boletín* en un suplemento de *Levante-EMV* o de los diarios de Prensa Ibérica.

Prensa de pago		
Expansión	8.678	Diario
Economía 3	5.671	Mensual
Valencia Fruits	2.591	Semanal
El Boletín de Empresas, Empleo y Finanzas[1]	6.000	Semanal
Empresas y Finanzas[2]	20.000	Quincenal
Prensa gratuita[3]		
El Sector	8.138	Bimestral
La Cámara	9.939	Bimestral
Vive Valencia	10.847	Anual
Camp Valencià	7.300	Mensual
Vida Cooperativa	1.300	Bimestral
Espai cooperatiu	2.100	Bimestral
La Revista Empresarial	5.000	Mensual
1. Información facilitada por Cruz Sierra. 2. Datos de diciembre de 2007. 3. Información facilitada por los medios, excepto *El Sector* y *Vive Valencia* (OJD julio 2007-junio 2008).		

Tabla 6. Difusión media (ejemplares) de algunos periódicos económicos en la Comunitat Valenciana (OJD enero-diciembre 2008)

En Valencia se editan también periódicos económicos sectoriales, algunos de ellos gratuitos, especializados en sectores estratégicos de la economía valenciana., que se distribuyen a directivos y empresarios. Destacan los siguientes: *Comercio Exterior*, Comercio *Valenciano*, *Exportación y Negocios*. También *La Cámara*, editado por la Cámara de Comercio de Valencia, *El Sector* de la Federación Valenciana del Mueble y la Madera (Fevama) de difusión nacional; *Boletín Informativo*, editado por la Fundación de Estudios Bursátiles y Financieros; *Diario del Puerto*, especializado en información portuaria; *Valencia en Feria*, que se distribuye en los certámenes de Feria Valencia; *Vida Cooperativa*, revista regional del cooperativismo valenciano fundada en 1975; *Camp Valencià* de la Unió de Llauradors i Ramaders, *Espai cooperatiu* de la Federació Valenciana d'Empreses Cooperatives de Treball Associat (Fevecta) y *La Revista Empresarial*, que se distribuye en 32 polígonos de l'Horta.

5.4. La prensa deportiva. El Valencia CF como reclamo

Medio de comunicación de masas por excelencia, la prensa deportiva especializada alcanza una notable difusión en Valencia gracias a la cobertura informativa de la liga de fútbol. La prensa deportiva creció 4,5 veces en el período 1976-1996 en la Comunitat Valenciana, hasta el punto que *Marca* se convierte en el segundo periódico más vendido después de *Las Provincias* (Cardús, 2008). Esta solidez la sigue conservando en la primera década del siglo XXI. Los periódicos deportivos en conjunto ocupan el segundo lugar en audiencia por detrás de los diarios de pago de información general [22].

La oferta es amplia. La prensa deportiva regional, como *Superdeporte*, convive con los diarios de Madrid *Marca* y *As*, que tienen delegación en Valencia, y con los rotativos de Barcelona *Sport* y *Mundo Deportivo*. Estos cinco diarios son los deportivos más leídos en la Comunitat Valenciana. Todos ellos sumaron en 2008 una audiencia media diaria de más de 539.000 lectores. La clave del éxito es el fútbol. En todas estas cabeceras el fútbol es el deporte rey, la información futbolística ocupa entre el 60 y 65% de la superficie redaccional de estos diarios. La cobertura del resto de deportes la resuelven con una macrosección polideportiva.

---

[22]   En 2008, la prensa de pago tuvo una audiencia de 1.199.000 lectores en el territorio valenciano, la deportiva 446.000, los gratuitos 344.000 y la prensa económica 26.000. (EGM Comunidad Valenciana 3r acumulado de 2008. Mediaedge.Cia Mediterránea).

El fútbol es un aliado de los sentimientos regionales; el equipo de la ciudad es un exponente de reafirmación de la identidad de una comunidad. Por tanto, la difusión de la prensa deportiva está muy ligada a la afición futbolística. Los diarios *Marca* y *As* tienen una clara preferencia informativa por el Real Madrid, mientras que el Barça es la estrella de la información en *Sport* y *Mundo Deportivo*. El Madrid y el Barcelona son los dos equipos de fútbol que más seguidores tienen en toda España, y por tanto más lectores. Eso explica que estos diarios sean nacionales y tengan una alta difusión en todo el país, y por supuesto también en Valencia. Como contrapunto a esta prensa foránea tenemos *Superdeporte,* el diario por excelencia del equipo Valencia CF.

Igual que en la prensa de pago y gratuita, también existe en los diarios deportivos una fuerte dependencia externa. En 2008, los rotativos deportivos de Madrid y Barcelona editados por grandes grupos nacionales de comunicación acaparaban el 85,93% de la audiencia valenciana, frente al 14,07% de *Superdeporte*[23].

De todos, *Marca* es el diario líder en el territorio valenciano. Pertenece al grupo Unidad Editorial de *El Mundo. Marca* tiene redacción autonómica en Valencia, la llamada delegación de Levante creada a principios de los años noventa, la cual cubre las provincias de Valencia y Castellón. Actualmente está formada por el delegado regional, cinco redactores y dos fotógrafos. En la redacción de Valencia trabaja además el redactor de vela de la edición nacional. La edición autonómica está coordinada desde Madrid por la sección "Ediciones". Fiel a sus orígenes, *Marca* dedica una media de 12 páginas diarias al Real Madrid y dos al Atlético. El diario incluye además dos páginas fijas del Valencia CF y una del Villareal CF, aunque en ocasiones crece hasta ocho cuando se celebran eventos deportivos relevantes, como por ejemplo competiciones de vela o de motociclismo en el Circuito Ricardo Tormo de Cheste. *Marca* continua ocupando una posición puntera. La Comunitat Valenciana consumió en 2008 el 14,6% de la tirada de *Marca*, y es el segundo diario más vendido los domingos, sólo por detrás de *El País* y por delante de *Levante-EMV*[24].

El segundo diario de más difusión es *Superdeporte* de Valencia, fundado en 1993 por el empresario Rafael Castillo. Es el referente del periodismo deportivo valenciano escrito. La desaparición de la *Hoja del Lunes* en 1991 despejó su camino, ya que este periódico ofrecía una profusa información deportiva del fin de semana. *Superdeporte* nació como semanario, su primer

---

[23]   EGM Comunidad Valenciana. 3r acumulado de 2008. Mediaedge.Cia Mediterránea.

[24]   EGM Comunidad Valenciana 3r acumulado 2008. La difusión media los domingos de *El País* fue de 74.197 ejemplares, *Marca* 61.723 y *Levante-EMV* 57.855 ejemplares.

director fue Paco Nadal, periodista que todavía colabora en el rotativo. *Superdeporte* rompió el dominio informativo de los diarios deportivos de Madrid y Barcelona ofreciendo una amplia cobertura del deporte valenciano, especialmente noticias del Valencia CF. La cabecera se consolida y el 12 de septiembre de 1994 se convierte en diario, con Vicente Bau como director[25]. *Superdeporte* ha sabido adaptarse a las demandas de los lectores, gracias a su posicionamiento futbolístico valencianista, ya que dedica una media de diez páginas diarias al Valencia CF y dos al Levante UD, el otro gran equipo de fútbol de referencia en la ciudad.

En marzo de 2003 *Superdeporte* da un gran salto cualitativo. El diario es comprado por Editorial Prensa Ibérica y ello supone una profunda renovación técnica, de diseño y de contenidos. Prensa Ibérica le da solidez económica[26]. El actual director, Joan Carles Martí, ha sabido reafirmar el sentimiento valencianista de sus lectores con una apuesta por un diseño vivo, una información gráfica abundante y ampliando los contenidos del diario al resto de deportes valencianos, prestando especial atención a la *pilota* valenciana, a los deportistas valencianos que cosechan éxitos nacionales e internacionales y otros clubes representativos como el Villarreal CF y el equipo de baloncesto Valencia BC.

Año	Marca	Superdeporte	As	Sport	Mundo Deportivo
2000	254.000	61.000	48.000	31.000	12.000
2001	232.000	67.000	64.000	48.000	14.000
2002	266.000	74.000	55.000	60.000	14.000
2003	245.000	64.000	49.000	50.000	9.000
2004	265.000	81.000	67.000	50.000	22.000
2005	228.000	60.000	62.000	56.000	22.000
2007	109.000	74.000	25.000	20.000	5.000
2008[1]	296.000	76.000	91.000	55.900	21.000
1, EGM 3r acumulado de 2008					

Tabla 7. Prensa deportiva en la Comunitat Valenciana. Audiencia media (miles de lectores/día). Años 2000-2007. Fuente: IVE y EGM Comunidad Valenciana (3r acumulado de 2008) de Mediaedge.Cia Mediterránea.

---

[25]   Información facilitada por Rocío Ruiz, Jesús Javier Vera y Fátima Mohamad.
[26]   Web de Editorial Prensa Ibérica: http://www.epi.es.

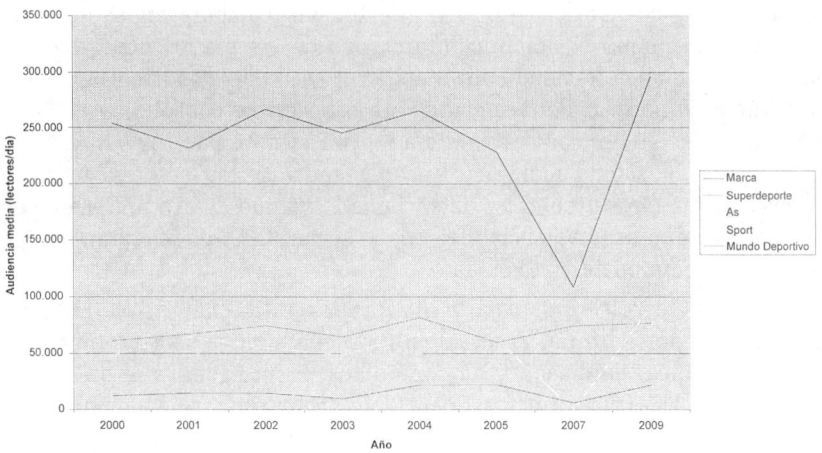

Gráfico 4. Audiencia de la prensa deportiva en el País Valenciano

El tercer rotativo deportivo más leído es *As*, del Grupo Prisa desde 1996. En 1998 se crea la edición valenciana, que engloba Valencia y Castellón. En julio de 2007 hay un relanzamiento del diario cuando Pedro Morata asume la dirección de la delegación. Se opta por la valencianización del diario para ganar lectores. A partir de ahora, el rotativo dedicará una serie de páginas fijas al Valencia CF y el Villarreal CF. En mayo de 2008 *As* da otro salto cualitativo: divide la edición regional en tres subdelegaciones provinciales con páginas específicas de Alicante, Valencia y Castellón. Cada una de las tres ediciones provinciales ofrece entre cuatro y seis páginas deportivas de los clubes más representativos y una página de información polideportiva. La redacción de Valencia, ubicada en el mismo edificio de la Cadena SER, tiene seis periodistas, dos colaboradores y dos fotógrafos, además del director de la edición provincial que es también el delegado regional.

Por otra parte, *Sport* del Grupo Z y *Mundo Deportivo* del Grupo Godó tienen menor difusión en Valencia. En 2008 tuvieron una audiencia de 55.900 y 21.000 lectores, respectivamente. Son los periódicos barcelonistas por excelencia. Ambos rotativos dedican una media diaria de dieciocho páginas al Barça, la información deportiva valenciana es marginal y aparece en la edición general integrada dentro de otras secciones.

Año	Marca	Superdeporte
2000	51.117	13.746
2002	51.634	12.814
2003	57.724	11.073
2004	53.756	11.747
2005	46.424	10.454
2007	46.284	10.805
2008	43.495[1]	10.561
1. Difusión lunes-sábado.		

Tabla 8. Difusión media total de los dos diarios deportivos más leídos en el País Valenciano. Años 2000-2008. Fuentes: IVE (datos de la OJD) y Mediadge Cia Mediterránea.

A los ya reseñados, se suma un periódico singular de capital valenciano especializado en ciclismo. Se trata del semanario nacional *Meta 2Mil*, fundado en Valencia en 1987 y editado por la empresa Organización Editorial Deportiva SL. Su antecesor fue el periódico regional *El Ciclista* (1983-1987), cuyos socios deciden dar un salto adelante y crean *Meta 2Mil*. Actualmente el periódico está dirigido por Jorge Quintana y su tirada oscila entre los doce y catorce mil ejemplares. La redacción de *Meta 2Mil* está formada por ocho personas, contando los periodistas y el personal de administración y publicidad. El semanario cuenta con un nutrido grupo de colaboradores y corresponsales fijos en Madrid, Barcelona, Segovia, Girona, La Rioja y Murcia. Ofrece información de ciclismo de toda España y en todas las categorías. Dedica todas las semanas unas páginas especiales al ciclismo valenciano en la sección "Amateur Ruta". El periódico se financia principalmente con publicidad de marcas comerciales vinculadas al ciclismo, y cuenta además con el apoyo y colaboración de las federaciones regional y nacional de ciclismo.

6. LA PRENSA GRATUITA EN VALENCIA

La prensa gratuita ha supuesto una revolución en el mundo de la comunicación escrita. En Valencia, donde han fracasado todas las iniciativas de crear un tercer diario de pago, han llegado a coexistir hasta siete diarios gratuitos durante los años 2007 y 2008. Son los siguientes: *Mini Diario, 20*

Minutos, Metro Directo, Que!, ADN, El Micalet y *La Hoja de la Tarde*. Una de las claves del éxito de esta prensa, además de la gratuidad y la entrega en mano del periódico, es ofrecer información de actualidad de forma resumida y concisa, con menos política y más sociedad.

El decano fue *Mini Diario* (1992-2008). Periódico gratuito pionero en España, editado por la empresa Valenciana de Ediciones y Publicidad. Aparece en Valencia el 3 de noviembre de 1992 con cuatro páginas. Durante los primeros años *Mini Diario* se distribuía sólo en la capital. En 1994 el periódico amplio sus páginas a ocho, pasándose a imprimir 20.000 ejemplares diarios. En 1996 creó una edición en Alicante y pasó a denominarse *Mini Diario de la Comunidad Valenciana*[27]. El diario mantuvo una redacción sólida en Valencia. En 2004 llegó a alcanzar una difusión de 56.360 ejemplares.[28]. Además de Valencia y Alicante, se distribuía en Xàtiva, Gandia, Torrent, Alzira, Paterna y Manises. Sin embargo, las pérdidas económicas arrastradas por el diario y la fuerte competencia de los nuevos gratuitos que irrumpieron en Valencia a partir de 2003 abocaron al cierre a *Mini Diario*, que dejó de publicarse en septiembre de 2008 tras dieciséis años. La empresa de *Mini Diario* editaba también desde 2005 la revista semanal de pago *Valencia 7 Días*, la cual cerró en mayo de 2008[29].

En Valencia, la fuerza de los gratuitos la tienen las ediciones locales de cabeceras pertenecientes a grandes grupos de comunicación de ámbito nacional e internacional. Se trata de diarios generalistas de rápido consumo pensados para su distribución en transportes públicos. Son periódicos que han llegado a publicar una media de dos a cuatro páginas de información local. El de mayor difusión es *20 Minutos*, que llegó a Valencia el 13 de abril de 2004. Pertenece a un holding cuyo máximo accionista es la empresa noruega Schibsted, líder en prensa gratuita en Suiza y Francia. En España empezó en Madrid el 3 de febrero de 2000 y ha creado ediciones locales en quince ciudades españolas, entre ellas Valencia y Alicante[30]. En 2008 tuvo más de 2,8 millones de lectores, siendo el periódico más leído en España según el EGM. Es el gratuito líder en la Comunitat Valenciana, con una media de difusión de más de 78.000 ejemplares.

---

[27]   http://estructuracomunitatvalenciana.wordpress.com

[28]   OJD. Promedio de difusión julio 2006-junio 2007.

[29]   "El periódico gratuito Mini Diario deja de publicarse después de 16 años". *Levante-EMV*, 17 de septiembre de 2008.

[30]   Página web de 20 Minutos: http://www.20minutos.es

Otro de los grandes gratuitos es *Qué!*. Se lanzó en 2005 y en poco tiempo ha logrado convertirse en el segundo gratuito más leído de España. El 1 de agosto de 2007 entró a formar parte de Vocento. *Qué!* se ha convertido en un negocio complementario de Vocento, que hace posible su acceso a nuevas áreas geográficas donde este grupo no tenía presencia, así como una masa crítica relevante de lectores que permite incrementar los niveles de audiencia. La entrada de la prensa de pago en el sector de los gratuitos ha dado buenos resultados. *Qué!* obtuvo en 2008 una audiencia de 2,5 millones lectores en España, aportando a Vocento unos beneficios netos de 10,6 millones de euros[31]. *Qué!* tiene ediciones en Valencia, Alicante y Castellón. En el territorio valenciano es el segundo gratuito con más difusión, con más de 77.000 ejemplares.

Por detrás se sitúan *Metro Directo* y *ADN*. El primero pertenece a Metro News SL, filial en España de la compañía sueca Metro Internacional. En 2006 *Metro* contaba con 59 ediciones en Europa, América y Asia. En España abrió ediciones en siete ciudades, entre ellas Valencia, Alicante, Castellón y Elche. Por su parte, *ADN* es un gratuito español. Pertenece a una sociedad participada por el Grupo Planeta y diversos grupos de prensa regional, entre los que figuran *La Voz de Galicia* y el *Heraldo de Aragón*. Tiene ediciones en catorce ciudades españolas. Cuenta con delegaciones en Valencia y Castellón. En Valencia ADN empezó en febrero de 2006 bajo la coordinación de Mariola Cubells. Su audiencia media supera los 85.000 lectores.

20 Minutos	*Qué!*	**Metro Directo**	**ADN**	**Mini Diario**
Valencia 52.109 Alicante 26.637	Valencia 49.817 Alicante 27.865	Valencia 44.531 Alicante 18.342 Castellón 7.976 Elche 5.817	Valencia 48.266 Castellón 15.465	Valencia 43.485 Alicante 12.875
78.746	77.682	76.666	63.731	56.360
Total promedio difusión: 353.85 ejemplares				

Tabla 9. Distribución de los diarios gratuitos controlados por la OJD en las principales ciudades valencianas (Difusión media diaria enero-junio 2004). Fuente: PGD dependiente de la OJD.

El modelo de prensa urbana y social que representan los gratuitos tiene otro exponente valenciano en *El Micalet*. Se trata de un diario elaborado

---

[31]   Vocento SA y Sociedades Dependientes. Informe de resultados 2008.

por *Las Provincias*. Comenzó el 15 de septiembre de 2003 y continuó publicándose hasta septiembre de 2007, llegando a alcanzar una difusión media de 30.000 ejemplares. Su ámbito de distribución es la ciudad de Valencia. La adquisición de *Qué!* por Vocento en 2007 supuso la desaparición de *El Micalet* como diario. Sin embargo, no ha desaparecido totalmente. *El Micalet,* dirigido por David Burguera, se ha reconvertido en un semanario de ocio y espectáculos de fin de semana. Sale todos los viernes y tiene una distribución mixta: 40.000 ejemplares se encartan en *Las Provincias* y se distribuyen en la provincia de Valencia, y 30.000 ejemplares son repartidos en mano en puntos céntricos de Valencia[32].

En Valencia se distribuía también en 2007 el gratuito vespertino *Hoja de la Tarde*, que se repartía en bloque en la capital y ayuntamientos de l'Horta. Editado por la empresa valenciana Prescom SL, llegó a tener una difusión de 20.000 ejemplares.

Igual que en el resto de España, en el ámbito valenciano los gratuitos han llegado a superar en tirada a los diarios de pago. En 2004, los cinco grandes diarios gratuitos superaron en 92.468 ejemplares a los ocho rotativos de información general de más tradición e implantación en la Comunitat Valenciana[33]. Los gratuitos se han convertido en un serio competidor para la prensa regional y nacional, hasta el punto de que han obligado a ésta a incrementar las promociones comerciales y a hacerlas cada vez más atractivas.

Pero la prensa gratuita tampoco ha sido inmune a la crisis económica: han desaparecido *Mini Diario, Hoja de la Tarde* y *Metro Directo*, mientras que *ADN* ha cerrado su edición digital para reducir costes. En septiembre de 2009 sólo quedaban *20 Minutos, ADN* y *Qué!* Al final de la década, la prensa de pago de nuevo ha tomado la delantera en Valencia.

La expansión de los gratuitos no se limita sólo a las grandes ciudades. A partir de 2002 se produce uno auténtico *boom* de prensa gratuita en comarcas. Durante los primeros siete años del nuevo siglo han aparecido 95 periódicos gratuitos en los pueblos valencianos. Es una prensa mayoritariamente monolingüe en castellano y de periodicidad semanal, editada en su mayoría por empresas valencianas. Los gratuitos han crecido sobre todo en

---

[32]   EGM Comunidad Valenciana (3r acumulado 2008). Mediaedge.Cia Mediterránea.

[33]   Control OJD enero-junio de 2004: *20 Minutos, Qué!*, *Metro Directo*, *ADN* y *Mini Diario* suman una difusión media diaria de 353.185 ejemplares, frente a 260.717 ejemplares de *Levante-EMV, Las Provincias, Información, La Verdad* edición de Alicante, *El Periódico Mediterráneo, El País, El Mundo* y *ABC*.

las zonas metropolitanas y turísticas, y se han asentado como complemento publicitario y comercial en municipios donde no hay prensa local de pago propia. En la mayoría de los casos la prensa gratuita es de nueva creación; en otros ha habido una reconversión de antiguos periódicos de pago en gratuitos, una estrategia para evitar el cierre.

Año de aparición	Número de periódicos
2000	1
2001	3
2002	20
2003	5
2004	34
2005	11
2006	9
2007	13
Total	95
Idioma de comunicación	
Castellano	86
Valenciano	6
Castellano y valenciano	3

Tabla 10. Periódicos gratuitos de información local y comarcal en la Comunitat Valenciana. Años 2000-2007. Fuente. Hemeroteca de la Biblioteca Valenciana

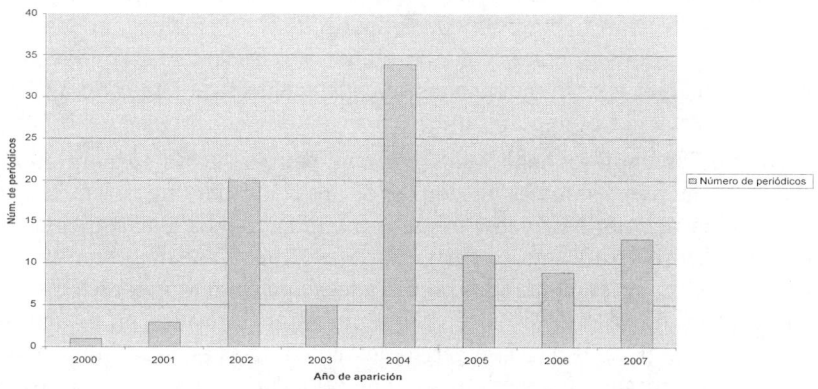

Gráfico 5. Periódicos gratuitos locales y comarcales

En la provincia de Valencia, destacan los siguientes gratuitos de difusión comarcal: *Crónica Local, L'Horta al Dia* y *Tú Periódico Local* en l'Horta; *La Gaceta* y *El Económico* en el Camp de Morvedre, y *Tú Comarca.com* de la Hoya de Buñol. Y también otros de difusión local, como *La Opinión* de Torrent, *L'Informador de la Costera* de Xàtiva, *Burjassot al Día, Loclar* de Ontinyent y *La Chicharra* de Sueca. Y muchos más.

Valenciano		Castellano	
L'Horta al Dia	10.000	*Crónica Local*	20.600
L'Expressió de la Ribera	12.000	*El Económico de Sagunt*	9.000
La Chicharra de Sueca	6.000	*La Gaceta del Camp de Morvedre*	11.000
L'Alcúdia 752	4.700	*Gente de la Safor*	10.000
L'Informador de la Costera	3.600	*La Opinión de Torrent*	5.000

Tabla 11. Tirada media de distribución de algunos periódicos gratuitos de comarcas. Año 2008

7. PRENSA ÉTNICA EN LA COMUNIDAD VALENCIANA

7.1. El caso de Alicante

La prensa y las revistas étnicas de la provincia de Alicante destacan principalmente por dos vertientes: por un lado, los medios impresos destinados a la población inmigrante con un perfil de clase trabajadora que han dejado sus países de origen por motivos laborales. La segunda, la relacionada con los medios escritos destinados a la población extranjera con un perfil de turista residente temporal o fijo.

Los medios impresos redactados por inmigrantes que se encuentran en España por motivos laborales pueden ser de dos tipos: por una parte, los que suelen tener una periodicidad y difusión irregular, debida a las deficiencias de una infraestructura que se sustenta en muy poco personal, con uno o dos trabajadores. Tienen grandes inquietudes, conocimientos sobre edición, contenidos y difusión básicos, pero que no están formados en el ámbito profesional del periodismo. El objetivo del medio no es el de ser un soporte de difusión informativo completo, sino de difusión de contenidos variados en relación a temáticas que les preocupan: administrativos, consulares, legales, laborales para inmigrantes, etc.

En este grupo se encuentran medios como la revista *Guía del Inmigrante* y la revista *Impacto Latino*. La *Guía del Inmigrante* es una propuesta de la delegación de la Asociación de Venezolanos Tateiju España en Elche, que se distribuye desde mayo de 2009 en: Elche, Alicante, Santa Pola, San Juan de Alicante, Gran Alacant, El Altet, Guardamar del Segura y Torrevieja. Se trata de una publicación no diaria gratuita de carácter cuatrimestral. *Impacto Latino* es una revista con un formato DIN A-3 doblado en ocho partes y que más asemeja a un panfleto publicitario. Está registrada como revista desde noviembre de 2006 y se distribuye en Elche, Santa Pola, Arenales del Sol y Crevillente.

Por otra parte, están los medios de comunicación impresos con un respaldo a nivel nacional. Su estructura es más estable y su diseño es similar al de la prensa diaria del país. Se trata de periódicos que funcionan como delegaciones en la Comunidad Valenciana, el ejemplo son *Latino*, edición Levante; *Sí se puede*, edición Comunidad Valencia y Región de Murcia; o *Latinoamericana Exterior*, con delegación en la Comunidad Valenciana.

Los medios impresos redactados por inmigrantes que se encuentran en España por motivos fundamentalmente turísticos tienen una estructura y un diseño más homogéneo entre sí. Se asemejan más a los diarios al uso, aunque su periodicidad suele ser semanal o quincenal. A pesar de su diseño formal tienen muchas fotografías. Son más frecuentes en las zonas costeras que en el interior de la provincia, por ser los lugares donde hay una mayor concentración de población con este perfil. Coinciden las nacionalidades de mayor presencia con las que también tienen medios impresos con contenidos específicos de su interés, así como de temas nacionales que les interesan de manera transversal. Se distribuyen en toda la Costa Blanca.

Como ejemplos se pueden citar los periódicos el *Semanario Calpino*, editado en español y alemán; *Hallo,* editada en holandés, con dos ediciones: Costa Blanca y Costa del Sol; CBN *Costa Blanca Nachrichten*, en alemán; *Spanianposten*, el periódico noruego de la Costa Blanca; *Euro Weekly*, edición de la Costa Blanca, en inglés; *Costa Blanca Zeitung*, en alemán; *The Post*, en inglés; *Costa Blanca News, north edition*, en inglés; o *The CoastRider*, de Torrevieja y escrito en inglés; y la revista *Wochenpost*, en alemán. Ninguna de las citadas son bilingües, y se escriben en el idioma descrito.

7.2. El caso de Castellón

En la capital de la Plana encontramos más de 20.000 ciudadanos de nacionalidad rumana empadronados y cerca de 60.000 en toda la provincia de

Castellón. Tal ha sido el crecimiento de la población rumana en los últimos cinco años en Castellón que pronto comenzaron a circular diarios elaborados por y para dichos ciudadanos en la provincia. Hay que señalar que la pujanza económica y las noticias de quienes vuelven a su país de origen han generado que Castellón sea la provincia con mayor concentración de población rumana de España. Así pues, hoy se editan tres periódicos en lengua rumana en Castellón, *Tara Mea, Xpress* y *Ziarul Nostru*, ediciones que han cumplido un año de existencia. Así mismo, *El Journal National*, una de las principales cabeceras informativas de ámbito nacional de Rumanía, abrirá una delegación en la capital de la Plana. Además, la oferta se amplía para estos ciudadanos, pues el periódico rumano *Adevarul* ha lanzado *Adevarul. es*, el primer portal de Internet que un rotativo de este país dedica a las comunidades rumanas en España[34].

7.3. El caso de Valencia

Destacan tres periódicos. Por un lado *Latino* y *Sí, se puede*, que son publicaciones nacionales con edición regional en Valencia, y por otro *Xarxa Urbana*, un periódico autóctono de capital valenciano. Los tres son gratuitos a color, su distribución se realiza en establecimientos públicos con mucha circulación de gente. El número de páginas de estos tres periódicos oscila entre 24 a 40. *Latino* y *Sí, se puede* son publicaciones especializadas en información para inmigrantes, mientras que *Xarxa Urbana* es un curioso modelo de prensa intercultural y vecinal.

Los tres periódicos luchan contra los estereotipos informativos sobre los inmigrantes que dan los medios generalistas. Los tópicos o generalizaciones negativas más habituales referentes a los inmigrantes son el efecto avalancha, el peligro para la sociedad de acogida, el carácter delictivo, la precariedad y la marginalidad. Falsas imágenes o estereotipos que se convierten en prejuicios y rechazo a los inmigrantes.

Latino es un semanario dirigido a la comunidad latinoamericana residente en España, que incluye información nacional e internacional de interés para este colectivo inmigrante. El periódico se edita en Madrid desde 2006 pero tiene en Valencia la llamada edición de Levante, que engloba Valencia, Alicante y Murcia, donde se estima que vive una población latina de más de 260.000 personas. Tanto la versión escrita como la digital (http:// www.elperiodicolatino.com) incluye una sección regional de Levante. La

---

[34]   Agencia EFE. Miércoles, 20 de mayo 2009

edición valenciana ocupa una o dos páginas y ofrece información de actualidad sobre la comunidad latina. El lector valenciano de este periódico accede también a las secciones emblemáticas de la edición general, como son *Mi País* (actualidad informativa de diferentes países latinoamericanos), *Actualidad Nacional* (noticias de los inmigrantes latinos en España) y *Perfil Latino* (entrevistas a inmigrantes latinos destacados). *Latino* pertenece a la empresa Novapress Media y tiene tres ediciones autónomas, concretamente en Madrid, Barcelona y Valencia. Su difusión media global es de más de 140.000 ejemplares, de los que 30.790 se distribuyen en Valencia, Alicante y Murcia. (PGD período julio de 2007-junio 2008).

Más multicultural es el semanario *Sí, se puede*, el cual está dirigido a todas las comunidades de extranjeros en España. Se denomina "El periódico de la integración", según figura en el subtítulo de la publicación. El periódico nació en Madrid en 2004 impulsado por la Fundación Sí se Puede. Tiene ediciones regionales en Madrid, Cataluña y Valencia. La edición valenciana agrupa informativamente la Comunitat Valenciana y Murcia. El periódico tiene una difusión media de 185.000 ejemplares, de los que 43.049 ejemplares se distribuyen en las comunidades de Valencia y Murcia ((PGD período julio de 2007-junio 2008). La edición de Valencia edita una media de dos a cuatro páginas. *Sí, se puede* tiene una versión digital (http://www.sisepuede.es) que se actualiza a diario. El periódico incluye secciones generales de temática internacional, nacional, deportes, cultura y ocio.

Finalmente, *Xarxa Urbana* es un mensual nacido en Valencia en febrero de 2006, fundado por Teresa Galindo y Miguel Ángel Ferrís. Se distribuye exclusivamente en Valencia ciudad; su tirada media es de 20.000 ejemplares. *Xarxa Urbana* se define como un periódico vecinal, intercultural y participativo. Es un buen ejemplo de periodismo ciudadano, fiel a los principios de la comunicación intercultural. Este periódico presta una especial atención a las minorías étnicas residentes en Valencia, como se pone de relieve en la sección *Acents*, así como a las reivindicaciones vecinales y de los barrios marginales de la ciudad en las secciones *Barrios* y *La Veu de...* También incluye la sección de entrevistas *Plaça Redona*, dedicada a inmigrantes y gente implicada con el movimiento ciudadano. El periódico está escrito mayoritariamente en castellano, pero incluye información en valenciano y lenguas de las comunidades inmigrantes de Valencia. *Xarxa Urbana* es un buen ejemplo de militancia periodística en defensa de la inmigración, de intercambio y conocimiento mutuo entra la población inmigrante y la nacida en Valencia.

Lengua	Periodicidad
Inglés 24 Alemán 12 Holandés 6 Francés 4 Bilingües 4 Ruso 3 Rumano 3 Chino 1 Italiano 1	Semanal 30 Mensual 11 Quincenal 11 Otra periodicidad 6
Total periódicos	**58**

Tabla 12. Periódicos en lengua extranjera editados en la Comunitat Valenciana[35]. Años 1973-2008. Fuente: Biblioteca Valenciana

8. REVISTAS DE VALENCIA

Valencia no es un centro editor de primer orden de revistas nacionales especializadas de temática diversa, informativas de actualidad, divulgativas o de sociedad. La mayoría de las publicaciones de estas características que encontramos en los quioscos de la ciudad están editadas en Madrid y Barcelona. Sin embargo, Valencia cuenta con revistas propias dirigidas a un lector con unas necesidades más locales y regionales. Actualmente se publican una veintena de revistas de carácter cultural, ocio y espectáculos, así como de fiestas y tradiciones y de divulgación científica y ciencias humanas.

Las más abundantes son las carteleras de cultura, ocio y tiempo libre, las cuales informan sobre las actividades culturales que tienen lugar en la ciudad, desde música, teatro y danza, hasta cine, exposiciones y eventos lúdicos y festivos. La revista decana es *Cartelera Turia*, semanario fundado en 1964 que continúa editándose bajo la dirección de Vicente Vergara. En 2009 la *Turia* cumplía 45 años, con una tirada media de 15.000 ejemplares y una audiencia de 75.000 lectores. La *Turia* nació en la dictadura franquista y durante años abrió un espacio de libertad frente al hermetismo de la prensa oficial. Fue un proyecto impulsado por José Vanaclocha, Vicente Ver-

---

[35]   Se trata de periódicos en lengua extranjera editados en la Comunitat Valenciana aparecidos entre 1973 y 2008. Datos extraídos del catálogo de fichas de la Hemeroteca de la Biblioteca Valenciana, donde se archivan todos los periódicos con depósito legal de la Comunidad Valenciana.

gara y Antonio llorens, que buscaron hábilmente intervenir en la sociedad valenciana a través de una cartelera de espectáculos. Sus hábiles críticas cinematográficas y artículos culturales les acarrearon más de un disgusto: entre 1966 y 1969 el semanario será multado en cinco ocasiones (Laguna, 1990: 330).

En democracia, *Cartelera Turia* continua siendo crítica, irreverente y molesta para los sectores más conservadores. Vázquez Montalbán definió con estas palabras el ideario de la revista: "Exterminadores, cultos, polícronos, rojos, verdes, colorados, los de la *Cartelera Turia* constituyen una extraña y reducida secta que cada semana nos envía la botella del náufrago con sus críticas de espectáculos que rompen los moldes de los mensajes obvios"[36].

A lo largo de 45 años *Cartelera Turia* ha sido la memoria escrita y gráfica de la vida cultural de Valencia, con sus artículos de opinión, críticas, noticias culturales, humor crítico y mucho desenfado. El camino de la *Turia* ha sido de crecimiento y consolidación de un proyecto. Ha pasado de ser una revista local de Valencia a tener una difusión regional. Desde 1997 *Turia* llega a 2.200 puntos de distribución de 214 municipios valencianos. Desde principios de 1999 la cartelera llega a Alicante y toda su provincia. Actualmente tiene más de 350 subscriptores de fuera de la Comunitat Valenciana.

Otras carteleras de espectáculos y revistas culturales consolidadas son *Queydonde*, semanario nacido en 1978 dirigido por Francisco J. Dasí; *Au Agenda Urbana*, mensual de Valencia con una tirada de 15.000 ejemplares; *El Metropolità*, agenda cultural gratuita mensual del área metropolitana de Valencia; y *Silenci*, magazine especializado en información cultural dirigido por Xavier Martínez y con una difusión de 5.000 ejemplares en puntos de distribución de Valencia, l'Horta y el Camp de Morvedre.

Destaca también por su calidad la revista *Babia*, mensual editada por Ilcoi SL desde 1999. *Babia* está especializada en actividades de cultura, ocio y tiempo libre para la infancia. Es una revista dirigida a padres y educadores para saber qué hacer y dónde ir con niños. Al frente de la publicación figuran los periodistas Amparo Tórtola y Salvador Medela. Su difusión es regional y tiene una tirada media de 6.000 ejemplares.

En Valencia se editan otras revistas de ocio y cultura con información adicional de turismo, deportes y motor dirigidas principalmente a turistas.

---

[36]   Exposición " Cartelera Turia...40 años". Sala Oberta de la Nau (1 de julio al 23 de septiembre de 2004).

Se trata de los mensuales *Valencia City* (30.000 ejemplares), *Valencia Sociedad* (25.000 ejemplares) y *Hello Valencia* (25.000 ejemplares). Asimismo, se ha abierto mercado con 6.000 ejemplares la revista regional *Lecoments*, especializada en tendencias, decoración y moda.

La fuerte actividad festiva de gran calado turístico como son las fallas, los moros y cristianos y las hogueras de San Juan, ha hecho que se consoliden magazines de pago especializados en estas tradiciones folclóricas. La editorial valenciana MPG Diseño y Comunicación ha explotado con éxito este sector. Esta empresa edita desde Valencia tres revistas mensuales de difusión regional. La pionera es *Actualidad Fallera,* nacida en 1993, especializada en el mundo fallero y con una tirada de 5.000 ejemplares. La segunda es *Actualidad Hogueras,* aparecida en 2004 y especializada en la fiesta de las hogueras de San Juan, cuya tirada llega a los 3.000 ejemplares. Y completa la trilogía en 2009 *Actualidad Festera,* revista monográfica sobre la fiesta de moros y cristianos que también alcanza los tres mil ejemplares. Las tres revistas tienen la misma redacción: un director, Jorge Torralba, tres redactores y cinco colaboradores. Esta empresa editó además los periódicos desaparecidos *Pilota Valenciana* y *El Asiento de los Deportes.*

Publicación	Empresa editora	Temática	Difusión	Lengua	Tirada ejemplares año 2008
Valencia City	Ruzafa Show SL	Cultura, ocio y turismo	Comunitat Valenciana	Castellano	30.000
Cartelera Turia	Publicaciones Turia SL	Cultura y espectáculos	Comunitat Valenciana	Castellano	15.000
AU Agenda Urbana	Contra Edicions CB	Agenda Cultural	Valencia	Catalán	15.000
Babia	Ilcoi SL	Cultura y ocio para la infancia	Comunitat Valenciana	Castellano	6.000
Actualidad Fallera	MPG Diseño y Comunicación	Fiestas y tradiciones	Comunitat Valenciana	Castellano	5.000
Silenci	Silenci Club de Cultura	Cultura y espectáculos	Valencia, l'Horta y el Camp de Morvedre	Catalán	5.000

Publicación	Empresa editora	Temática	Difusión	Lengua	Tirada ejemplares año 2008
Camp Valencià	Unió Llauradors i Ramaders	Agricultura	Comunitat Valenciana	Catalán y castellano	7.300
Equiquà	Associació d'Actors i Actrius Valencians	Cine y artes escénicas	Comunitat Valenciana	Catalán	1.000
Eines	Eina Cultural SL	Información ciudadana	Área metropolitana de Valencia	Catalán	7.700
Cendra		Fallas	Área metropolitana de Valencia	Catalán	2.000
Camp Verd	Unió Llauradors i Ramaders	Agricultura ecològica	Comunitat Valenciana	Catalán y castellano	1.500
Métode	Universitat de València	Divulgación científica	Comunitat Valenciana, Cataluña y Baleares	Catalán	4.000
Actualidad Hogueras	MPG Diseño y Comunicación	Fiestas y tradiciones	Comunitat Valenciana	Castellano	3.000
Actualidad Festera	MPG Diseño y Comunicación	Fiestas y tradiciones	Comunitat Valenciana	Castellano	3.000
Nexe	Universitat de València	Reflexió social	Comunitat Valenciana, Cataluña y Baleares	Catalán	2.000
L'Espill	Editorial 3 i 4 Universitat de València	Cultura y pensamento	Comunitat Valenciana, Cataluña y Baleares	Catalán	1.500
Caràcters	Universitat de València	Literatura y libros	Comunitat Valenciana, Cataluña y Baleares	Catalán	1.500

Publicación	Empresa editora	Temática	Difusión	Lengua	Tirada ejemplares año 2008
All-i-oli	STE-PV	Educación	Comunitat Valenciana	Catalán	55.000
Lletres Valencianes	Generalitat Valenciana	Libros	Comunitat Valenciana	Catalán	6.000
El Metropolità	El Metropolità Ediciones	Cultura y espectáculos	Área metropolitana de Valencia	Catalán y Castellano	7.000
Sembra	Federació Escola Valenciana	Educación	Comunitat Valenciana	Catalán	3.000
Caramella	Asociaciones Solc, Tramís y Carrutxa	Música popular	Comunitat Valenciana, Cataluña y Baleares	Catalán	1.500
Camacuc	Edicions Camacuc SL	Infantil	Comunitat Valenciana, Cataluña y Baleares	Catalán	1.200

Tabla 13. Algunas revistas editadas en Valencia. Fuente: elaboración propia

Por otra parte, la Universitat de València desarrolla una intensa actividad editorial con la publicación de revistas especializadas de temática científica y ciencias humanísticas, todas ellas escritas en catalán. La más antigua es *L'Espill,* revista fundada en 1979 por Joan Fuster, especializada en cultura, pensamiento y ciencias humanas, dedicada a fomentar la lengua y cultura catalanas. Dejó de publicarse en 1991, pero fue relanzada por la universidad en 1999. Actualmente está dirigida por Gustau Muñoz y Pau Viciano.

Destaca también *Métode*, por su alta calidad y gran aceptación en la comunidad científica e intelectual. *Métode* es una revista de divulgación científica nacida en 1992, dirigida por el periodista y biólogo Martí Domínguez. La calidad de sus contenidos la ha hecho merecedora de algunos reconocimientos, como el Premio Prisma Especial, Premio Ciencia y Acción 2006, Premio Appec 2007 y Premio Nacional de Periodismo 2007. Además, *Métode* ha sido elegida revista de referencia de la Xarxa Vives, asociación que aglutina veinte universidades del ámbito lingüístico catalán. Otras revistas representativas de la Universitat de València son *Caràcters*, especializada en literatura y libros, y *Nexe,* fundada en 2005 y especializada en temas de debates valencianos.

En lengua autóctona destaca también *Camacuc,* revista infantil mensual ilustrada fundada en 1984 por la editorial del mismo nombre. En la publicación predominan el cómic, las noticias culturales y las reseñas de literatura infantil y juvenil. La mayor parte de los contenidos van dirigidos a alumnos de primaria y primer ciclo de la secundaria.

Finalmente, cabe resaltar la escasa presencia de los magazines informativos de actualidad. Si exceptuamos *El Temps,* Valencia no ha conseguido consolidar un semanario de información política y social. Los proyectos periodísticos que han salido a la luz no han durado más de tres años. Así ocurrió con la emblemática *Valencia Semanal* (1977-1980), y así ha sucedido también con *Valencia 7 Días* (2005-2008). Este semanario es el más representativo de la primera década del siglo XXI. *Valencia 7 Días,* revista de 52 páginas dirigida por Noelia Blasco, llegó a contar con tres redactores, quince colaboradores y grandes firmas de la talla de J.J. Pérez Benlloch y Salvador Barber, además del prestigioso dibujante gráfico Juli Sanchis "Harca". El semanario incluía secciones de política general, internacional, economía, sociedad y cultura. Cerró en mayo de 2008 como consecuencia de las pérdidas acumuladas por la empresa editora.

BIBLIOGRAFÍA

ASOCIACIÓN DE EDITORES DE DIARIOS ESPAÑOLES (2008). *El Libro Blanco de la prensa diaria.* Madrid: AEDE.

ASOCIACIÓN DE LA PRENSA DE MADRID (2008). *Informe anual de la profesión periodística.* Madrid: APM.

BILBAO FULLAONDO, J.; CHEVAL, J.J.; DESVOIS, J.M.; GARITAONANDÍA, C.; LÓPEZ, S. y DE MIGUEL, J.C. (1997). "Empresas, periódicos y periodistas en las autonomías". En *Zer,* n° 2.

CARDÚS, S. (1998). *La premsa diaria a les Illes Balears, el País Valencià i Catalunya.* Barcelona: Fundació Jaume Bofill.

CARVAJAL, M. (2007). *Líderes en prensa: la dirección estratégica de Vocento* (1985-2006). Murcia: Diego Marín.

CARVAJAL, M. (2008): "Respuestas estratégicas de la prensa de pago ante los diarios gratuitos: la adquisición de *Qué* por parte de *Vocento".* En MEDINA, M. y FAUSTINO, P. (eds.). *The Changing Media.Business Environment.* Lisboa: Media XXI/ Formalpress.

CORBELLA, J.; PONT, C. (2008). *La premsa comarcal i l'ACPC: idees centrals i conclusió.* Barcelona: ACPC

CROSBIE, V. (2008). "La transformación de la prensa escrita en Estados Unidos". En *Corante: Rebuilding Media.*

178 José Luis González - Francesc Martínez Sanchis - Montserrat Jurado - Hugo Doménech

ECHEVARRÍA BUSQUET, A. (1995). "El editor en los años noventa". Conferencia pronunciada cuando era consejero delegado de Grupo Correo, en la Cátedra Ortega y Gasset de la Universidad Complutense el 25 de abril de 1995.

FERNÁNDEZ OBREGÓN, F.J. (1998). "La prensa periférica española". En *Revista Latina de Comunicación Social* nº 2

FERRÉ, C. (ed) (2009). *Un país de revistes. Història dels magazins en català.* Barcelona: APPEC.

GONZÁLEZ BORJAS, A. (2000). "El fenómeno de la 'edicionalización' y la prensa local". En *Ámbitos* 3-4.

GONZÁLEZ ESTEBAN, J.L. (2009). "Modelos de periodismo local y estrategias ante la crisis: el caso del News & Observer". En *Revista Latina de Comunicación Social* nº 64

LAGUNA PLATERO, A. (1990). *Historia del periodismo valenciano. 200 años en primera plana.* Valencia: Generalitat Valenciana.

LAGUNA PLATERO, A. y MARTÍNEZ GALLEGO, F.A. (eds.) (1992). *Historia de Levante-El Mercantil Valenciano (1834-1992).* Valencia: Editorial Prensa Ibérica, SA.

LAGUNA PLATERO, A. (ed.) (2000). *La comunicación en los 90. El mercado valenciano.* Valencia: Universidad Cardenal Herrera-CEU.

LAGUNA PLATERO, A. (2002). "La comunicació local-comarcal al País Valencià". En CASANOVA, E. i ESTEVE, A. (ed. rev.). *L'aportació de les comarques al patrimoni valencià.* Valencia: Federació d'Instituts d'Estudis Comarcals del País Valencià. pp. 45-59.

LAUTERER, J. (2008). *Community Journalism: Relentlessly Local.* Chapel Hill: The University of North Carolina Press.

LÓPEZ GARCÍA, G. (2008). *Los cibermedios valencianos: cartografía, características y contenidos.* Valencia: Servicio de Publicaciones de la Universidad de Valencia.

LÓPEZ GARCÍA, X. (2008). *Ciberperiodismo en la proximidad.* Sevilla: Comunicación Social.

LÓPEZ GARCÍA, X. (2004). *Desafíos de la Comunicación Local. Guía para la práctica de la información en los ámbitos de proximidad.* Sevilla: Comunicación Social.

LÓPEZ LITA, R.; FERNÁNDEZ BELTRÁN, F; y DURÁN MAÑES, A. (eds.) (2002). *La prensa local y la prensa gratuita.* Castellón: Publicacions Universitat Jaume I.

MACIÁ MERCADÉ, Juan (1993). *La comunicación regional y local.* Madrid: Editorial Ciencia.

PALOMO, B. (2008). *El periodista online: de la revolución a la evolución.* Sevilla: Comunicación Social.

PEÑA IBÁÑEZ, J.M. (1984). *El Diario Vasco. 50 años en Guipúzcoa.* San Sebastián: Sociedad Vascongada de Publicaciones S.A.

PEÑALVA ABRISQUETA, J. L. (1996). *Prensa regional y nuevas vías de acercamiento al lector.* Bilbao: Servicio Editorial de la Universidad del País Vasco.

SALAVERRÍA, R., et al. (2004). "Evaluación de los ciberdiarios en las comunidades vasca y Navarra". En *Comunicación y Sociedad* vol. XVII, nº 1.

SÁNCHEZ-TABERNERO, A. (1989). *El Correo Español-El Pueblo Vasco y su entorno informativo.* Pamplona: Servicio de Publicaciones de la Universidad de Navarra.

SANTOS DÍEZ, Mª T. (2001). "Los periódicos gratuitos en la comunidad autónoma vasca". En *Estudios sobre el mensaje periodístico* nº 7.

SANTAOLALLA, P. (1999). *La compra de La Rioja por Grupo Correo. La transformación de Nueva Rioja S.A. en una empresa multimedia*. Tesis Doctoral. Pamplona: Universidad de Navarra.

SCOLARI, C; JARQUE, J.M, Y PERALES, C (2008). *El canvi digital als mitjans de proximitat*. Barcelona: Xarxa Vives y ACPC

VV.AA. (1994). *Comunicació Local a la Comunitat Valenciana*. Valencia: Departamento de Publicaciones de la Federación Valenciana de Municipios y Provincias.

VV.AA. (2002) *La informació valenciana de proximitat*. Valencia: Unió de Periodistes Valencians.

XAMBÓ, R. (2001). *Comunicació, política i societat. El cas valencià*. Valencia: Tres i Quatre.

7

EL MEDIO RADIOFÓNICO VALENCIANO: EVOLUCIÓN HISTÓRICA, ESTRUCTURA COMUNICATIVA Y PERSPECTIVAS DE FUTURO

Manuel de la Fuente Soler
Universitat de València

Sandra Sandalinas
Universitat Jaume I

1. INTRODUCCIÓN

A lo largo de los últimos años, se ha ido configurando en la Comunidad Valenciana un sistema radiofónico que desvela algunas de las contradicciones y retos en los que se ve inmersa nuestra sociedad. Si bien es obvio que los medios de comunicación constituyen un claro reflejo de las características sociales, políticas y culturales del entorno en el que se inscriben, lo cierto es que, de los medios audiovisuales, el radiofónico es, por sus peculiaridades, el que mejor ayuda a comprender determinados aspectos que configuran la realidad valenciana. El estudio de la radiodifusión valenciana supone, así pues, un estudio sobre la sociedad de la Comunidad Valenciana, tanto de su historia reciente como de los problemas actuales a los que se enfrenta.

Estas peculiaridades del medio radiofónico a las que nos referimos son, básicamente, dos. La primera atiende a criterios económicos. Tanto en gastos de inversión como en datos de audiencia, la radio es un medio que resulta, por comparación con la televisión y la prensa escrita, barato. La creación de una emisora de radio conlleva muchas menos infraestructuras y costes de mantenimiento que el de una cadena televisiva, y la comparación cuantitativa de consumo también resulta mucho más modesta con respecto a la televisión, el medio por antonomasia en cuanto al volumen de audiencia. Así, los distintos mecanismos de medición de audiencia de uno y otro medio (seguimiento diario y pormenorizado en el caso de la televisión, y de carácter trimestral y generalizado en el caso de la radio) da cuenta de hasta qué punto existen diferencias en la necesidad de conocer los datos de consumo como base para la gestión económica de cada medio de comunicación.

La segunda característica tiene que ver con la estructura tecnológica y comunicativa del medio. La radio se define por su inmediatez, es decir, por la velocidad en el proceso de conversión del hecho informativo en noticia emitida. De este modo, y debido a que la maquinaria económica de la radio es mucho más manejable que la de la televisión, el medio radiofónico tradicionalmente puede dar cuenta de las noticias con mucha más rapidez que el televisivo, lo que ha redundado en una mayor consideración social de la radio como medio de comunicación informativamente creíble.

Estas dos consideraciones hacen que la radio sea un medio muy dúctil, en el sentido de que se presenta mucho más permeable a los cambios sociales. Mientras que la televisión o la prensa escrita requieren de un mayor esfuerzo inversor y de una estructura comunicativa mucho más compleja, la radio se ha consolidado como un medio de comunicación en crecimiento. De esta manera, el desarrollo económico y el pluralismo político experimentados desde el final de la dictadura se han visto acompañados de una creciente oferta del mapa radiofónico, multiplicándose no sólo el número de emisoras de radio, sino también sus distintos modelos de gestión (tanto pública como privada). Son numerosas, por ejemplo, las emisoras municipales que han ido surgiendo, en un proceso que ha sido mucho más ágil que en la creación de televisiones o periódicos, más necesitados de apoyos económicos considerables para su puesta en marcha.

Sin embargo, este desarrollo cuantitativo también ha venido delatando los retos y dificultades que cada sociedad experimenta. En el caso de la valenciana, encontramos, principalmente, una cierta indefinición en la consecución de un modelo propio de radio. Su oferta de emisoras privadas suele basarse en un modelo de cadenas estatales, adoleciendo de una cierta dependencia de los centros de estas cadenas (Madrid, en particular). La tendencia a la concentración mediática experimentada en el sistema mediático español ha afectado también a las radios valencianas, lo que repercute en una pérdida de autonomía comunicativa. Esto se refleja, por ejemplo, en la escasa presencia del valenciano como lengua vehicular de las programaciones radiofónicas. El uso del valenciano ha sido capitalizado en gran medida por la radiotelevisión autonómica, en un modelo que apenas ha contagiado a los medios privados, que han seguido utilizando el español como opción dominante.

En el contexto actual, asistimos a un momento de incertidumbre, ya que las características que se están viendo con la digitalización mediática (posibilidad de ampliación de la oferta y mayor acceso a la información) aparecen lastradas por un deficiente compromiso político a que esta renovación tecnológica llegue a la radio, precisamente por su marchamo de medio "pobre", esto es, como medio estratégicamente situado por detrás de la prensa y la televisión en su volumen económico. Así, la implantación de la digitalización en los procesos de producción y recepción sigue un calendario mucho más retrasado que en el resto de medios tradicionales.

En este capítulo analizaremos estas tensiones del sistema radiofónico en la Comunidad Valenciana. Partiremos del repaso a algunos apuntes históricos que nos servirán para contextualizar un modelo que se enfrenta, en estos momentos, a una serie de cambios que, si bien afectan al conjunto del panorama mediático, en el caso de la radio presentan algunas peculiaridades que son las que aquí nos incumben. A partir de la descripción de la estructura radiofónica valenciana trazaremos algunas de las perspectivas de futuro de un medio que sigue contando con una importante influencia en nuestro entorno social.

2. ORIGEN Y EVOLUCIÓN HISTÓRICA

El nacimiento de la radiodifusión llega a España a principios de los años 20 en un momento en que el país está inmerso en una etapa de crecimiento y de crisis política. La inestabilidad institucional durante el reinado de Alfonso XIII se vio acompañada de un cierto desarrollo tras la Primera Guerra Mundial. Las grandes ciudades de nuestro país se convirtieron en mercados ideales para las nuevas empresas creadas a partir de los avances tecnológicos de la época. La radiodifusión, de hecho, surgió como consecuencia de una serie de experimentos y avances científicos en el campo de las ondas electromagnéticas iniciados a finales del siglo XIX.

Las diferencias económicas existentes entre los dos grandes núcleos urbanos (Madrid y Barcelona) y una sociedad eminentemente rural, provocaron que las primeras emisoras nacieran en estas ciudades y que, poco a poco, la radio se fuera expandiendo a otros lugares. Tras unos primeros meses de indefinición legal, en 1924 se promulgó el reglamento gubernamental que autorizaba el funcionamiento de las primeras emisiones regulares de radio: abriría la veda Radio Barcelona, a la que seguirían otras emisoras situadas en Madrid y Sevilla. En Valencia, empezarían en 1925 sus emisiones Radio Valencia y Radio Levante.

Como es fácil adivinar, los primeros años se caracterizan por la volatilidad del sector, ya que muchas emisoras tenían que cerrar al poco de comenzar a emitir. La decisión de establecerse en los centros urbanos respondía a la necesidad de contar con una financiación estable, lo que generó que la radiodifusión tuviera, desde sus inicios, un carácter centralizador. Con todo, es curioso constatar que los primeros pasos de la radio en España fueron acompañados de un debate a este respecto. En diciembre de 1923, el periodista Salvador Raurich recogía la opinión generalizada del momento cuando, al definir las características que debería tener el modelo de radiodifusión, aludía a que "esta centralización de la red no impediría que a su vez estas emisoras 'filiales' de la empresa mancomunada hicieran emisiones locales" (Balsebre, 2001: 60).

También en los primeros años de la radio empezó un profundo debate sobre el modelo de gestión económica de la radio. El fallido intento por establecer un sistema de pago de impuestos por tenencia de aparatos receptores dio paso a un esquema de pago publicitario de los contenidos de emisión, el modelo que se mantiene vigente en la actualidad. Las emisoras valencianas también actuaron, aquí, como empresas locales especializadas en la publicidad del pequeño y mediano comercio, en contraposición a las emisiones de carácter nacional que se centraban en la publicidad de grandes empresas, al ser mucho más elevadas las tarifas publicitarias.

Dicho lo cual, si bien en los primeros años ya aparecen planteados algunos debates que marcarían la configuración de la radio en la Comunidad Valenciana, hay que señalar que el medio también ha venido siendo no sólo testigo de su tiempo, sino incluso catalizador del momento histórico en que se ha ido desarrollando. Uno de los ejemplos más claros es el papel de algunas emisoras durante el período de la Guerra Civil. Si durante la República la radio había sido un espacio de entretenimiento, su conversión en herramienta de movilización y propaganda fue evidente durante el conflicto. Ahí están las famosas arengas emitidas desde Radio Sevilla por Queipo de Llano en los primeros meses de la guerra, cuyo objetivo principal era elevar la moral y crear en la gente una predisposición favorable a los golpistas (Garitaonaindía, 1988: 196). Unos discursos que encontraron su réplica diaria a cargo de Francisco Cano en Radio Torrente (Bordería y Millán, 1999: 97). Las emisiones llegaban a Andalucía, lo que provocaba en ocasiones la contrarréplica del general golpista (Balsebre, íd: 432).

El franquismo cercenó todas las experiencias comunicativas que estaba experimentando el medio radiofónico. La imposición de una férrea censura, la dura represión de las libertades civiles y políticas y la centralización administrativa del régimen acabaron con cualquier atisbo de desarrollo de los medios de comunicación locales. El franquismo se cebó con la radio: se redujeron considerablemente la producción propia y las emisiones locales en beneficio de un mayor espacio a la emisión en cadena. Se trata de un intervencionismo que refleja la consideración del medio por parte del franquismo como una herramienta para la propaganda (Xambó, 2001: 25).

En lo que respecta a la censura informativa, todas las radios del país, incluidas por supuesto las de la Comunidad Valenciana, tenían la obligación de conectar con el informativo de Radio Nacional de España, que centralizaba y monopolizaba la información. Esto hizo que la radio derivase a los géneros de entretenimiento, como los seriales, los concursos y las retransmisiones deportivas, es decir, a la idea de la radio como evasión de la realidad. La censura llegaba a adquirir proporciones surrealistas, como la investigación policial abierta a raíz de la emisión accidental de unos compases del Himno de Riego en Radio Valencia en 1940 o la pretensión de controlar hasta las improvisaciones del locutor de las retransmisiones deportivas, también en Radio Valencia (Selva, 1999: 138-139).

Esta radio de evasión tuvo su reflejo en la evolución de los programas deportivos. El auge del fútbol, por ejemplo, no se entiende sin las retransmisiones radiofónicas de los partidos. Así, el nacimiento en 1952 del "Carrusel deportivo" de la Cadena SER estableció el canon por el que se regirían desde entonces los programas de multiconexión deportiva: emisión en directo, ritmo de narración ágil, variedad de voces en las retransmisiones. El éxito de "Carrusel deportivo" dio fama a numerosos locutores que trabajaron en él, como los valencianos Vicente Marco y Joaquín Prat. Las emisoras valencianas también contribuyeron a esta dinámica: La Voz de Alicante, La Voz de Levante y La Voz de Castellón transmitieron en los sesenta el Tour de Francia y la Vuelta Ciclista a España, y otros deportes, como el tenis, el boxeo, el motociclismo y el automovilismo fueron seguidos de cerca por las distintas emisoras de Castellón, Valencia y Alicante (Menéndez, 1999: 249-250).

Junto a los programas deportivos, los musicales acabarían siendo otra de las piezas fundamentales de la radio franquista, hasta el punto de originar todo un formato que, como el programa tipo "Carrusel", mantiene su vigencia en la actualidad: nos referimos a la "radiofórmula". Del mismo modo que el auge de la radio deportiva va unido a un desarrollo tecnológico del medio, la radio musical no se puede entender sin la implantación de la Frecuencia Modulada: en nuestro caso, en 1960 empiezan las emisiones regulares de RNE en Valencia, así como la conversión en FM de Radio Mediterráneo de Valencia (Balsebre, 2002: 397). La mejora de la calidad de recepción del sonido con la FM resultó ser un factor decisivo para la popularización de la "radiofórmula". Los programas musicales experimentaron un crecimiento tal que a finales de los sesenta ocupaban la tercera parte de las horas totales de emisión en la ciudad de Valencia. La radio musical contribuyó, con su retransmisión, al éxito del Festival de la Canción de Benidorm, y la incipiente

escena pop valenciana tuvo su eco en programas como "Discomoder", creado en 1961 en Radio Castellar por Enrique Ginés (Menéndez, *íd.*: 233).

En el repaso a la radio del franquismo no conviene olvidar a la Iglesia
católica, elemento consustancial de la dictadura que comprende todos sus
sistemas, incluido, claro está, el mediático. La creación en 1965 de la COPE
(Cadena de Ondas Populares Eclesiásticas) dota a la Iglesia de un instrumento ideal para la difusión de su doctrina. A partir de entonces, el seguimiento
de las noticias relacionadas con el Vaticano cuenta con una cadena que
acaba con el desorden organizativo existente hasta la fecha. Al agrupar y
ordenar las emisoras parroquiales, la COPE es una prueba más del afán centralizador mediático característico de la dictadura franquista. La proliferación por la parrilla de programas benéficos auspiciados por la Iglesia incide
también en esta consideración anestésica del medio radiofónico.

Este proceso llega a su fin con la desaparición del régimen. Durante
los años de la transición política a la democracia, la radio experimenta un
cambio radical en su contrato comunicativo con los oyentes, pasando del
narcotismo franquista a un estatuto de medio eminentemente informativo
que perdura hasta nuestros días. Su inmediatez en el proceso comunicativo,
así como el escaso desarrollo de la prensa y la televisión en aquel momento,
hacen que la radio sea el medio que realiza un seguimiento más exhaustivo
de eventos de primer orden, como el golpe de Estado del 23-F, aconteci-
miento que supuso "de alguna manera la *diplomatura* de la *nueva* radio
informativa de la España postfranquista y democrática, y decidió también
su máximo nivel de popularidad y reconocimiento social" (Balsebre, 1994:
13-14). La tensión de ese día se vivió de manera especial en Valencia, una
de las ciudades "calientes" del golpe, como lo demuestra el hecho de la
irrupción de militares armados en RNE Valencia, obligando a emitir un ban-
do de Milans del Bosch un total de diez veces en intervalos de media hora
(Millán y Sanfeliu, 1999: 378-379).

Este nuevo estatuto de radio informativa comporta una serie de cambios
estructurales en la radio misma. Básicamente, se produce una reestructuración del mapa radiofónico, que queda plenamente delimitado por la titularidad de las empresas. Si durante los años anteriores el hecho de que una
emisora fuera pública o privada no implicaba unos modelos de programación
diferentes (ya que los medios privados están férreamente controlados por la
censura política), en la actualidad sí se puede hablar de formatos de emisión diferenciados, así como de funciones claramente delimitadas.

Para empezar, desde los primeros años de la democracia, una de las
principales preocupaciones por parte del poder político será la articulación

de un esquema de medios públicos que cumplan las funciones a las que no llegan los medios privados: potenciación de las culturas locales, consideración de los grupos minoritarios, promoción de espacios culturales, etc. De este modo, en los últimos 30 años se ha vivido en la Comunidad Valenciana una eclosión y consolidación de medios públicos de diferente ámbito: desde el autonómico (RTVV) hasta las distintas emisoras municipales. Uno de sus objetivos principales sería romper con el modelo centralista del franquismo y acabar con el carácter subsidiario del sistema mediático valenciano.

En el otro lado se encuentran los medios privados, que también han profesionalizado sus estructuras, entrando a formar parte de holdings internacionales y superando el anquilosado aislamiento propio del franquismo. Estos medios basan el grueso de su programación en la emisión en cadena, esto es, en la cobertura a todo el territorio nacional, y su modelo de gestión se centra en las ganancias por ingresos publicitarios. A continuación, analizaremos la estructura de la radiodifusión valenciana siguiendo esta categorización por titularidad de la empresa para comprender los cambios experimentados en los últimos años y la situación actual.

3. LA RADIO PRIVADA: DEPENDENCIA DE LAS CADENAS Y PROGRAMACIONES HOMOGÉNEAS

A lo largo de los años 80, se fue conformando un mapa de emisoras de radio que, en el caso de las emisoras de titularidad privada, habrían de hacer frente a los nuevos retos comunicativos y sociales. La desaparición de la censura, la consolidación del modelo de radio informativa y la necesidad de una completa reestructuración empresarial de las emisoras hacen que éstas experimenten un proceso de concentración. Ahí está el ejemplo del Grupo Prisa, que adquiere la Cadena SER a mediados de la década, iniciando un proceso de expansión que llegaría a su punto álgido en 1991 con la absorción de Antena 3 Radio (Reig, 1998: 62-63). Así, la penetración de la Cadena SER en la Comunidad Valenciana creció muchísimo en los 90, bien fuera por el proceso de compra de Antena 3 o por acuerdos con empresarios locales (de ambas maneras se procedió con las emisoras de la provincia de Castellón), llegando a la situación de emisoras como Radio Valencia, con doble programación en AM y en FM, lo que permite a la emisora disponer de dos parrillas para realizar programas diferentes.

Los distintos procesos de concentración en grupos empresariales han dado lugar a una abundante presencia de las cadenas nacionales, con numerosas emisoras en la Comunidad Valenciana. La SER dispone de cerca de una veintena de emisoras en Castellón, Valencia y Alicante, lo que constituye una red propia que le permite realizar programas informativos autonómicos con conexiones en las distintas emisoras. La COPE cuenta con una decena de emisoras repartidas por toda la Comunidad, de modo que puede operar de un modo similar a la SER, reproduciendo aquí la pugna por la audiencia que llevan a cabo en toda España. Onda Cero y Punto Radio (cadenas creadas en los últimos veinte años) también han optado por la pauta emprendida por la SER y la COPE.

Lo curioso es que estas cuatro emisoras han calcado un esquema de parrilla radiofónica en el que lo único que las diferencia son las voces de los locutores de cada empresa. El magazine es el programa estrella (lo hay de mañana, de tarde y de fin de semana), y la noche se reserva a espacios temáticos y culturales. Las emisoras de la Comunidad Valenciana tienen reservados unos espacios concretos de desconexión para la realización de programas propios que, básicamente, son los siguientes: programas informativos de corta duración (5-10 minutos) a primera hora de la mañana; magazine local a mediodía y a última hora de la tarde; y espacio informativo alrededor de las 2 de la tarde. Sin contar, claro está, las desconexiones publicitarias que se van sucediendo a lo largo del día y los programas de fútbol de fin de semana, que varían su horario dependiendo del calendario semanal de partidos. De este modo, el oyente dispone de una programación mayoritaria en cadena, pero con desconexiones locales para conocer sus noticias más próximas. No obstante, el tiempo global de desconexión ronda alrededor del 15% total de la parrilla, con lo que es más que discutible el valor que dan las cadenas nacionales a las emisiones locales, cumpliendo en demasiadas ocasiones estas emisoras un papel principal de meros centros repetidores de emisión.

Esta homogeneización en las programaciones ha acabado por contagiar al resto de emisoras. Así, las emisoras temáticas, en especial las radiofórmulas, siguen unas pautas similares: programaciones idénticas distribuidas desde una red de estaciones que emiten desde los mismos centros que la emisora matriz: por ejemplo, Los 40 Principales de Valencia emite desde la sede de SER Valencia; lo mismo sucede con Cadena 100 y la COPE o Europa FM y Onda Cero. El modelo resulta muy cómodo, pero los responsables de las emisoras se escudan en los datos de audiencia para mantenerlo.

Porque las cifras de audiencia indican una primacía muy evidente de la radio privada sobre la radio pública. Las encuestas elaboradas por el Estudio General de Medios (EGM) desvelan, medición tras medición, una tendencia consolidada en la Comunidad Valenciana de dominio absoluto de las emisoras privadas. En los datos de 2008, la Cadena SER lideraba los resultados, con más de 542.000 oyentes; le seguía la COPE con 214.600; la tercera era Onda Cero con 182.500; ya en la cuarta y quinta posición, pero a mucha distancia, se situaban RNE-Radio 1 y Ràdio 9, con 107.000 y 59.400 oyentes, respectivamente; cerraba una emisora privada de muy reciente creación, Punto Radio, con 41.100 oyentes. En el siguiente gráfico se ve el desequilibrio, siendo la barra 1 la correspondiente a la audiencia de las emisoras privadas, y 2, la de las emisoras públicas.

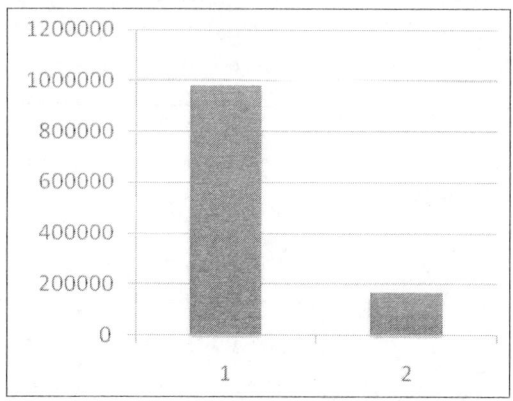

Gráfico 1. Audiencias de EGM de las radios valencianas privadas (1) y públicas (2). Fuente: 3º Acumulado EGM 2008. Elaboración propia

Con todo, las emisoras privadas presentan una serie de carencias: una creciente precariedad laboral, con profesionales que realizan numerosas horas extra que no cobran; escasa innovación en los programas al tener que ceñirse a un modelo de programación muy establecido; y diferencias en el uso de la lengua, dependiendo del ámbito de cobertura. Por ejemplo, el uso de la lengua en la ciudad de Valencia en las radios privadas es prácticamente residual.

Sin embargo, el uso del valenciano sí es más común en otras emisoras privadas, de gestión más modesta, que no han podido hacer frente a la competencia y han tenido también que replegarse e integrarse en grupos de comunicación. Tal es el caso de La 97.7 (Valencia), integrada en el Grupo Prensa Ibérica (que cuenta con numerosos periódicos regionales, como *Levante* o *Información*). En algunas ocasiones, esto tampoco ha sido suficiente. Un ejemplo sería el de Radio Zeta Mediterráneo de Castellón, una emisora del Grupo Zeta que sólo emitió durante unos pocos meses en 2001.

Un tercer grupo de emisoras privadas lo conforman emisoras independientes de ámbito local, de audiencias minoritarias y especialmente centradas en los programas culturales. Pese a este carácter minoritario, presentan programaciones muy interesantes y cuentan ya con una trayectoria amplia que les da un cierto prestigio como medio. Tal es el caso de Radio Escavia: se trata de una emisora de Segorbe que, desde 1993, es un auténtico motor cultural de la comarca del Alto Palancia. Lo mismo sucede con Ràdio Klara en Valencia, nacida en 1982 y de gestión asamblearia. No obstante, en los últimos meses, la crisis económica, la competencia de la TDT y también la competencia desleal de las emisoras ilegales han puesto en jaque a varias de estas emisoras, que ven peligrar su gestión privada e independiente. Lo que no se puede negar es que se trata de un modelo que aúna la experiencia gestora de las radios privadas (en el sentido de que presentan una teórica independencia respecto de la gestión pública) con los propósitos culturales de las emisoras públicas.

4. LA RADIO PÚBLICA: FRACASOS Y RETOS DE UN MODELO INACABADO

A la hora de estudiar el sistema de radio pública en la Comunidad Valenciana, hay que fijarse de manera especial en el ente radiotelevisivo autonómico, RTVV, y en Ràdio 9. Esta atención ha de hacerse no sólo por el papel de primera magnitud que ha venido protagonizando el ente en su propuesta de un modelo propio de radiodifusión, sino también en las constatables carencias (cuando no el fracaso) en la aplicación de este modelo en sus ya más de 20 años de funcionamiento. Es tal la magnitud del fiasco, que se ha convertido en un lugar común en la sociedad valenciana constatar este hecho, y no sólo por parte del mundo académico, sino también en la sociedad civil, las organizaciones sindicales y partidos políticos, e incluso entre los profesionales del sector. Los puntos más endebles de RTVV (la sumisión de los servicios informativos al partido en el gobierno de la Generalitat o la escasa potenciación —sobre todo en la televisión— del uso del valenciano), ampliamente analizados en el Capítulo 5 de este libro, son ya una realidad que se viene comentando desde hace años en los distintos foros sociales.

Sin embargo, los inicios del ente eran prometedores, por cuanto se trataba de ahondar en esa línea de descentralización mediática, de conseguir una cierta independencia de la agenda informativa establecida por los medios privados y de revitalizar la cultura valenciana, con las políticas lingüísticas como motor fundamental en este proceso. Con estos propósitos nace Canal

9 Ràdio (después Ràdio 9), que comenzó a emitir en septiembre de 1989, el mismo mes en que la Generalitat concedió 28 nuevas licencias de emisión en FM, y coincidiendo además con la puesta en marcha de la nueva programación de RNE 4 en la Comunidad Valenciana. El nacimiento de Ràdio 9 supone el inicio de una radio pública valenciana como consecuencia del proceso de estructuración autonómica por el que se permite a los distintos gobiernos de las comunidades autónomas crear sus propios entes de radio y televisión. Un proceso que inició la radio autónoma vasca, Eusko Irratia, fundada en mayo de 1982. En 1983 inicia sus emisiones Catalunya Ràdio (Corporació Catalana de Ràdio i Televisió). Le seguirían la gallega en 1985, dependiente de la Compañía de Radiotelevisión de Galicia, la madrileña en 1988, con la aparición de Onda Madrid, y Canal Sur Radio, que inicia sus emisiones en diciembre de 1988 (Peñafiel, 1992: 64-79).

Precisamente en este origen toman su sentido los objetivos y características fundacionales de Ràdio 9, cuya aplicación podremos valorar ahora con el paso de dos décadas de trayectoria. Ràdio 9 no nace con planteamientos competitivos ni comerciales. Lo hace con el objetivo de difundir información y entretenimiento, con el valenciano como lengua vehicular, para ir recuperando su uso. Las características del modelo de la radiotelevisión pública quedan reguladas por la Ley de Creación[1], cuyo preámbulo indica que la Ràdio Televisió Valenciana (RTVV) se concibe "como una voluntad política de asumir la responsabilidad de hacer avanzar la consolidación de la Administración Autonómica y la toma de conciencia de lo que nuestra diferenciación como pueblo supone, siendo el soporte preciso e inequívoco de nuestro desarrollo cultural propio". En este mismo texto, quedan especificados los principios básicos que se aplican a los medios de comunicación públicos, tales como la objetividad e imparcialidad, la protección de la infancia y la juventud, el respeto al pluralismo político, cultural y lingüístico, etc., el modelo de gestión pública de sus sociedades y el de financiación (que incluye los recursos publicitarios). También aparecen las funciones básicas de RTVV, y demás contenidos que se reproducen casi de igual manera en todas las leyes de creación de las radiotelevisiones públicas autonómicas.

En cuanto a sus instalaciones y estructura, desde su nacimiento Ràdio 9 ha contado con una plantilla aproximada de 40 personas, distribuidas en los centros de emisión de Valencia, Castellón y Alicante. Unas instalaciones que, contrariamente a lo que ha ocurrido con la radio comercial de carácter

---

[1]   Ley 7/1984, de 4 de julio, de creación de la entidad pública de RTVV y regulación de los servicios de radiodifusión y televisión de la Generalitat Valenciana.

privado, siempre se han caracterizado por la calidad de su equipamiento material y tecnológico.

Sin embargo, esta calidad en las instalaciones no se ha visto reflejada en una calidad diferenciada de su parrilla de programación ni en el volumen de audiencias. La parrilla la protagonizan los espacios informativos y un magazine en la franja de mañana, y, ya por la tarde, completan la oferta diversos programas de entretenimiento y espacio informativo, con contenido también musical. Desde sus orígenes Ràdio 9 no ha conseguido audiencias masivas[2], lo que delata la carencia de esa identificación del pueblo valenciano con el medio, precisamente una de sus características fundacionales. Y es que la confusión de la gestión pública con la dependencia y servidumbre política, en todas las etapas de la historia del medio y con todos los partidos políticos que han gobernado, ha mermado el prestigio de la labor social que como medio debe percibir la audiencia que cumple la radio pública valenciana.

Las críticas a la gestión de RTVV han sido, como decimos, constantes y motivo de confrontación entre los partidos políticos, llegando al extremo de denunciar el PSPV-PSOE la manipulación informativa ante el Tribunal Constitucional[3]. Si bien es cierto que las críticas se dirigen más hacia la televisión que hacia la radio, ello se debe a la mayor penetración social del medio televisivo. Y, en cualquier caso, la radio autonómica también padece esta percepción negativa del público, que no ve una gestión profesionalizada al frente de este medio (una tendencia que sí se ha seguido en otros países europeos), sino una gestión politizada. Unos planteamientos que acaban por ponerse en contra del poder político, con acusaciones de favoritismos que se traducen además en esa merma en las audiencias y, por tanto, no sólo en menor espacio publicitario y mayor coste a las arcas autonómicas valencianas, sino que también se reduce considerablemente la repercusión en su labor social como medio de comunicación.

---

[2]   A este respecto, y añadiendo un dato más a los expuestos en el gráfico arriba señalado, basta con echar un vistazo al resumen del EGM que publica la Asocación para la Investigación de Medios de Comunicación (AIMC) en su página web, http://www.aimc.es. Ahí se ve que en el resumen de abril de 2008 a marzo de 2009 Ràdio 9 es la menos escuchada de las emisoras autonómicas citadas anteriormente (con la excepción de Onda Madrid), superada incluso por las radios vasca y gallega, con un ámbito de cobertura menor.

[3]   El hecho se produjo en 2008 y lo recogió el diario *El País*: http://www.elpais.com/articulo/Comunidad/ Valenciana/PSOE/llevara/Constitucional/manipulacion/Canal/elpepiespval/20080215elpval_3/Tes/

El otro gran fenómeno que ha acompañado en las últimas décadas al surgimiento de las radios autonómicas es el relativo a las emisoras de titularidad municipal. Y de nuevo se trata de un fenómeno que ofrece una sensación de proceso inacabado, incompleto, como un recorrido que sólo a llega a mitad de camino. Frente a su concepción teórica como una red de emisoras que habría de poner el acento de articulación territorial que se escapa a los medios de cobertura nacional, lo cierto es que la experiencia ha puesto sobre la mesa una serie de problemas de difícil solución. Básicamente, nos volveríamos a encontrar con un modelo bien pensado pero mal ejecutado, con unas emisoras dependientes de unos presupuestos municipales que no apuestan por el crecimiento de las plantillas de trabajadores y la profesionalización, de tal manera que es habitual encontrar en las emisoras municipales una estructura en la que los estudiantes en prácticas y los contratos eventuales conforman su parte mayoritaria. Este marcado carácter amateur redunda en una dificultad casi endémica a la hora de ofrecer productos informativos que puedan contrarrestar la fijación de la agenda pública ejercida por los medios con sede en Madrid.

De todas maneras, con sus claroscuros, la historia de las emisoras locales demuestra una serie de principios (los ya comentados en los medios públicos sobre la potenciación de la diversidad cultural) que se han visto más eficaces y menos polémicos que las del ente autonómico. Y es curioso que estas emisoras cuenten con una tradición ciertamente estable en la Comunidad Valenciana. El desarrollo de las emisoras locales en España se produce en la década de 1990, aunque en la Comunidad Valenciana será anterior, y ya a principios de la década de 1980 el éxito y la proliferación de las emisoras privadas comerciales incidieron en el interés por parte de los ayuntamientos de abrir emisoras de ámbito local para cuya gestión se crearían sociedades públicas o, en la mayoría de los casos, sería el propio ayuntamiento el que gestionara estas emisoras, que nacen con la vocación de servir como medio de comunicación social y cultural.

A partir de la segunda mitad de 1980, las emisoras municipales van cogiendo más forma y peso, y en septiembre de 1985 las competencias en materia de medios de comunicación se traspasan a la Generalitat Valenciana. Es entonces cuando la Dirección General de Medios de Comunicación realiza un listado con las solicitudes de FM que habían realizado los ayuntamientos de la Comunidad Valenciana[4]. Realizaría un segundo informe, elaborado por

---

[4]   En ese informe aparece un listado de 6 ayuntamientos y una diputación que habían realizado la solicitud al Ministerio de Cultura, acogiéndose al Real Decreto de 30

la Dirección General de Medios[5], a finales de 1986. En este documento se analizaba la situación en municipios de entre 10.000 y 100.000 habitantes, hecho que delata que la Generalitat Valenciana preveía que era en este tipo de municipios en el que iban a proliferar más las radios municipales. No sería hasta 1991 cuando se apruebe su normativa reguladora[6] para este tipo de entes, y es a partir de ese momento cuando proliferarían todavía más las solicitudes para crear emisoras municipales.

No obstante, y al margen de haber solicitado su permiso o no, es patente que en esos años abunda la apertura de emisoras municipales en muchas localidades de la Comunidad Valenciana, donde se pasa de una etapa de alegalidad a otra de adaptación a los principios que establecía la ley. Esta evolución da lugar a toda una serie de peculiaridades y características que se han de tener en cuenta: la radio municipal es una radio local, pero frente a las emisoras locales de titularidad privada, éstas lo son de titularidad pública, y por tanto deben responder al objetivo de comunicar información social y cultural del entorno más cercano del oyente. No pueden ser meros postes repetidores de señal. Por el contrario, las emisoras locales de titularidad privada pueden servir de apoyo a la emisión de las cadenas comerciales nacionales, por lo que en su parrilla de programación habrá contenido nacional, con desconexiones de información local (entendiendo no sólo la municipal, sino también la comarcal o provincial).

En cuanto al uso del valenciano en las radios municipales, éste suele corresponderse con las características sociolingüísticas del ámbito de recepción. Así, en las comarcas con mayor predominio lingüístico del valenciano, entre el 80% y el 100% de la programación se emite en valenciano; sin embargo en aquellas zonas donde predomina el uso del castellano, el valenciano ocupa entre el 40 y el 70% de los contenidos emitidos.

En la actualidad, después de casi tres décadas del inicio del fenómeno de las emisoras municipales en la Comunidad Valenciana, es complicado establecer la cantidad de este tipo de emisoras que continúan emitiendo. Las

---

de agosto de 1980. En un segundo listado aparecían 5 ayuntamientos que habían realizado su solicitud ante la Dirección General de Medios de Comunicación Social de la Generalitat Valenciana. El informe se completa con un listado de emisoras municipales que, con toda probabilidad, estarían emitiendo a pesar de no tener los permisos concedidos para ello: un total de 13 municipios.

[5]   Dirección General de Medios de Comunicación Social, Generalitat Valenciana, expediente nº 43/86

[6]   Ley 11/1991, de 8 de abril, de organización y control de las emisoras municipales de radiodifusión sonora.

estimaciones reales en la práctica son de más de una cuarentena, aunque atendiendo a fuentes oficiales, como la Guía de la Comunicación de la Comunidad Valenciana, o la Agenda de la Comunicación de medios de España, el número "oficial" de estas emisoras es considerablemente más reducido. Este hecho puede deberse en parte a lo siguiente: que concesiones aprobadas ya al inicio de este fenómeno en la Comunidad se hayan abandonado por falta de interés en esos municipios, o por falta de recursos o proyectos estables de continuidad para estas sociedades. En otros municipios el proceso ha sido distinto: aun sin contar con la pertinente concesión, se ha podido comenzar a emitir, con lo cual esa emisión no consta en ningún informe oficial.

No obstante, las emisoras locales, y también las municipales, se enfrentan actualmente a un reto que no se puede obviar: el nacimiento de las emisoras de radio digital y, con ellas, todas las oportunidades de difusión que ofrece Internet a cambio de un mínimo de recursos materiales e infraestructura. Esta innovación con multiplicidad de recursos frente a la radio tradicional se lo puede poner mucho más complicado en los próximos años a la continuidad de proyectos de radio municipal, cuyo coste material es significativamente superior.

Por último, en el análisis de la radio pública valenciana nos encontramos con el caso de las delegaciones territoriales de RNE, un caso que plantea la adaptación del medio a un nuevo sistema mediático (una transición que no es del todo completa). Ahí tenemos uno de sus canales, Radio 1, que funciona como un medio privado de titularidad pública: su programación es muy similar a las parrillas de las emisoras privadas y, al igual que ellas, las delegaciones territoriales prácticamente se limitan a tramos de desconexión local. En un contexto de desarrollo de la descentralización edificado sobre el esquema arriba descrito (radio autonómica y radios municipales), la tradición de RNE parece jugar en su contra en algunos sentidos.

Sin embargo, el esfuerzo de adaptación de RNE ha sido no sólo loable, sino que también ha llegado a capitanear algunos de los aspectos clave de la radio valenciana. Sobre todo en dos puntos: en la consideración de los valores que ha de enarbolar un medio público, y en el uso del valenciano. Así, encontramos que ya en 1973 empezó a emitirse en RNE el primer programa en valenciano, "De dalt a baix". La preocupación por el uso del valenciano ha sido constante en todas sus vertientes: de ahí que haya organizado cursos de formación y perfeccionamiento para los profesionales de la información, en colaboración con la Conselleria de Cultura, Educación y Ciencia. Y no hay que olvidar, además, la existencia del Consejo Asesor de RTVE en la Comunidad Valenciana, que ha venido realizando las funciones que le encomienda el Estatuto: la elaboración de propuestas técnicas y de programación para su posterior estudio, y la realización de un informe anual sobre el estado de los medios de comunicación de titularidad pública en la Comunidad Valenciana.

La oferta de RNE se completa con Radio 2, de contenido musical y especializada en música clásica, y Radio 3, también radiofórmula, aunque en este caso dirigida a un público más joven. Los contenidos de ambas programaciones se emiten íntegramente desde Madrid, sin desconexiones territoriales, aunque sí con aportaciones de los distintos centros de RNE a la programación en cadena. Por su parte, Radio 5 era la que contaba inicialmente con más desconexiones territoriales y, por lo tanto, con mayor contenido local, provincial o autonómico. Sin embargo, su posterior especialización en la emisión de noticias (Todonoticias) comportó también la centralización de su contenido.

RNE, y por extensión RTVE, llevó también a cabo en 2008 la renovación de su página web[7]. La renovación comportó la conversión de una web rudimentaria en un auténtico portal de referencia para las radios, con un amplio menú que abarca desde noticias hasta los blogs, pasando por los *podcasts*. Sin embargo, la nueva web plantea también algunas de las carencias que siguen sin resolverse en los medios de cobertura nacional: la escasa (por no decir nula) atención a las programaciones locales. Un asunto que nos lleva al último punto, los retos que plantean las nuevas tecnologías para la radio valenciana.

5. CONSIDERACIONES FINALES: DIGITALIZACIÓN Y RETOS PENDIENTES

La indefinición de un modelo propio de radio valenciana, una de las conclusiones principales a las que llegamos en este análisis, no sólo supone un problema echando un vistazo retrospectivo a lo que ha sido la radiodifusión en la Comunidad Valenciana en los últimos 30 años: supone también una preocupante perspectiva de futuro. Porque los problemas se arrastran en el retraso a la hora de apostar por la radio digital. El debate sobre la implantación de la radio digital es ya largo, y muchas pueden ser las circunstancias de este retraso: desde los costes de la renovación tecnológica o la necesidad de establecer un estándar único (Martínez-Costa, 1997: 55-60)

---

[7]   Se puede ver en http://www.rtve.es. Para ver lo referente a RNE, hay que entrar en http://rtve.es/radio

hasta la obvia redefinición del estatuto comunicativo de la radio (Cebrián Herreros, 2001: 21). En la actualidad, la falta de concreción de un calendario para el apagón analógico y la implantación de la radio digital hace que las nuevas tecnologías se encuentren, en el caso de la radio, en una situación de espera.

Así, el impacto de las nuevas tecnologías en la radiodifusión valenciana se antoja muy limitado. Las experiencias se limitan a la mejora de las páginas web (como el ejemplo ya señalado de RNE) y a su conversión en portales de noticias, de modo que las nuevas tecnologías suponen una implementación del modelo de radio informativa (una página web vinculada a la radio y que ofrece más noticias) y una visión de internet como un servidor para el archivo de programas ya emitidos.

El nuevo paradigma que ha de incorporar la radio digital sólo se puede definir, de momento, mediante aproximaciones de lo que comportará: una mayor capacidad de decisión del oyente, con la configuración de menús personalizados de escucha y la ruptura de la linealidad de recepción impuesta por el emisor. Será el oyente quien decida cuándo escuche qué programa, de una manera más generalizada a como ocurre hoy en día. De hecho, hoy sólo emiten por internet menos del 10% de las emisoras de la Comunidad Valenciana.

Estos cambios deberían afectar en buena medida a las radios autonómicas y locales, por el componente descentralizador que ofrece la digitalización. Sería un buen momento para redefinir el modelo radiofónico valenciano. Un modelo que, como hemos expuesto, presenta como principales problemas una excesiva dependencia de las grandes corporaciones en la gestión privada y poco empuje político en el caso de la radio pública. Todo ello pese a las posibilidades comunicativas, que siguen totalmente vigentes en un medio que ha servido para explicar la sociedad valenciana de los últimos cien años.

BIBLIOGRAFÍA

BALSEBRE, Armand (1994): *La credibilidad de la radio informativa*. Barcelona: Feed-Back.

BALSEBRE, Armand (2001): *Historia de la radio en España. Volumen I (1874-1939)*, Madrid: Cátedra.

BALSEBRE, Armand (2002): *Historia de la radio en España. Volumen II (1939-1985)*, Madrid: Cátedra.

BORDERÍA, Enrique y MILLÁN (1999): "La radiodifusión valenciana en la Guerra Civil (1936-1939), en VALLÉS, Antonio, coord. (1999): *Historia de la radio valenciana (1925-1998)*, Valencia: Fundación Universitaria San Pablo CEU. pp. 79-119

CEBRIÁN HERREROS, Mariano (2001): *La radio en la convergencia multimedia*. Barcelona: Gedisa.

DE LA FUENTE, Manuel y PERIS, Àlvar (2004): "Perspectives de la ràdio valenciana", en *Serra d'Or*, n° 535-536. pp. 17-19.

DE LA FUENTE, Manuel (2007): "La recerca en comunicación en el País Valencià. Estudis sobre la ràdio", en *Treballs de Comunicació*, n° 22. pp. 185-195.

GARITAONAINDÍA, Carmelo (1988): *La radio en España (1923-1939). Del altavoz musical a arma de propaganda*, Madrid: Siglo XXI-Universidad del País Vasco.

MARTÍNEZ-COSTA, María del Pilar (1997): *La radio en la era digital*, Madrid: El País-Aguilar.

MENÉNDEZ, Manuel (1999): "Crisis y transformación de las ondas en la etapa de la apertura y los planes de desarrollo. La radio valenciana en los sesenta (1964-1977)", en VALLÉS, Antonio, coord. (1999): *Historia de la radio valenciana (1925-1998)*. Valencia: Fundación Universitaria San Pablo CEU. pp. 215-253.

MILLÁN, María José y SANFELIU, Antonio (1999): "Historia de Radio Nacional de España en la Comunidad Valenciana", en VALLÉS, Antonio, coord. (1999): *Historia de la radio valenciana (1925-1998)*, Valencia: Fundación Universitaria San Pablo CEU. pp. 355-383.

PEÑAFIEL, Carmen (1992): *Radios autonómicas y transformaciones de la radio entre 1980-1990* [tesis doctoral], Vizcaya: Universidad del País Vasco.

REIG, Ramón (1998): *Medios de comunicación y poder en España*. Barcelona: Paidós.

SELVA, Enrique (1999): "Ondas para después de una guerra", en VALLÉS, Antonio, coord. (1999): *Historia de la radio valenciana (1925-1998)*. Valencia: Fundación Universitaria San Pablo CEU. pp. 121-154.

XAMBÓ, Rafael (2001): *Comunicació, política i societat. El cas valencià*. Valencia: Edicions 3i4.

VALLÉS, Antonio, coord. (1999): *Historia de la radio valenciana (1925-1998)*, Valencia: Fundación Universitaria San Pablo CEU.

8
LA TELEVISIÓN EN LA COMUNIDAD VALENCIANA

ÀLVAR PERIS BLANES
Universitat de València

JÉSSICA IZQUIERDO
Universitat Jaume I

IGNACIO LARA
Universidad Miguel Hernández

1. INTRODUCCIÓN

La televisión comenzó a emitir en la Comunidad Valenciana en 1960, expandiéndose lentamente hasta conseguir prácticamente su implantación en todos los hogares de la región. Primero de la mano de la Televisión Española. Posteriormente con la llegada de la televisión autonómica Canal 9, y por último con las privadas, el satélite, la TDT, el teléfono móvil e Internet. Así, y con esta colección de opciones, es posible consumir televisión a la carta por Internet, 24 horas al día mediante los canales temáticos o cualquier cadena de cualquier rincón del mundo. Lo que sigue a continuación es un análisis de las características, peculiaridades, historia y progreso tecnológico de la Televisión en la Comunidad Valenciana.

2. HISTORIA Y TECNOLOGÍA

La Televisión se introdujo en la Comunidad Valenciana en febrero de 1960, varios años después de que lo hiciera, de forma oficial, en España, el 28 de octubre de 1956. Anteriormente, se había producido una serie de pruebas y exhibiciones con carácter experimental que tenían como objetivo presentar el medio que desbancaría a la radio y sus privilegios dentro del hogar.

La llegada de la televisión no se produjo sobre terreno inexplorado. Durante la II República destacaron publicaciones y revistas radiofónicas que debatían sobre lo que constituiría la Televisión, una década antes de que se produjeran las primeras experiencias en España, adelantando, incluso, especificaciones técnicas de lo que sería el invento. Pero para hablar de demostraciones públicas de lo que la Televisión, tal y como la concebimos hoy en día, podía ofrecer, es necesario situarse en el año 1948. En un momento donde las emisiones se daban de forma regular en Gran Bretaña y en Estados Unidos, Madrid y Barcelona se convirtieron en testigos de su funcionamiento ese verano gracias a la empresa holandesa Philips y la norteamericana RCA.

Philips organizó unas pruebas televisivas dentro de la *XVI Feria Internacional de Muestras de Barcelona*, del 10 al 29 de junio, que consistían en la emisión en directo desde un estudio de programas con notas musicales y artísticas. La empresa holandesa preparó el evento con todo detalle, desde el equipamiento técnico con equipos de transmisión, receptores y accesorios, hasta una rudimentaria rejilla de programación compuesta por dieciséis programas de diez minutos de duración durante una hora por las mañanas y casi tres horas por las tardes. El resultado fue una gran acogida por parte del público asistente a la feria, que permanecía esperando en largas colas para poder asistir al espectáculo. Sin embargo, la empresa norteamericana RCA no tuvo tanto éxito. Junto a su representante en España, la distribuidora cinematográfica Rey Soria Films, quisieron sorprender con un evento al aire libre, por lo que escogieron la novillada del 8 de agosto de la plaza Vista Alegre de Madrid que sería transmitida hacia el Círculo de Bellas Artes. A pesar de poseer medios técnicos apropiados, la prueba no tuvo éxito, al parecer debido al estado deficiente de la tensión de la red eléctrica española. La decepción fue tal que generó malestar y el público reclamó, indignado, el importe de su entrada.

Superadas las pruebas iniciales, la década de los cincuenta trajo consigo las emisiones habituales de lo que más tarde se convertiría en Televisión Española. En 1951 se preparó el terreno administrativo con la creación del Ministerio de Información y Turismo, al que se adscribieron las competencias en servicios de radiotelevisión. En 1954 se preparó el lanzamiento de la Televisión y se nombraron los cargos de jefe de servicios técnicos de televisión (Sánchez Cordobés) y jefe de programas (José Luis Colina). También se incorporan los nuevos locutores: Blanca Álvarez, Laura Valenzuela, Jesús Álvarez, David Cubedo o Matías Prats. Alfonso Lapeña era el responsable de producción.

Finalmente, el 28 de octubre de 1956 se fechó como la entrada oficial de la televisión en España, y lo hizo dejándose ver únicamente en Madrid y alrededores, a las 20:30, con una programación integrada por una misa, discursos oficiales, dos entregas del No-Do, la emisión de reportajes filmados y las actuaciones de orquestas y de los Coros y Danzas falangistas.

Uno de los principales problemas para conseguir implantar la Televisión era alcanzar cobertura en otras comunidades. La propia orografía española dificultaba el transporte de la señal, por lo que se tuvieron que instalar emisoras en puntos elevados de la geografía de forma estratégica. La señal de Televisión ha viajado principalmente desde entonces, y hasta la llegada de la tecnología digital, por ondas hertzianas, que, en el caso de la Televisión, se conocen como UHF (*Ultra High Frequency* o frecuencia ultra alta). Esta técnica se basa en la modulación de la señal eléctrica en la que la cámara de televisión convierte la luz. Esta señal, convenientemente procesada, se propaga por medio del espectro de radiofrecuencia. Para que pueda trasladarse necesita una red de remisores (repetidores) que cubran convenientemente el territorio.

En 1957 comenzaron a instalarse emisoras para configurar la red. Con la ayuda de un suplemento de crédito de 61 millones de pesetas, se procuró alcanzar, entre otras, la zona de Valencia. La voluntad de incluir dentro de la cobertura de TVE el territorio valenciano aceleró la llegada de la Televisión a la Comunitat, con una fórmula provisional que consistía en la instalación de dos reemisores de 50 W ubicados, uno en Monte Caro (Tarragona), y otro en Monte Garbí (Valencia), cercano a Sagunto. El primero se situó en el término municipal de Roquetas, desde donde recibía señal del centro de Tibidabo y se reemitían hacia las poblaciones del norte de Castellón, así como las del este de Teruel y las del sur de Tarragona. Desde el Monte Garbí se recibía la señal del reemisor de Monte Caro, por lo que podía reenviarla hacia Valencia y otras poblaciones cercanas. No sería hasta 1962 cuando se produjo la instalación del centro emisor de Aitana, que entró en servicio el 18 de julio de ese año, con una emisora de 10 kilovatios. Fue ubicado en la sierra alicantina de la que toma el nombre, a una altura de 1.520 metros sobre el nivel del mar, en el término de Confrides. *Aitana* también daría nombre al primer informativo emitido desde el centro territorial de TVE Valencia y, a partir de entonces, éste y los sucesivos serían conocidos como tal. *Aitana* daba servicio a Castellón, Valencia y Alicante, así como a Albacete, a las Islas Baleares y a Murcia y parte de Almería

Por lo tanto, Valencia pudo recibir señal en febrero de 1960 gracias a los primeros emisores instalados. Lo hacía después que Barcelona, Castilla León y Castilla La Mancha. Más tarde llegaría a Bilbao, donde la recibían un día después de su emisión, al igual que en Canarias, donde se pudo ver televisión a partir de febrero de 1965. Galicia y Sevilla también experimentaron cierto retraso en la llegada de la televisión, aunque menos que las islas, con la recepción de la señal en octubre de 1961.

Además de la ampliación de la cobertura, otro factor fundamental para el desarrollo de la televisión era aumentar el parque de receptores. Se calcula que a principios de los sesenta sólo 50.000 familias en todo el país disponían de un televisor, considerado todavía un producto de lujo. Con el fin de incentivar su expansión, fue anulado el impuesto agravado sobre este tipo de artículos de alto nivel y se permitió su venta a plazos. Las medidas funcionaron relativamente bien, ya que a finales de la década se calculaba la existencia de tres millones y medio de aparatos. Esto no significaba que el resto de la población no viera la Televisión, ya que proliferó, sobre todo en las zonas rurales, la práctica de la visión colectiva en casa de familiares o amigos y en los extendidos teleclubes y bares.

En cuanto a la producción televisiva, Madrid constituyó el núcleo hasta 1959. En julio de ese año comenzaron a realizarse programas desde Barcelona, en unas modestas instalaciones situadas en el hotel Miramar. La Comunidad Valenciana contaría con su propio centro territorial años después, en 1971, con sede en los locales de la calle Navarro Reverter de Valencia. Rápidamente fueron conocidos como *Aitana*. El 6 de febrero de 1982 un incendio destruyó las instalaciones, aunque ese mismo día los servicios informativos territoriales pudieron emitir de forma regular desde el garaje que la emisora tenía en Torrent. En marzo inauguraron nuevas instalaciones, y lo hicieron con la emisión del informativo en color. El centro permanecería en la nueva sede, situada en la calle Lebón de Valencia hasta 1994. Un año después, Joan Lerma y Jordi García Candau firmaban un acuerdo por el que la Generalitat Valenciana concedía a RTVE el edificio Hispavisión por un periodo de diez años. Cumplido el plazo, la Generalitat anunció su intención de no prorrogar la cesión del emplazamiento. Tras tensas negociaciones, el gobierno valenciano consiguió su objetivo de introducir contenidos elaborados por la propia presidencia dentro de la programación de TVE Valenciana, quien tuvo que aceptar para no perder su sede en Paterna.

El uso del valenciano en los informativos de TVE Valencia durante la Transición provocó malestar y protestas, ya que el centro también cubría el territorio de Murcia y Albacete. Además del fomento de la cultura y la lengua regionales, un aspecto estratégico de la descentralización parcial de los contenidos fue la captación de ingresos de publicidad adicionales, lo que se conseguía con las desconexiones. El fomento lingüístico y cultural se adoptó como objetivo primordial para la implantación de los canales autonómicos.

La televisión en la Comunidad Valenciana experimentó un nuevo avance con la aprobación de la instalación de Radio Televisió Valenciana (RTVV). Con los cambios acontecidos en España a raíz de la transición democrática,

TVE se reveló incapaz de cubrir las necesidades de cada una de las comunidades autónomas que componían el territorio. El propio estatuto jurídico de RTVE preveía, el 10 de enero de 1980, la creación de terceros canales. A diferencia de otros canales autonómicos, como el del País Vasco, Cataluña y Galicia, la Comunitat Valenciana sí utilizó la red de RTVE para su canal autonómico. La andadura de RTVV comenzó con su aprobación, el 4 de julio de 1984, por parte de las Cortes Valencianas. En 1988 se constituyó el Consejo de Administración y se nombró a su primer Director General. Coincidiendo con el día de la Comunitat, el 9 de octubre de 1989, tras un mes de pruebas, comenzaron las emisiones oficiales. Primero sería Canal 9, con una programación de vocación generalista, aunque enfocada hacia los temas de las provincias valencianas. Más tarde, el 9 de octubre de 1997, llegaría Noticies 9 (convertida en Punt 2 el 1 de mayo de 1999). Sobre un terreno de 30.000 metros cuadrados, RTVV se asienta a las afueras de Valencia, en el término municipal de Burjassot. El centro cuenta con cuatro unidades móviles dotadas de la tecnología necesaria para emitir en directo audio y video a través de los enlaces pertinentes. Con la digitalización de la televisión, RTVV ofrece audio estéreo y dual, y está preparada para la emisión de su programación en Palplus.

A pesar del objetivo de las televisiones autonómicas de contribuir al desarrollo lingüístico de la comunidad, lo cierto es que Canal 9, como primera cadena de RTVV, no ofrece un servicio integral en valenciano. De esta forma, los programas de producción propia, como los informativos o los magacines, utilizan la lengua autonómica, mientras que los programas adquiridos a través de la FORTA (Federación de Organismos o Entidades de Radio y Televisión Autonómicos) y la mayoría de las series y películas de ficción o documentales se emiten en castellano, al igual que la publicidad. La emisión íntegra en valenciano se reserva para Punt 2, el segundo canal de RTVV y el canal de emisión 24 horas, 24/9.

En el espacio analógico, a la presencia de TVE Valencia y de los canales de RTVV hay que añadirles la multitud de televisiones locales que se propagaron por toda la Comunitat Valenciana, a falta de una normativa reguladora que legitimara su condición. Finalmente, ésta se adoptó aprovechando la regulación que exigía la reconversión tecnológica hacia la Televisión Digital Terrestre (TDT).

Hasta la digitalización de la televisión han existido, y coexisten con la TDT, otras formas tecnológicas televisivas, como son el satélite y el cable, que requieren la instalación de antenas, por un lado, y redes de cable coaxial o de fibra óptica, por otro, así como descodificadores de señal. La TDT también exige un descodificador que permita descomprimir la señal codificada en valores numéricos de formato binario. Gracias a la compresión, la TDT multiplica el aprovechamiento del espectro radioeléctrico, permitiendo transmitir entre tres y cinco programas por cada canal UHF (conocidos como *multiplex*), o utilizar el espacio para aumentar la calidad o para establecer una vía de retorno que permita la interactividad con el usuario.

Con la ampliación de la oferta de canales que permite la TDT, RTVV queda constituida por:

- Canal 9: primer canal autonómico de corte generalista e informativo.

- Punt2: segundo canal autonómico, que complementa la programación de Canal 9 con producción íntegramente en valenciano.

- 24.9: tercer canal de televisión autonómica valenciana de la TDT, que se centra en los espacios informativos programados en el resto de cadenas de TVV, a lo que añade un boletín informativo cada 30 minutos como complemento.

- TVVi Canal Internacional.

Además, la Comunitat Valenciana cuenta con licencia de TDT en cinco canales autonómicos y 44 canales locales adjudicados. De estos últimos, únicamente uno es de gestión pública y el resto de gestión privada.

3. LA TELEVISIÓN PÚBLICA EN LA COMUNIDAD VALENCIANA

Resulta prácticamente imposible establecer un mapa completo y cerrado de las televisiones que operan gracias a una licencia de TDT, por Internet, vía satélite o sin licencia alguna. Las causas son varias. La primera, el vacío legal que, a pesar de las concesiones otorgadas por la Administración y la posibilidad de emitir por analógico hasta abril de 2009, ha provocado que muchas televisiones hayan lanzado su programación sin autorización o licencia aprovechando ese espacio de caos y desorganización. El segundo motivo es la aparición de Internet como medio de comunicación incontrolable y abierto. Cualquier persona, entidad o administración puede *colgar* en la web una televisión online sin tener que solicitar autorización.

Otros factores que nos impiden establecer un censo concreto de televisiones públicas o privadas son:

1.-La facilidad y escasa inversión que conlleva crear una televisión en Internet. El coste es muy accesible, ya que con tan sólo un soporte informático y de software y una cámara doméstica es posible su constitución.

2.-El estado de salud de la economía mundial. La crisis económica, demoledora en los últimos años de la primera década del siglo XXI, ha tenido como víctima más débil el sector comercial de la publicidad, y por tanto los medios menos consolidados. Y en ese perfil encajan las televisiones más pequeñas, públicas y privadas. Tan fácil es crearla como sacrificarla. Citaremos al menos un ejemplo que certifica esta afirmación: la cadena de televisiones locales-comarcales de la Comunidad Valenciana Tele 7, una corporación privada —aunque notablemente vinculada a la Administración por lo que respecta a financiación publicitaria— que a finales de 2009, con sólo dos años de existencia, ya había cerrado sus centros de producción de Alcoy y Elda.

3.-Muy complicado es, por otra parte, identificar —a excepción de las cadenas TVE en la Comunidad Valenciana, Canal 9, la televisión por Internet de la Diputación de Castellón, el portal Mediauni de la Universitat de Valencia o las web tv de la Generalitat Valenciana o una cadena local municipal, como Tele Ontinyent (Valencia)— qué cadenas son de titularidad pública o privada. Muchas de las cadenas privadas —sobre todo locales por TDT y por Internet— son de titularidad privada, pero se nutren en un porcentaje elevado de fondos públicos, así como de contenidos marcados por entidades públicas. Pondremos como ejemplo Tele Mariola en Alcoy, televisión local dependiente del grupo alicantino Tabarca y en teoría de titularidad privada. No obstante, en el último año recibió cantidades superiores a 100.000 euros del Ayuntamiento de Alcoy en concepto de publicidad y más de 80.000 en las elecciones municipales de 2007[1]. Además, obtuvo otras cantidades no especificadas de la Diputación de Alicante.

Un elevado porcentaje de las cadenas locales privadas de la Comunidad Valenciana sobreviven gracias a la aportación publicitaria de las distintas administraciones públicas, un hecho económico relevante pero también un indicador del grado de control que sobre estas cadenas disponen esas entidades. Es el caso de Tele Elx (una de las más antiguas de la Comunidad, puesto que data desde el año 1986) o Ribera Televisión en Valencia, por citar alguna de ellas. Su existencia sería cuestionable si no contara con el apoyo institucional.

Quizás por todas estas razones esgrimidas, fuentes consultadas en las distintas provincias de la Comunidad, como la Asociación de la Prensa de Alicante, o en el ámbito global la Asociación para la investigación de Medios

---

[1] Datos publicados en la prensa local (*Información* de Alicante, *Ciudad de Alcoy* y www.alcoidigital.com)

de Comunicación (AIMC), facilitan un listado de televisiones actualizado que si se contrasta con la realidad, poco o nada tiene que ver con esta. La primera conclusión que extraemos de sus listados es que no queda claro en ningún momento la diferenciación entre televisiones públicas y privadas; especialmente por lo que respecta a cadenas locales o emitidas por Internet. De hecho, el fenómeno Internet no está siquiera investigado o catalogado por estas entidades. Catalogar o encajar en un listado las televisiones públicas locales o por Internet no es posible en la actualidad y, por tanto, su análisis se debe realizar de manera orientativa o aproximada.

Si destripamos el censo de televisiones de la Asociación de la Prensa de Alicante, comprobamos que existen 18 cadenas que emiten con regularidad. Públicas, únicamente TVE y Canal 9. Además, contabiliza como cadena de televisión a productoras privadas como Media Press (nutre a TVE de contenidos), pero no a otras como Videorepor que actúa como corresponsal de programas como Gente de TVE (por tanto, pública) o para Canal 9 con su corresponsalía en Elche. De esta manera, es imposible delimitar qué empresas televisivas son públicas o cuáles son privadas, puesto que gran parte de las productoras trabajan para cadenas públicas. Por otra parte, la creciente inestabilidad del sector y la profunda crisis han provocado el cierre de alguna cadena que todavía figura en el listado de la Asociación de la Prensa de Alicante como emisora de contenidos. Es el caso de Canal 55 Benidorm o Libertad Digital de Elche, ambas sin emisión.

En el caso de Castellón ciudad, en la actualidad figuran 3 cadenas, todas ellas privadas (TV de Castellón, Canal Castellón y Castalia TV) y únicamente una pública que, además, sólo se emite por Internet y que constituye un claro ejemplo de la perfecta comunión que se está estableciendo entre el universo Internet y el televisivo. www.dipcasetv.es es un magnífico referente de televisión pública, por Internet y a la carta (el usuario escoge cuándo y qué contenidos desea visualizar).

Por último, el universo Internet, amplio e incontrolable, se presenta como un escenario ideal para la creación de televisiones públicas de bajo coste y gran rentabilidad por lo que se refiere a difusión e implantación, también imposible de catalogar o acotar en un índice de entidades públicas que lanzan sus contenidos audiovisuales por Internet. Eso sí, los podríamos clasificar en dos apartados: Televisión a la carta y Televisión vía *streaming*.

La primera de ellas es la más evolucionada por el momento. Entidades públicas como la Diputación de Castellón, el portal web tv de la Generalitat Valenciana, la Ciudad de las Artes o el canal a la carta de la Cámara de Comercio e Industria de Alcoy (www.camaraalcoy.net) han desarrollado portales que permiten al usuario consumir contenidos audiovisuales a la carta; es decir, según la elección de contenidos del propio consumidor.

El segundo mecanismo, el del *streaming*, sin duda el camino de emisión por Internet del futuro, permite en emitir en directo, falso directo o por supuesto en diferido, contenidos audiovisuales. Este método no se ha implantado todavía porque las empresas audiovisuales optan por las concesiones digitales (TDT) por encima de Internet por la sencilla razón de que los hábitos sociales televisivos de los usuarios les conducen a visionarla preferentemente a través del aparato receptor tradicional (la televisión). Por último, otras entidades públicas confeccionan sus improvisados escaparates audiovisuales constituyendo un sencillo canal en *youtube*.

Dentro de la confusión que reina a la hora de delimitar, catalogar y descifrar la titularidad pública o privada de las televisiones de la Comunidad Valenciana, analizaremos brevemente la naturaleza y el contenido de las emisoras públicas por excelencia (TVE y Canal 9), así como el ejemplo de una televisión pública de ámbito local que cuenta con una reconocida trayectoria (TVOntinyent).

3.1. RTVE

Como hemos destacado anteriormente, el nacimiento de la producción audiovisual territorial de TVE se produce con la puesta en funcionamiento en 1962 de la antena emisora Aitana, creada para dar cobertura a las provincias de Alicante, Valencia, Castellón, Albacete, Murcia, parte de Almería y las Islas Baleares. Los avances se consolidan en 1974 cuando se emite por primera vez el Informativo *Aitana*, que en la actualidad se mantiene en la parrilla de TVE. Se crea con la intención de establecer una estructura para el suministro de noticias a los estudios centrales de Prado del Rey, con las excepciones de Cataluña y Canarias que ya disponen de programación y emisión autónoma. El informativo *Aitana* es, hasta la aparición de Canal 9, la referencia pública informativa audiovisual para todos los valencianos. Hasta la consolidación del resto de centros de producción de programas de TVE en las comunidades vecinas, *Aitana* presta atención informativa a aquello que sucede en Ibiza o la región de Murcia.

En la actualidad, se centra exclusivamente en los intereses de la Comunidad Valenciana. TVE dispone de un centro de producción de programas en Valencia y una pequeña delegación en Alicante y Castellón. El centro de Valencia tiene capacidad técnica y humana para emitir programación en directo, mientras que los de Alicante y Valencia son centros de producción de contenidos que posteriormente se remiten a Valencia o directamente a

Madrid. TVE, como la totalidad de cadenas de ámbito nacional, se nutre de contenidos además, con la compra de material a productoras privadas.

TVE fue el único referente de la televisión pública en la Comunidad Valenciana hasta que en 1982, el Estatuto de Autonomía de la Comunidad deja las puertas abiertas para la creación de una cadena pública regional[2].

Antes del desembarco de Canal 9-TVV, y con la colaboración de Acció Cultural, que instala una red de repetidores que enlaza Cataluña con Castellón y Alicante, también es posible visualizar la cadena pública catalana TV3. En el año 1989, con la Ley de Creación de TVV, ve la luz el 9 de octubre, Canal 9.

3.2. Canal 9

Canal 9 es la cadena pública valenciana con mayor protagonismo y audiencia de las que existen[3]. En la actualidad, el Grupo RTVV dispone de la cadena originaria, Canal 9, Punt 2 (creada en 1997 bajo el nombre de Notícies 9), TVVi (Emisión internacional a través de vía satélite), y 24/9 (siguiendo los parámetros de las cadenas de 24 horas de emisión de TVE y TV3), que es la más reciente y nació en 2009. Por último, RTVV está introduciendo a gran velocidad contenidos a la carta en su web www.rtvv.es que permiten al espectador consultar noticias y programas según su preferencia y horario.

RTVV dispone de centros de producción en Burjassot y Alicante (con capacidad para producir y emitir programación) y en Castellón, Madrid, Barcelona, Bruselas y Washington (estos últimos sin capacidad para emitir aunque sí para producir contenidos). TVV, con 20 años de vida (cumplidos en 2009), se ha adaptado a las exigencias tecnológicas de cada época y ha conseguido mantener importantes índices de audiencia, apoyándose principalmente en su producción propia (informativos y programas de entretenimiento) y en la última época con la consecución de derechos de emisión de grandes eventos televisivos, especialmente deportivos (Champions League, Fórmula 1, etc).

En 1995, la audiencia diaria media ya era superior al millón de espectadores, con un share del 19,9 %. La progresión ha crecido hasta que la proliferación de las cadenas con la llegada de las TDT repartió las audiencias. No obstante, a pesar de la competencia de otras cadenas, Canal 9 sigue siendo el referente televisivo informativo de las zonas más rurales de la Comunidad

---

[2]   Ley Orgánica 5/1982 de 1 de julio.

[3]   Para evitar solapamientos, remitimos al lector a la información disponible sobre RTVV en los capítulos 3, 4 y 5 de este libro.

y una cadena que apuesta por los contenidos informativos cercanos (información del campo, el tiempo, costumbres, fiestas propias, etc).

3.3. TVO

Televisió d'Ontinyent, es uno de los casos de televisión local 100 por ciento pública. Se crea en 1995, tomando como referencia la televisión de Gandía, también de titularidad pública pero con capital privado. TVO se nutre de los presupuestos municipales de Ontinyent, aunque su gestión corre de la mano de una empresa privada vinculada al grupo Libertad Digital. Emite un informativo de 30 minutos al mediodía que se repite por la noche. El resto de programación es la propia de la cadena Libertad Digital. Su programación es local, limitada por lo que respecta a recursos y personal, pero con particularidades de gran mérito televisivo en alguna de sus etapas de emisiones, especialmente a principios de la década: la conexión en directo y la retransmisión de acontecimientos sobre todo culturales y festivos en directo para todos los hogares.

4. LA TELEVISIÓN PRIVADA EN LA COMUNITAT VALENCIANA

El desarrollo de la televisión privada en territorio valenciano va en paralelo al resto del Estado español, aunque con las lógicas particularidades que atañen a cada lugar. Desde que la iniciativa privada entró en el negocio de la televisión en España a comienzos de los años 80, gracias a las primeras emisiones locales por ondas terrestres y por cable, el escenario actual, con la cantidad de contenidos y soportes de distribución distintos a los que podemos acceder, se ha tornado enormemente competitivo y complejo.

Si pretendemos hacer una primera clasificación, deberíamos separar entre las emisiones analógicas y las digitales. Aunque el apagón analógico se prevé muy cercano[4], la emisión en simulcast perdura en este período de transición y muchos hogares aún no han dado el salto a la tecnología digital, bien por desidia propia o bien porque no han encontrado los suficientes alicientes para hacerlo. Por consiguiente, debemos hacer constar que existe una audiencia analógica significativa, aunque se va reduciendo cada vez

---

[4] Según establece el Real Decreto 944/2005, de 29 de julio, por el que se aprueba el *Plan Técnico Nacional de la Televisión Digital Terrestre*, el apagón analógico se adelanta al 3 de abril de 2010.

más[5]. Entre la oferta comercial que llega a los hogares valencianos en analógico encontramos las grandes cadenas generalistas de cobertura estatal como Antena 3, que empezó a emitir el 25 de enero de 1990, y las que le siguieron en abril de ese mismo año, como Tele 5 y Canal +, que ofrecía una programación mixta, con algunos contenidos en abierto y los más de pago (Bustamante, 2006: 126).

Posteriormente, en pleno proceso hacia la digitalización, el Gobierno autorizó en julio de 2005 a Sogecable emitir en abierto la frecuencia de Canal +, que se convertiría en Cuatro, y en noviembre del mismo año el Ministerio de Industria concedió una nueva licencia en abierto a una UTE formada por algunas de las principales productoras de contenidos audiovisuales españolas (Globomedia y El Terrat, entre otras), que emitiría bajo el nombre de La Sexta (Bustamante, 2006: 233-234)[6]. Completan la oferta analógica aquellas televisiones locales de titularidad privada que persisten en sus emisiones aunque se encuentren en situación de ilegalidad, una vez resuelto el concurso para la adjudicación de licencias de televisión local y autonómica. En cualquier caso, la importancia de estas cadenas es residual.

Por lo que respecta a la tecnología digital, ya en los años 80 se empezaron a ofrecer servicios de cable local que todavía perduran en muchas localidades (Procono en Valencia, por ejemplo). Durante la década de los 90, el negocio de la televisión digital irá muy ligado al desarrollo del satélite y del cable como plataformas de distribución de contenidos temáticos y personalizados. Respecto al satélite, los valencianos pueden acceder a Digital +, resultado de la fusión entre las plataformas Canal Satélite Digital (vinculada a Prisa) y Vía Digital (impulsada por Telefónica). En referencia al cable, el mercado valenciano ha estado controlado por la empresa ONO, que ofrece el paquete integrado que se conoce como Triple Play: televisión, teléfono e Internet. Otras empresas de telecomunicaciones ofrecen contenidos similares mediante el ADSL[7], como Telefónica (Imagenio) u Orange. Por último, hay que señalar la aparición de nuevas plataformas de distribución de conte-

---

[5]   La audiencia valenciana de TDT en julio de 2009 (39'6%) ya es superior a la analógica (impulsatdt.es).

[6]   En estos momentos, Antena 3 y Tele 5 mantienen las delegaciones en la Comunitat Valenciana, aunque sólo destinadas a cubrir las noticias que surjan en la zona y le interesen a la cadena. De las nuevas, únicamente La Sexta dispone de delegación, también destinada a los mismos menesteres.

[7]   La oferta televisiva se distribuye a través de protocolos de Internet, por eso recibe el nombre de IPTV. En España ya hay más de 570.000 hogares con este servicio, uno de los que más crecerá en el futuro (España, 2009: 326).

nidos televisivos, como Internet y el móvil, tanto los canales tradicionales como material realizado expresamente para estos soportes.

5. LA TDT Y EL NUEVO ORDEN TELEVISIVO

Después del fracaso de la primera iniciativa de la TDT en España a través de la plataforma de pago Quiero TV, la televisión digital terrestre pasó por un período de letargo e indefinición hasta que el Gobierno español aprobó el Real Decreto 944/2005, con el que relanzó el Plan Técnico Nacional de la Televisión Digital Terrestre, que se remontaba al 1998 (Casero, 2007). El texto hace un primer reparto de los múltiplex digitales mientras dure este período de transición. En este reparto, RTVE dispone de cinco canales digitales (es decir, un múltiplex completo y un canal en otro múltiplex); Antena 3, Tele 5 y Cuatro obtienen tres cada uno; y La Sexta, Net TV y Veo TV tienen a su disposición dos canales para cada operador. Cuando se complete el proceso se especula con que RTVE tendrá dos múltiplex completos, de manera que dispondrá de la capacidad para efectuar desconexiones territoriales de ámbito autonómico. En cambio, las cadenas privadas, aun teniendo un múltiplex entero a su disposición, tendrán terminantemente prohibido hacer cualquier tipo de desconexión o programación específica por autonomías (López Izquierdo, 2007: 114)[8]. El Gobierno espera que, a cambio, los operadores privados puedan desarrollar contenidos que completen la oferta televisiva, así como potenciar los contenidos interactivos y en alta definición[9].

De ese modo, a día de hoy, un valenciano que reciba TDT podrá ver, como cualquier otro ciudadano, 20 canales con cobertura estatal, de los cuales 15 son de titularidad privada (ver Tabla 1). Sin embargo, y también hasta la fecha, todas las posibilidades técnicas y tener acceso a una mayor oferta no implican necesariamente dosis más altas de innovación en géneros y formatos (Delgado, 2007). A excepción de los intentos recientes de Antena 3 y Tele 5 por ofrecer contenidos temáticos en el resto de sus canales[10], y de la experiencia de La Sexta con la TDT de pago, lo que hemos encontrado

---

[8]   La misma prohibición venía marcada en la Ley de Televisión Privada, de 1988. Aun así, Antena 3 y Tele 5 realizaron desconexiones, con poca continuidad y a expensas del propietario del canal en cada momento.

[9]   Mientras, la actualidad televisiva ya se presenta revuelta después que el Gobierno haya dado luz verde a la decisión de La Sexta de ofrecer contenidos de pago a través de la TDT con su canal Gol TV.

[10] Por ejemplo, los casos de Antena.Neox, Antena.Nova o el reciente La Siete.

han sido los mismos canales generalistas que ya veíamos en analógico completados con opciones secundarias respecto el canal principal. Un caso paradigmático de esta falta de innovación en los contenidos se concentra en la prestación de servicios interactivos, una posibilidad que ofrecen los canales de TDT y que no ha sido desarrollada como se esperaba. Por el contrario, sí encontramos algunos ejemplos de interactividad gracias a los servicios que nos ofrecen las plataformas de televisión por satélite y cable, como el pago por visión o el vídeo bajo demanda.

Algunas de estas disfunciones podrían haberse compensado con un desarrollo adecuado de la televisión digital local y autonómica de titularidad privada. Con la aprobación de la Ley 53/2002, que adapta la legislación de 1995 de las televisiones locales a la TDT, se pone fin a una desregulación encubierta de las emisiones locales. El Plan Nacional de Televisión Digital Local y Autonómica, aprobado en 2004, supuso la concreción de ese cuerpo legislativo y, entre otras cuestiones, concedía plena autonomía a las comunidades para que establecieran su propia estrategia a la hora de convocar los concursos. Así pues, en el verano de 2005 la Generalitat valenciana publicó los concursos de televisión privada autonómica y local por procedimiento abierto, que se fallaron unos meses más tarde (resolución de 20 de enero de 2006). Las dos licencias de televisión digital autonómica que deberían compartir el múltiplex con RTVV, a la que también le correspondían otros dos canales, fueron a parar a Las Provincias TV, del grupo Vocento, y a la empresa Televisión Popular del Mediterráneo, S.A. (Popular TV), perteneciente a la COPE.

La resolución del concurso no dejó de ser polémica, sobre todo en lo que se refiere a Popular TV, porque se trataba de una empresa con una vinculación escasa con la industria audiovisual valenciana y difícilmente cumplía con algunas de las condiciones que la misma Generalitat impuso en el pliego[11]. Tampoco Las Provincias TV sale muy bien parada. En el lado opuesto, se quedaron por el camino propuestas que tenían una vocación claramente autonómica y estaban más enraizadas en la dinámica productiva del sector audiovisual valenciano. Una de ellas fue Info TV, que había comenzado a emitir en junio de 2005 como televisión local en analógico y esperaba convertirse en un espacio plural en el que tuvieran presencia todas las voces de la sociedad civil

---

11   Algunas de las más significativas se refieren a la obligación del concesionario de reservar el 20% de sus emisiones anuales a la difusión de obras audiovisuales y cinematográficas valencianas. Además, en cada una de las franjas de programación el uso del valenciano debería ser, como mínimo, del 25%. Por último, las empresas adjudicatarias deberían disponer de estudios de producción propia en territorio valenciano (López Cantos, 2007: 83-84).

y política valenciana. Tampoco obtuvo una licencia digital autonómica (ni local) Valencia TeVe, una televisión local creada en 1996 y con cierto arraigo en el entorno de la ciudad[12]. La tercera en discordia en quedarse fuera de las licencias fue Red de Televisión Digital Valenciana, ligada a Tele 5.

Por lo que respecta a la distribución de las licencias de televisión digital local, el Plan Técnico divide el territorio español en 281 demarcaciones, de las que 18 corresponden a la Comunitat Valenciana. A cada demarcación, de carácter comarcal más que municipal, le corresponde un múltiplex con 4 canales, dejando a cada comunidad autónoma la decisión de permitir la gestión pública de hasta dos de ellos[13]. La Generalitat sacó a concurso abierto 14 demarcaciones, que son las que tenían asignados los múltiplex por parte de la administración central. En cambio, se quedaron cuatro demarcaciones por resolver: Utiel-Requena y Gandia (Valencia), La Vall d'Uixó-Segorbe (Castellón) y Dénia (Alicante), y hasta la fecha siguen sin adjudicarse. Los concursos decidieron adjudicar los 42 canales entre 23 empresas concursantes, entre las que había antiguas televisiones locales, con amplia experiencia en el sector, y otras vinculadas a grandes grupos de comunicación de ámbito estatal (ver Tabla 2 y Tabla 3).

Un simple vistazo al mapa digital local valenciano nos permite asegurar que el concurso ha beneficiado claramente a cinco grupos de comunicación. Se trata de la empresa Intereconomía, que obtiene 5 licencias (Alcoi, Elda, Orihuela, Torrevieja, Sagunt y Torrent); El Mundo, que consigue 4 licencias (Valencia, Castellón, Elche y Benidorm); Libertad Digital S.A. (vinculada al periodista Federico Jiménez Losantos), que obtiene otras 4 licencias (Elche, Sagunt, Torrent y Alzira); y Mediamed Comunicación Digital, que consigue estar presente, de una forma total o parcial, en 13 de las 14 demarcaciones. No deja de ser curioso el reparto de licencias cuando se trata de empresas con poca o nula implantación en el sector audiovisual de la Comunitat Valenciana y que, además, no tienen ninguna experiencia en el ámbito de la televisión local, uno de los requisitos que figuraban en el pliego de condiciones[14].

---

[12] La emisora estaba vinculada a Jesús Sánchez Carrascosa, jefe de gabinete de Eduardo Zaplana cuando fue presidente de la Generalitat y ex director de Canal 9, y a su mujer, María Consuelo Reyna, ex directora del diario Las Provincias. Se interpretó este hecho en términos de política interna del PP.

[13] La Generalitat Valenciana, en ese sentido, decidió que fuera únicamente uno, cuya puesta en marcha debería ser negociada entre los ayuntamientos que conforman la cobertura de cada múltiplex.

[14] Especialmente significativo es el caso de Mediamed Comunicación Digital, una empresa creada en el verano de 2005 y que, además de las licencias que ha conseguido

Por lo demás, el reparto de licencias nos deja a Canal 37 Televisión con dos canales en Alicante y Alcoi[15]; Editorial Prensa Ibérica, del Grupo Moll, obtiene también dos licencias en las ciudades de Valencia y Alicante; asimismo, el Grupo Prisa ha sido beneficiado con otras dos licencias, aunque esperaba algunas más[16]. Otros grupos, como Vocento, a través de LP Teva de Las Provincias, y Antena 3 (emite con la marca Ver-T), han conseguido su licencia digital, ambas en la demarcación de Torrent[17]. Finalmente, otros actores históricos e independientes han podido mantener sus emisiones. Se trata de Intercomarcal (Elda), Canal Vega TV (Orihuela), Noticias Te Ves (Benidorm), Canal 56 Televisió Comarcal (Vinaròs), Televisió Comarcal de la Costera (Canals) y Ribera Televisió (Alzira), que han sido adjudicados con una licencia cada uno. A la vista de este reparto, son muchas las voces de la sociedad civil valenciana que han cuestionado abiertamente la pluralidad del mismo[18]. En ese sentido, se ha interpretado dicha adjudicación como un intento de contentar a las distintas corrientes internas del PP autonómico (López Cantos, 2007: 95). Sea cierto o no, lo que es innegable es que la

---

directamente, es propietaria, como mínimo, del 51% de Mediterránea Informativa Televisión S.L.; 43 TV S.L.; Comunicación Audiovisual Editores S.L.; Comercial Alyma S.L.; y Telecomarca S.A. Todas las licencias relacionadas con esta empresa emiten bajo la misma marca: Tele 7. De TV Castellón Retransmisiones S.L., beneficiada con tres licencias y vinculada a la familia Miralles Troncho, posee el 33% de sus acciones (todavía no han iniciado sus emisiones) y de Produccions Informatives La Plana (propiedad de Jesús Montesinos, ex director del periódico Mediterráneo, que opera con el nombre de Planavisión), no consta que haya adquirido parte de sus acciones, pero las 3 licencias con las que cuenta también emiten bajo la marca de Tele 7. Otro tanto sucede con la licencia que ha conseguido la empresa Galaxia TV en la demarcación Ontinyent-Xàtiva. La empresa, que está presidida por el empresario valenciano Javier García del Moral tiene, entre sus accionistas a El Semanal Digital, el periódico digital que dirige Antonio Martín Beaumont, vinculado a sectores del PP, y a José Luis Uribarri, presidente y principal accionista de Retecal. También se cuenta entre sus accionistas a la Fundación San Pablo CEU.

[15]   De todas formas, el canal alcoyano está emitiendo con el nombre de Mariola Televisió, ofreciendo una programación comarcal con numerosas desconexiones con el grupo Libertad Digital.

[16]   Se trata de las marcas Localia TV MK Ontinyent y Localia Nord, asociada a la empresa Comunicacions Els Ports, ambas con un largo recorrido en la comunicación local valenciana.

[17]   Las Provincias ha cedido su licencia a Canal 8 Televalencia, de Julio Insa.

[18]   Sin ir más lejos, la Unió de Periodistes Valencians censuró que dicha adjudicación "no se ajusta al interés general, sino a intereses políticos muy concretos" (Agencia EFE, 14 enero de 2003).

concesión ha aumentado la concentración del sector, dejando la pluralidad informativa y empresarial en lugares muy marginales[19].

Indudablemente, el sistema de la televisión privada en la Comunitat Valenciana a día de hoy no lo constituye únicamente la TDT. Los valencianos podemos disfrutar de una amplia oferta de contenidos audiovisuales. Si nos hemos detenido más en desarrollar la situación de la TDT es porque nos parece un servicio público esencial, accesible a todos los ciudadanos y uno de los instrumentos que permitirán a la población entrar de lleno en las ventajas de la sociedad de la información y del conocimiento. Por eso mismo lamentamos que la TDT no satisfaga las demandas de pluralismo y diversidad que toda sociedad necesita para mejorar su salud democrática. En ese sentido, no se entiende el ninguneo que las formas de comunicación social sin ánimo de lucro, participativas y generadas a partir de colectivos de ciudadanos independientes, han recibido por parte de la administración autonómica[20]. Todavía quedan por resolver algunas demarcaciones que completen el mapa de la TDT local valenciana. Esperemos que su resolución posibilite una oferta televisiva más diversa a todos los niveles. Mientras, muchos de los nuevos espectadores y creativos están migrando hacia los nuevos soportes de distribución y consumo audiovisual, como Internet y el móvil, los cuales, de un tiempo a esta parte, se están convirtiendo en escenarios inmejorables donde desarrollar nuevos proyectos y propuestas que han sido excluidas de la televisión en abierto.

Canal 58	TVE1	TVE2	24H	Clan TVE
Canal 66	Veo TV	Sony TV en Veo	Tienda en Veo	Teledeporte
Canal 67	Cuatro	CNN+	40 Latino	La Sexta
Canal 68	Tele 5	La Siete	FDF	Disney Channel
Canal 69	Antena 3	Antena.Neox	Antena.Nova	Gol TV

Tabla 1. Programas de la TDT de cobertura estatal en la Comunitat Valenciana. Fuente: elaboración propia.

---

[19] Las grandes corporaciones mediáticas con intereses en todo el Estado, sobre todo aquellas vinculadas a los sectores más conservadores, son las que salen más beneficiadas. Según algunos autores, los grandes grupos privados de comunicación dominan cerca de 400 televisiones en toda España (Garralón Velasco, 2006: 477).

[20] Uno de los ejemplos es el de Pluràlia TV, una asociación nacida en la ciudad de Valencia, abierta a la participación de todos y que pretendía hacer una televisión diferente, con intereses alejados de los estrictamente económicos. Ante la negativa a poder emitir en digital, la emisora tuvo que cerrar sus emisiones analógicas y dirigir sus objetivos hacia otros medios menos hostiles, como Internet, donde ha creado una webTV.

Demarca-ciones	Canal	Empresa adjudicataria	Marca televisiva
Valencia	23	Unedisa S.L.U. (El Mundo)	Aprende inglés TV
		Telecomarca, S.A.	Tele 7 Valencia
		Editorial Prensa Valenciana, S.A.	Levante TV
Alzira	44	Mediterránea Informativa Televisión, S.A	Tele 7 Alcira
		Ribera Televisió, S.L.U.	Ribera Televisió
		Libertad Digital, S.A.	Libertad Digital TV
Ontinyent-Xàtiva	45	Telecomarca, S.A.	Tele 7 Ontinyent
		Televisió Comarcal de la Costera, S.L.	Televisió Comarcal de la Costera
		Localia Televisión, S.L.U.	Localia TV MK Ontinyent
Sagunt	36	Comercial Alyma, S.L.	Tele 7 Sagunt
		Homo Virtualis, S.A	Intereconomía TV
		Libertad Digital, S.A	Libertad Digital TV
Torrent	35	Uniprex Valencia, S.L (Antena 3)	Ver-T
		Radiodifusión Torre, S.A.	Canal 8 Televalenciana (antes LP Teva)
		Libertad Digital, S.A.	Libertad Digital TV

Tabla 2. Concesionarios de la TDT local de titularidad privada en la Comunitat Valenciana: provincia de Valencia. Fuente: elaboración propia a partir de la datos publicados en el Diario Oficial de la Generalitat Valenciana (DOGV), núm. 5.194, de 8 de febrero de 2006.

Castellón	50	TV Cs Retransmisiones, S.L.	TV Cs
		Produccions Informatives La Plana, S.L.	Tele 7 Castellón
		Unedisa, S.L.U (El Mundo)	Aprende inglés TV
Morella	22	TV Cs Retransmisiones, S.L.	TV Cs
		Produccions Informatives La Plana, S.L.	Tele 7 Morella
		Comunicacions Els Ports, S.A	Localia Nord TV

Vinaròs	46	TV Cs Retransmisiones, S.L.	TV Cs
		Produccions Informatives La Plana, S.L.	Tele 7 Vinaroz
		Medios Audiovisuales del Maestrat, S.L.	Canal 56 Televisió Comarcal
Alicante	21	Comunicación Audiovisual Editores, S.L.	Tele 7 Alicante
		Canal 37 TV, S.A.U.	Canal 37 TV
		Editorial Prensa Alicantina, S.A	Información TV
Alcoi	56	43 TV, S.L.	Tele 7 Alcoy
		Canal 37 TV, S.A.U.	Mariola TV
		Homo Virtualis, S.A.	Intereconomía TV
Benidorm	27	43 TV, S.L.	Tele 7 Benidorm
		Unedisa, S.L.U. (El Mundo)	Aprende inglés TV
		Tele Noticias, S.L.	Noticias Te Ves
Elche	45	Comunicación Audiovisual Editores, S.L.	Tele 7 Elche
		Unedisa, S.L.U. (El Mundo)	Aprende inglés TV
		Libertad Digital, S.A.	Libertad Digital TV
Elda	25	43 TV, S.L.	Tele 7 Elda
		Homo Virtualis, S.A.	Intereconomía TV
		Consorcio de Televisión Comarcal, S.L.	Intercomarcal TV
Orihuela-Torrevieja	54	Comunicación Audiovisual Editores, S.L.	Tele 7 Orihuela
		Homo Virtualis, S.A.	Intereconomía TV
		TV Orihuela, S.L.	Canal Vega TV

Tabla 3. Concesionarios de la TDT local de titularidad privada en la Comunitat Valenciana: provincias de Castellón y Alicante. Fuente: elaboración propia a partir de la datos publicados en el Diario Oficial de la Generalitat Valenciana (DOGV), núm. 5.194, de 8 de febrero de 2006.

6. EL FUTURO DE LA TELEVISIÓN: EXPERIENCIAS VALENCIANAS

En la actualidad, el panorama televisivo se muestra enormemente diverso y cambiante, con un potencial incuestionable en términos de negocio, pero con una estructura poco consolidada, lo que genera incertidumbre sobre su futuro, tanto en la industria audiovisual como en los ciudadanos. Los últimos en llegar a este escenario han sido tecnologías como Internet y el móvil, que se están convirtiendo en auténticas plataformas de distribución de contenidos audiovisuales, sobre todo entre los más jóvenes. Estos nuevos soportes, pues, se añaden a la TDT, el satélite y el cable, así como a la TV por IP que ofrecen las operadoras de telecomunicaciones, en la conformación de una oferta ingente, lo que abunda en la fragmentación de las audiencias y del mercado publicitario. No sólo porque estos dispositivos permiten ver las emisiones televisivas tradicionales (desde nuestro ordenador y desde el móvil 3G de última generación podemos captar la señal de TDT[21]), sino porque se han puesto a competir fuertemente en la creación de nuevos contenidos[22].

Una de las características de nuestra sociedad es la convergencia mediática y tecnológica que proporciona Internet. Poco a poco, periódicos, radios y televisiones han entendido que su presencia en la red era vital para el desarrollo de sus empresas. Con el tiempo, lo que era una simple traslación idéntica del medio original al contexto online ha dado paso a un momento como el actual en el que todos los medios de comunicación ofrecen de todo: texto, audio y vídeo. No se entendería de otra forma. Estar presentes en Internet y hacerlo de la mejor manera posible (con un *interface* atractivo y cómodo para el usuario, con altas dosis de interactividad...) se ha convertido en una cuestión esencial en la imagen del medio, asociada a unos valores

---

[21] En el caso de los móviles, la tecnología más desarrollada en la actualidad es la DVB-H.

[22] Según aseguran algunos expertos, el mercado de vídeo online y el visionado en *streaming* (directamente desde el ordenador) están ganando adeptos cada día y se están posicionando como una alternativa de calidad a la hora de acceder a contenidos digitales. En ese sentido, en España el 48'5% de los internautas consumió vídeos online de entretenimiento durante el 2008 y el 47'8% entraba regularmente a páginas web donde se comparten vídeos (eEspaña, 2009: 180). Durante el 2008, en la Comunitat Valenciana, el 55% de los ciudadanos se conectó a Internet diariamente (eEspaña, 2009: 172).

positivos por parte de la audiencia (González Oñate, 2007: 248-249). En las televisiones, esta circunstancia se da con especial énfasis[23].

No cabe duda de que la televisión, por sus especificidades, está más preparada que otros medios para hacer el salto a Internet con todas las garantías. El hecho de trabajar con la imagen en movimiento ya supone empezar con una base inmejorable. Eso facilita, entre otras cosas, la convergencia de contenidos con la red y le otorga un cierto protagonismo en este nuevo mapa que se está dibujando (Caballero, Lema y García de Torres, 2006: 435). Además, al estar bien posicionada en Internet, la televisión puede conectar más rápidamente con los nuevos públicos, algunos de los cuales le pueden haber abandonado. Pero para ello, la televisión debe empezar a desarrollar fórmulas y lenguajes adaptados a las generaciones nacidas con Internet y los videojuegos.

Un primera decisión por parte de las televisiones es la de ofrecer *online* la misma emisión en directo que está ofreciendo a través de sus canales analógicos y digitales. En la Comunitat Valenciana, por ejemplo, RTVV emite en directo su programación del canal internacional TVVi y es probable que, en el futuro, se pueda acceder a la programación de todos sus canales a través de la web. Otras televisiones que permiten ver sus emisiones en directo son Popular TV, Intereconomía o Libertad Digital, aunque, al formar parte de grandes grupos mediáticos, las desconexiones informativas a las que tenemos acceso son las de Madrid y no las locales[24]. Por otra parte, esa opción es menos frecuente entre las televisiones locales independientes, con menos recursos para implementar este tipo de servicios en sus webs. Aun así, Ribera Televisió, Gandia TV o la marca Tele 7 (al menos en su demarcación de Valencia) sí facilitan al usuario esta posibilidad. En los otros casos, el perfil es mayormente institucional y comercial, con información sobre la programación y con noticias más escritas que visuales[25]. Ante esta

---

[23]   La misma González Oñate sostiene que una buena imagen digital, una marca referencial, podrá definir en el futuro el éxito de una televisión en un entorno de abundante oferta como el actual (2007: 256-257).

[24]   Éste es uno de los problemas que hemos intentado trasladar, en el apartado dedicado a las televisiones privadas en la Comunitat Valenciana, por lo que se refiere al reparto de licencias de TDT locales y autonómicas de titularidad privada a grupos de comunicación con intereses más allá del territorio valenciano.

[25]   Estudios anteriores han llegado a una conclusión muy similar (Caballero, Lema y García de Torres, 2006: 443; Sanmartín: 2006: 538-539). En ellos se afirma que las webs de las televisiones locales son bastante incompletas, con resultados negativos respecto a la calidad de los contenidos, a la interactividad, a la visibilidad de la que

situación, y con una banda de ancha bastante cara en comparación con los países de nuestro entorno europeo, parece poco probable que el consumo de televisión convencional en Internet (tal y como la entendemos ahora, basada en un flujo ininterrumpido las 24 horas) pueda abrirse un hueco significativo. Tal vez suceda lo contrario, es decir, que no veamos la televisión a través del ordenador sino que, desde nuestro salón y mediante el aparato televisivo, podamos acceder a todos los servicios que ofrece Internet. Y es que algunas voces apuntan que la televisión, como electrodoméstico central en nuestras vidas, podría ser la mejor puerta de entrada a la ansiada Sociedad de la Información (Bustamante, 2002: 238).

En cualquier caso, la principal transformación ligada a las nuevas tecnologías no parece centrarse en la sustitución de una pantalla por otra, sino que se trata de un cambio mucho más profundo, relacionado con las nuevas formas de consumo que proporcionan estos medios. Así pues, en las nuevas tecnologías vinculadas a la comunicación el usuario es el centro sobre el que gira todo. Se trata de un usuario activo, que busca y no recibe, que es participativo y no se conforma con lo que le ofrecen los medios de comunicación en sus programaciones sincrónicas: quiere elegir qué leer, qué escuchar, qué ver, en cada momento. Por lo que se refiere al medio televisivo, debemos replantear esa televisión que se concibe como un flujo de programas para pasar a una televisión a la carta, llamada también asincrónica, en la que se permite un consumo aleatorio de los contenidos y, por consiguiente, una personalización de los mismos. Ya no nos vale con tener la posibilidad de ver infinidad de canales temáticos, ahora queremos ver nuestros programas favoritos cuando sea y las veces que sean. En este nuevo contexto, el espectador asume nuevas competencias en la selección de contenidos audiovisuales y se convierte en su propio programador (Casero, 2007: 145). Nace, en definitiva, un nuevo concepto de televisión, entendida más como un catálogo que como un flujo (Callejo, 2007: 242), que altera la manera en que se consumen y se producen los contenidos.

Unos primeros ejemplos de esta nueva concepción televisiva serían los servicios de pago por visión y de vídeo bajo demanda que ofrecen las plataformas de satélite, cable y TV por IP. En la Comunitat Valenciana, empresas de las que ya hemos hablado, como Digital +, ONO o Telefónica, permiten acceder a estos servicios. También encontraríamos las páginas a través de

---

disponen en la red y a la accesibilidad que proporcionan al internauta. En general, no tienen la intención de convertirse en un referente de la información, la opinión y el entretenimiento dentro de su ámbito de difusión.

las cuales podemos ver en *streaming* infinidad de contenidos audiovisuales, como películas, teleseries y programas de entretenimiento[26]. En este grupo deberíamos incluir todas aquellas páginas dedicadas a compartir vídeos en las que la participación de los usuarios es vital. Indudablemente, hay que señalar a *Youtube*, por ser una de las primeras, pero su número crece rápidamente[27]. Luego, habría que incluir aquellas páginas que permiten las descargas legales de los contenidos audiovisuales, en forma de podcasts, para poder visionarlos en otro momento desde el propio ordenador o desde otros dispositivos, como el móvil 3G o los IPOD. Éstas pueden ser de pago (como el servicio de iTunes para IPOD) o gratuitas. Entre estas últimas se encuentran las descargas ilegales que se realizan mediante el P2P desde programas como Emule.

Por lo que se refiere a las cadenas valencianas, el servicio de televisión a la carta está desarrollándose parcialmente y de manera incompleta (López García, 2008: 150)[28]. Un ejemplo de ello es RTVV, en cuya web tienen almacenados programas de todos los géneros, desde ficción hasta documentales, aunque sin mucha serialidad. Una novedad de su servicio es que permite descargarnos video podcasts para visionarlos en dispositivos móviles. En cualquier caso, hasta que toda su programación propia no esté disponible a la carta, no podremos decir que la cadena pública ha completado la transición hacia la nueva televisión. En líneas muy similares o incluso peor se encuentra el resto de televisiones locales y autonómicas. Cadenas como Las Provincias TV o Levante TV tienen disponibles en sus páginas web algunos vídeos e intentan retroalimentarse de lo que genera el grupo mediático. De todas formas, no están todas las noticias ni todos los contenidos que produce el canal. Del resto hay algunas más completas, como Gandia TV, Sueca TV, Noticias Te Ves de Benidorm o Ribera Televisió, y otras bastante pobres, como Canal 56 de Vinaròs, Canal Vega TV de Orihuela y la gran mayoría de las emisoras Tele 7.

---

[26] Una de las más conocidas es serieyonquis.com, pero hay muchas más

[27] El fenómeno Youtube está alcanzando niveles de popularidad muy elevados, como lo demuestra el hecho de que algunas cadenas de televisión españolas, junto con algún programa, ha decidido abrir su propio canal en Youtube, desde el cual poder ir subiendo contenidos e interactuar más con su público. Los casos de RTVE y de Cuatro serían ejemplos de esta tendencia.

[28] Este estudio ofrece también un listado muy completo de las televisiones online de la Comunitat Valenciana.

En este punto hay que destacar el nuevo fenómeno de las llamadas webTV, que se encuentra en permanente expansión[29]. Se trata de televisiones o programas individuales que, por diversas razones, sólo existen en la red. Una de las causas puede haber sido la voluntad de continuar un proyecto que no obtuvo una licencia de TDT local (muchos ayuntamientos también se están decantando por esta opción). La mayoría de los proyectos, sin embargo, surgen por la necesidad de abrirse a nuevas formas de negocio y porque entienden el vídeo, en este caso *online*, como la mejor publicidad posible. Su característica principal es que son mucho más especializadas, más temáticas, que cualquier televisión convencional, ya que Internet lo permite. Así, sólo las creadas por personas y empresas asociadas a la Comunitat Valenciana[30], encontramos webTV de carácter informativo o de actualidad: Info TV, Pluràlia TV, Atiende TV, Bon dia Torrent, Vilaweb TV, Requena TV o Europocket TV[31]; humorísticas y de ficción: Pot de Plom TV, Albena Teatre (ofrece vídeos de los proyectos de la compañía) o Caterva Xou!; deportivas: Nostresport TV; y musicales: In-TV, entre otras.

Pero sobre todo, las webTV están obteniendo una gran proyección en el terreno corporativo, como medio para cultivar la imagen digital de empresas[32] e instituciones públicas. La empresa valenciana Canales Corporativos es pionera en el desarrollo de webTV dedicadas a la imagen corporativa, aunque también ha elaborado televisiones *online* temáticas[33]. Entre sus proyectos encontramos la webTV de la empresa Siliken, dedicada a las energías

---

[29]   En el 2009 se han celebrado varios encuentros de creadores e inversores de estos nuevos contenidos. Una de las citas más importantes en España tuvo lugar en Benidorm bajo el nombre de roadweb.tv.

[30]   Muchas veces se hace difícil establecer el lugar de residencia de los proyectos porque, en tanto que televisiones o programas en la red, se dirigen a una audiencia potencialmente "global" y evitan vincularse con un territorio en concreto. Cualquier tipo de contacto es virtual. A veces, únicamente el indicativo lingüístico (si la webTV está hecha en valenciano, por ejemplo) nos permite saber el origen del proyecto. Probablemente sea ésta una de las cuestiones que más reivindican sus creadores: el no estar vinculado a ningún lugar específico. Aunque, también es verdad, hay proyectos que sólo se entienden desde lo local.

[31]   Se trata de una televisión online que se hace desde La Pobla de Vallbona para toda la Unión Europa, ya que sus contenidos prioritarios versan sobre todo lo que tenga que ver con el espacio europeo desde un punto de vista joven.

[32]   Empresas como el BBV, Land Rover o Budweiser tienen su propio canal de televisión en Internet.

[33]   Tienen en marcha un proyecto de webTV sobre decoración e interiorismo llamada D-Sign TV junto con la productora Conta Conta, que cuenta con el material audiovisual. Además, están trabajando en un proyecto innovador, de nombre Game On TV,

renovables, así como la de la Federación de Seguridad Vial y otra más para el departamento de salud pública.

Por lo que se refiere a las instituciones públicas valencianas, debemos reseñar la webTV de la Generalitat Valenciana, que permite el acceso a las ruedas de prensa de los diferentes altos cargos; y también la de la Ciudad de las Artes y las Ciencias de Valencia. Mención aparte merece el proyecto multicanal *online* de la Universitat de València, que se puso en marcha en el otoño de 2009, y que se convertirá en toda una referencia dentro del sector. *MediaUni* ofrecerá una variada oferta de canales temáticos universitarios (Tribuna, Aula, Documetales...), así como reemisiones de la televisión por satélite y la TDT dentro del dominio universitario (Canal I y Canal TDT). Además, permitirá el acceso a otros canales con los que se ha llegado a acuerdos (Canal ATEI, Youtube...) y dispondrá de dos canales propios en directo de actualidad universitaria, uno de radio y otro de televisión (UVEGTV y UVEGRàdio).

Una de las grandes ventajas de estas webTV es que permiten desarrollar toda una batería de servicios interactivos que la televisión tradicional, ahora a través de la TDT, ya debería haber puesto en marcha. El actual período de transición puede estar ralentizando un proceso que la tecnología ya permite[34]. De todos modos, las televisiones, con la crisis del mercado publicitario, están esperando a que se termine el *simulcast* para empezar a invertir en este tipo de contenidos. Deberemos esperar, pues, para poder comprobar la eficacia de proyectos como el T-Seniority (de la empresa valenciana IDI Eikon), que permite implementar servicios interactivos para la gente de mayor edad en un entorno de televisión digital.

En definitiva, la televisión ha entrado en la nueva tecnología y viceversa. Algunas voces sostienen que, al final, en medio de este proceso, la televisión lo que persigue es adaptarse y crecer para no perder su posición privilegiada en la distribución de contenidos audiovisuales (Francés y Llorca, 2008: 178-179). Puede ser cierto[35]. Pero también lo es que, en el ámbito

---

en el que se prevé la interacción entre los videojuegos, Internet y la televisión. El formato ha conseguido un éxito destacable en Alemania, Grecia y Dinamarca.

[34] Conviene recordar que cada canal del múltiplex dispone del 20% de su capacidad para ser usado como canal retorno para este tipo de servicios interactivos.

[35] El negocio de las webTV todavía tiene que madurar. Una de las claves de cara al futuro será cómo se financian estas nuevas televisiones. Internet necesita anunciantes y el fracaso de algunas experiencias de webTV (Mobuzz TV) por falta de patrocinadores ha generado ciertas dudas en el sector. Una empresa valenciana, Adagreed ha diseñado un modo de distribución publicitaria en Internet que está ge-

de la televisión digital, cada vez hablamos menos de televisión tal y como la hemos entendido hasta ahora. Tal vez debamos empezar a hablar de contenidos audiovisuales o de vídeo digital, sin más, independientemente del soporte que utilicemos para visionarlos. En la Comunitat Valenciana empiezan a salir nuevos actores, que se posicionan en este escenario todavía por explorar. Aún es pronto para calibrar el verdadero impacto tanto en la industria como en las audiencias, pero existe la certeza de que no hay marcha atrás.

7. CONCLUSIONES

La televisión, medio de comunicación por excelencia, medio informativo y de entretenimiento, es el vehículo de transmisión de datos, opiniones e información que más depende de los cambios de la tecnología. De hecho, su nacimiento constituye un hito revolucionario en la manera de contar y transmitir los acontecimientos mundiales, que surge de la mano de las ondas hertzianas tomando como referencia la radio y que, en la actualidad, se transporta por la red Internet o por el teléfono móvil.

La televisión en la Comunidad Valenciana viene ligada a la sociología y a la estructura política-geográfica de España. De ahí que nazca en la última etapa del franquismo con una única cadena y otra posterior, con la consiguiente limitación de libertad de contraste ideológico y expresión. De otro lado, la distribución regional del mapa español hace que arribe en primer lugar a las comunidades catalana y madrileña para expandirse por todo el territorio. En la Comunidad Valenciana se puede visionar a principios de los 60 gracias a Televisión Española. A finales de los 80 se creó la autonómica RTVV, al tiempo que las privadas nacionales y las primeras televisiones locales.

Podemos dividir el estudio de la televisión en la Comunidad Valenciana en varios bloques. Dependiendo de la tecnología de emisión, hasta 2010 se pudieron visionar las cadenas por conducto analógico para dar paso a la TDT. Si nos centramos en la naturaleza de los periféricos receptores, las nuevas tecnologías han conseguido que cualquier persona en cualquier rincón del mundo pueda ver la tele a través de Internet o del teléfono móvil. También diferenciamos las televisiones públicas de las privadas si analiza-

---

nerando muchos adeptos. En concreto, el dispositivo permite decidir qué anuncios ver y cuáles no ver.

mos la procedencia del capital del que se nutren o de los componentes de sus consejos de administración (públicos o privados).

Es prácticamente imposible catalogar las televisiones locales, por el vacío legal que han arrastrado desde su creación espontánea en los años 80 y hasta la aparición de la era digital. El torrente de información incontrolable que supone Internet permite a cualquier individuo o entidad —pública o privada— crear sin apenas dificultades tecnológicas un canal de televisión. Bien por el método *streaming* o por televisión a la carta, en la que el internauta escoge sus contenidos.

La tecnología e Internet abren un nuevo horizonte a la televisión. Así lo auguran los expertos y las propias cadenas mayoritarias, que ya disponen de canal en Internet o a través del teléfono móvil, y ya disponen de televisión a la carta. La televisión tradicional está dando paso a un aparato domótico más complejo, que permitirá al individuo programar su propio canal a través de Internet al tiempo que cumplirá con otras funciones domésticas específicas de control remoto. Así, de los dos canales de TVE de los años 60 pasaremos a la televisión sin fronteras, por Internet, a la carta, digital y acompañada de otras funciones domóticas e interactivas (compra por televisión, participación activa en los programas, etc).

Bibliografía

ASOCIACIÓN DE LA PRENSA DE ALICANTE (2009). *Catálogo propio de televisiones en la provincia de Alicante*.

AIMC (2002). *Censo de televisiones locales*.

AZURMENDI, A. (dir.) (2007). *La reforma de la televisión pública española*. Valencia: Tirant lo Blanch.

BADILLO, Á. y MORENO Á. (1996). *La televisión local en España*. Salamanca: Facultad de Ciencias de la Información UPS.

BUSTAMANTE, E. (2002). "Televisión: errores y frenos en el camino digital". En Bustamante, E. (Coord.). *Comunicación y cultura en la era digital. Industrias, mercados y diversidad en España*. Barcelona: Gedisa. pp. 213-260

BUSTAMANTE, E. (2006). *Radio y televisión en España*. Barcelona: Gedisa.

CABALLERO, L., LEMA, D. y GARCÍA DE TORRES, E. (2006). "La televisión local en el escenario digital: modelos de convergencia en Internet". En VV.AA. (eds.). *La comunicación local por Internet*. Castellón: Universitat Jaume I.

CAMPUS DIGITAL UNIVERSIDAD DE MURCIA. "La llegada de la televisión a la Región de Murcia". www.um.es/campusdigital/cultural/tve.htm

CALLEJO, J. (2007). "La digitalización de la audiencia televisiva: experiencias y expectativas". En MARZAL, J. y CASERO, A. (eds.). *El desarrollo de la televisión digital en España*. La Coruña: Netbiblo. pp. 223-245

CASERO, A. (2007). "Escenarios de presente y futuro de los contenidos televisivos en el contexto de la TDT". En MARZAL, J. y CASERO, A. (eds.). *El desarrollo de la televisión digital en España*. La Coruña: Netbiblo. pp. 137-154

DELGADO, M. (2007). "Contenidos y servicios de la televisión digital en España". En MARZAL, J. y CASERO, A. (eds.). *El desarrollo de la televisión digital en España*. La Coruña: Netbiblo. pp. 127-136

FRANCÉS, M. y LLORCA, G. (2007). "Recerca sobre la televisió". *Treballs de Comunicació*, 22, "La recerca en comunicació en el País Valencià". pp. 171-184.

GARRALÓN, J.L. (2006). "Crisis de la televisión local". En VV.AA. (eds.). *La comunicación local por Internet*. Castellón: Universitat Jaume I. pp. 475-484

GONZÁLEZ, C. (2007). "La identidad corporativa en las cadenas de televisión: la clave estratégica ante el escenario digital". En MARZAL, J. y CASERO, A. (eds.). *El desarrollo de la televisión digital en España*. La Coruña: Netbiblo. pp. 247-258

LAGUNA, A. y RIUS I. (2004). "Televisión Pública y democracia. El caso Valenciano". Comunicación presentada en el *Congreso sobre periodismo televisivo*, celebrado en la Universitat Pompeu Fabra.

Ley 17/2006 de 5 de junio, de la radio y la televisión de titularidad estatal.

Ley Orgánica 5/1982 de 1 de julio. Estatuto de Autonomía de la Comunidad Valenciana.

Ley de la Generalitat Valenciana 7/1984, de 4 de julio, de creación de la entidad pública Radiotelevisión Valenciana (RTVV), y regulación de los servicios de radiodifusión y televisión de la Generalitat Valenciana.

LÓPEZ CANTOS, F. (2005). *La situación de la televisión local en España*. Valencia: Servei de publicacions de la Universitat de València.

LÓPEZ CANTOS, F. (2007). "El panorama de la TDT en la Comunidad Valenciana". En MARZAL, J. y CASERO, A. (eds.). *El desarrollo de la televisión digital en España*. La Coruña: Netbiblo. pp. 81-96

LÓPEZ GARCÍA, G. (2008). *Los cibermedios valencianos: cartografía, características y contenidos*. València: Publicacions de la Universitat de València. (http://www.cibermediosvalencianos.es/cibermedios.pdf)

LÓPEZ IZQUIERDO, J. (2007). "Regulación digital terrestre: una aproximación histórica". En MARZAL, J. y CASERO, A. (eds.). *El desarrollo de la televisión digital en España*. La Coruña: Netbiblo. pp. 107-123

MANFREDI, J.L. (2008). *La televisión pública en Europa*. Madrid: Ediciones y Publicaciones

MARZAL, J. y CASERO, A. (eds.) (2007). *El desarrollo de la televisión digital en España*. La Coruña: Netbiblo.

MEDIATELEVISIÓN. *Historia de la Televisión en España*. Material Docente. Ministerio de Educación. www.mce.es

PALACIO, Manuel (2006). *Historia de la televisión en España*. Barcelona: Gedisa.

PALACIO, Manuel. (ed.) (2006). *Las cosas que hemos visto. 50 años y más de TVE*. Madrid: Instituto Oficial de RTVE

RUEDA, J.C. y CHICHARRO, M.M (2006). *La televisión en España (1956-2006)*. Madrid: Fragua.

SANMARTÍN, J. (2006). "El escaparate de las televisiones locales por ondas de la Comunidad Valenciana en Internet". En VV.AA. (eds.). *La comunicación local por Internet*. Castellón: Universitat Jaume I. pp. 531-539

VACAS, F. (2000). *Televisión y desarrollo. Las regiones en la era digital*. Badajoz: Junta de Extremadura.

VALLÉS, A. (1994). "La televisión local en el ámbito europeo". *Comunicación y Estudios Universitarios*, núm. 4, Valencia. Fundación Ceu San Pablo.

VV.AA. (eds.). *La comunicación local por Internet*. Castellón: Universitat Jaume I.

VV.AA. (2009). *eEspaña 2009: Informe anual sobre el desarrollo de la sociedad de la información en España*. Madrid: Fundación Orange.

ZULIMA, I. (2004). *La Televisión local pública en España. La producción propia informativa como esencia de una verdadera comunicación de proximidad de servicio público*. Salamanca: Universidad Pontificia de Salamanca.

9
CIBERMEDIOS Y WEB 2.0

Guillermo López García
Universitat de València

José Luis González
Universidad Miguel Hernández

Mar Iglesias García
Universidad de Alicante

Dolors Palau
Universitat de València

Hugo Doménech
Universitat Jaume I

Tomás Baviera Puig
Universitat de València

1. INTRODUCCIÓN

El desarrollo de los medios de comunicación valencianos en Internet ha discurrido históricamente por cauces similares a los que pueden apreciarse en otras comunidades de nuestro entorno, matizadas por la incidencia del bilingüismo (de hecho, la revista *El Temps*, publicada íntegramente en valenciano, será el primer medio de comunicación publicado en España que cuente con versión digital, ya a principios de 1994) y por la relativamente escasa importancia que los principales medios de comunicación valencianos han otorgado a Internet hasta fechas muy recientes.

La investigación académica ha ido en consonancia con este desarrollo tardío (a modo de ejemplo, el diario *Levante-EMV* comienza a publicarse en Internet en 1997; *Las Provincias* en 2000, *Información* en 2001 y *Mediterráneo* en 2002), centrándose habitualmente en análisis sectoriales o estudios de caso[1]. El primer trabajo que aborda un estudio de conjunto de los ciber-

---

[1] Podríamos citar, entre otros, a García de Torres y Pou, 2000; Iglesias García, 2000, 2002 y 2008; López García, 2006; Llorca, 2008; Martínez, 2008; Palau, 2008; y González, 2009; además de los encuadrados en el *IV Congreso de Comunicación Local*,

medios valencianos es el de López García (2008a), basado en un corpus de 232 cibermedios.

En aquel momento[2] podía observarse sin dificultad una clara preponderancia (en términos de audiencia y de cantidad y calidad de los contenidos ofertados) de los principales medios convencionales, especialmente los que derivaban del soporte impreso (como los diarios *Las Provincias*, *Levante-EMV* o *Información*), así como de la radio y la televisión públicas. Aunque también se detectaba la pujanza de una serie de medios locales, muchos de ellos presentes exclusivamente en Internet, que contrastaba con la presencia, de carácter mucho más testimonial, de la mayoría de las emisoras de radio y cadenas de televisión.

Este capítulo permitirá, en primer lugar, que hagamos una actualización de los resultados de este análisis y del propio corpus de cibermedios. A continuación, ahondaremos en la naturaleza y características de los principales medios autonómicos y locales en Internet, incluyendo el estudio específico de un caso ilustrativo, la ciudad de Elche. Por último, revisaremos también un territorio hasta ahora prácticamente inexplorado en lo que concierne a la Comunidad Valenciana: la existencia de una blogosfera de dimensión local que también conforma el espacio comunicativo valenciano en Internet.

2. CARACTERÍSTICAS GENERALES

El análisis cuyos resultados desglosaremos a continuación se basa en la explotación de un corpus de 290 cibermedios cuyo ámbito de operaciones radica, total o sustancialmente, en la Comunidad Valenciana[3]. Para la configuración del corpus partimos del listado previamente acotado en una investigación anterior (López García, 2008a), actualizado y completado con un importante número de cibermedios de reciente aparición en Internet. A tal efecto, se realizaron exhaustivas búsquedas en directorios temáticos de

---

celebrado en la Universitat Jaume I de Castellón y centrado en la comunicación local por Internet.

[2]   Aunque se publicó con fecha de 2008, la recopilación de cibermedios y el análisis del corpus se llevaron a cabo en 2007.

[3]   Puede accederse al corpus —actualizado periódicamente— en la siguiente dirección: www.cibermediosvalencianos.es/corpus

cibermedios escritos, radios y televisiones[4], así como en sucesivas consultas en el buscador Google (donde se emplearon palabras clave específicas).

A continuación, se aplicaron una serie de variables al corpus, con el objeto de mostrar las tendencias de fondo del sistema comunicativo valenciano en este ámbito, poderosamente dependiente de los medios convencionales (de hecho, como veremos a continuación, la mayoría de los cibermedios valencianos derivan de medios impresos o audiovisuales), pero al mismo tiempo enormemente dinámico y con rápidas mutaciones en períodos relativamente cortos de tiempo. En concreto, se estudió el sistema de medios digitales valencianos con arreglo a los siguientes parámetros:

a) **Tipo de medio:** de los 290 cibermedios analizados, 125 son publicaciones escritas, 127 emisoras de radio y las 38 restantes cadenas de televisión. Evidentemente, no se trata de compartimentos estanco, sino que (en particular, en aquellos cibermedios que presentan un mayor desarrollo de sus contenidos) es muy habitual encontrar la combinación del texto escrito con contenidos audiovisuales. Sin embargo, en todos los casos hemos podido observar una preponderancia clara de alguno de estos tres sistemas expresivos.

b) **Origen:** Una mayoría de los cibermedios valencianos, 208 (el 71,72%), provienen de medios impresos o audiovisuales. En la mayor parte de los casos, se trata de emisoras de radio o cadenas de televisión de ámbito local que se han visto paulatinamente incentivadas para tener también presencia en Internet. El caso contrario, es decir, cibermedios exclusivamente desarrollados en Internet (82, el 28,28% del total), constituye un rasgo aún minoritario, pero en franco ascenso, fundamentalmente concentrado en los medios escritos.

	Medios escritos	Radios	Televisiones
Derivados de un medio convencional	55	124	29
Exclusivamente digitales	70	3	9

Tabla 1: **Cibermedios derivados de un medio convencional o exclusivamente digitales**

---

[4]   Cabría citar, en particular, la *Guía de la Comunicación*, disponible en la web de Presidencia de la Generalitat Valenciana (http://www.portaveu.gva.es/guia.htm); la *Guía de la Radio* (http://www.guiadelaradio.com/), actualizada por Luis Segarra desde 1997; TDT1 (http://www.tdt1.com/); etc.

El mayor dinamismo de los medios escritos obedece, sin duda, a las dificultades, de carácter económico y logístico, que todavía implica desarrollar contenidos sonoros y audiovisuales en la Red, y que en parte explican la relativa facilidad con la que los medios de comunicación impresos comenzaron a distribuirse también en Internet ya en la década de los noventa.

c) **Medios públicos / privados:** el sector público cuenta con un total de 38 cibermedios, la mayoría de ellos correspondientes a radios o televisiones municipales. La mayor parte de los medios de comunicación valencianos en Internet (238) pertenecen a empresas privadas, muchas de las cuales, a su vez, se hallan ligadas con grupos de comunicación de ámbito nacional, como es el caso, por ejemplo, del elevado número de emisoras de radio asociadas con la Ser y la COPE, o de las ediciones locales de diarios de tirada nacional como *El País*, *El Mundo*, *ABC* o *20 Minutos*. Por último, encontramos 13 cibermedios de carácter comunitario (sin ánimo de lucro y derivados de iniciativas ciudadanas, asociaciones culturales, etc.).

d) **Ámbito de actuación:** casi todos los cibermedios valencianos (250) operan en el ámbito local. De ellos, una clara mayoría se concentra en las provincias de Alicante (114) y Valencia (98), las más pobladas de la región, frente a los 38 de la provincia de Castellón. Otros 24 cibermedios se dirigen al conjunto del público valenciano, y los 16 restantes se corresponden con las ediciones locales de cibermedios de ámbito nacional (como *El País*, *El Mundo*, etc.) o presentes en otras comunidades autónomas, particularmente aquellos dirigidos al conjunto del ámbito lingüístico valenciano-catalán (como ocurre con *El Temps* o Vilaweb).

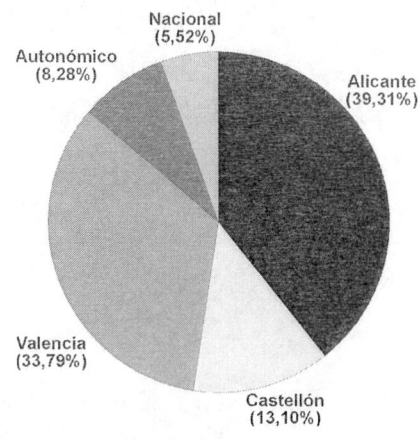

Gráfico 1. Distribución territorial, en %

e) **Idioma:** No puede decirse que el bilingüismo que caracteriza al territorio valenciano encuentre una presencia ajustada a la realidad social en sus medios de comunicación, al menos a juzgar por los datos referidos a los cibermedios. Casi dos tercios del total (191, el 65,86%) emplean exclusivamente el castellano, mientras tan sólo 40 (el 13,79%) hacen lo propio con el valenciano, y 42 (el 14,48%) combinan ambos idiomas. Por último, se detecta la presencia de varias publicaciones dirigidas a las distintas comunidades de turistas extranjeros, 12 de ellas en inglés, 3 en alemán y 2 en otros idiomas (sueco y holandés), la mayoría de ellas (el 88,23%) radicadas en la provincia de Alicante.

Si comparamos estos datos con los que mostrábamos anteriormente respecto de la naturaleza pública o privada de los cibermedios aparece un dato esclarecedor: de los 40 cibermedios que desarrollan sus contenidos en valenciano, encontramos la misma cantidad (18) de medios públicos y privados, y otros cuatro de carácter comunitario. Esto significa que un 46,15% de los medios públicos emplea el valenciano (y otro 30,76% adicional utiliza valenciano y castellano indistintamente), mientras que sólo el 7,56% de los medios privados tiene como lengua vehicular el valenciano (y un 9,66% adicional que emplea ambos idiomas).

Por tanto, el sector público presenta un grado de interés y de preocupación por los contenidos en valenciano —en cumplimiento del carácter de difusión cultural y de defensa de la lengua valenciana que se les presupone a los medios públicos— que brilla por su ausencia en los medios privados, incluso en cibermedios radicados en localidades y comarcas mayoritariamente valencianohablantes. Una disonancia en la que la falta de atención de los medios privados (en manos, en muchas ocasiones, de grupos de ámbito nacional que se limitan a redistribuir contenidos del medio "fuente" o a complementarlos con algunos contenidos locales, o, sencillamente, a reproducir teletipos de agencia) por la lengua valenciana no obedece sólo a consideraciones lógicas (es decir, a la mayor penetración o conocimiento del castellano por parte de la población), sino también a la falta de medios o de interés por parte de este sector.

f) **Contenidos:** Por último, el análisis permitió diferenciar entre cibermedios de contenidos generalistas y especializados, con un claro predominio de los primeros (227 frente a sólo 63 cibermedios especializados). De éstos, la mayoría (42) se corresponden con radiofórmulas musicales que también cuentan con presencia en Internet, mientras que la aparición de otros tipos de especialización (cultural, deportiva, etc.) es significativamente menor.

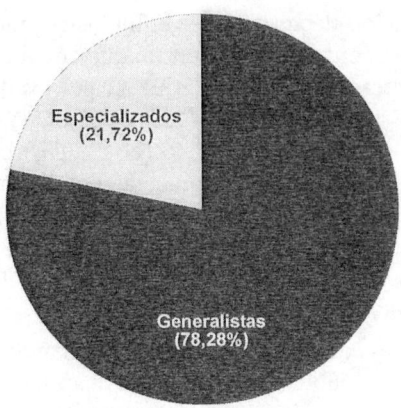

Gráfico 2. Tipo de contenidos, en %

3. PRINCIPALES CIBERMEDIOS

3.1. Cibermedios de ámbito autonómico

Dentro de este apartado cabría distinguir entre dos subtipos principales: Cibermedios que son secciones o derivación de medios de comunicación de ámbito nacional, por un lado; y cibermedios propiamente radicados y que desarrollan su principal actividad en la Comunidad Valenciana, por otro.

3.1.1. Cibermedios nacionales con penetración en la Comunidad Valenciana

El panorama de cibermedios nacionales que decidieron crear secciones propias para la Comunidad Valenciana se ha mantenido durante los últimos años, con algunas fluctuaciones. En la actualidad se puede hablar de tres tipos de cibermedios de ámbito nacional que tienen espacios específicos en territorio valenciano: medios tradicionales de información generalista, medios nativos de la Red y medios étnicos. En el primer caso, medios tradicionales, tanto *El País*[5], *El Mundo*, como posteriormente *ABC*[6] y *La Razón*[7], han

---

5   http://www.elpais.com/diario/cvalenciana/
6   http://www.abc.es/comunidad-valenciana/valencia-alicante-castellon.asp
7   http://www.larazon.es/secciones/ediciones-regionales/com-valenciana

trasladado a sus ediciones digitales los espacios específicos que tienen en papel para la Comunidad Valenciana. Por el momento, *Público* no ha seguido esta dinámica, pese a los resultados satisfactorios que viene obteniendo en plazas como Alicante o Valencia. En el caso de *El Mundo*, el diario personaliza un poco más la oferta con ediciones para las tres capitales, subiendo el pdf de la portada del cuadernillo provincial correspondiente[8].

El segundo tipo de cibermedio nacional con implantación en la Comunidad Valenciana es el nativo de la Red. En este apartado, se deben citar *La Información.com*[9], *Soitu*[10] y *Vilaweb*[11]. Al igual que los medios tradicionales, los dos primeros tienen sus redacciones centrales en Madrid. *La Información.com*, el proyecto que Mario Tascón inauguró en marzo de 2009, y *Soitu.es*, medio nativo que impulsó y dirigió, hasta su cierre en octubre de 2009, Gumersindo Lafuente, crearon una estructura de comunidades autónomas, no demasiado ambiciosa, con noticias de agencia, muchas veces mezcladas con noticias nacionales e internacionales. Aun siendo medios nuevos y creados específicamente para Internet, no mejoran la oferta para la Comunidad Valenciana que los medios tradicionales tienen en sus ediciones digitales.

Mención aparte, en esta tipología referida a medios nativos, merece *Vilaweb*, todo un clásico y referente del ciberperiodismo, con sede central en Barcelona y con el catalán como lengua vehicular. Desde sus orígenes, *Vilaweb* profundizó en territorio valenciano con ediciones en Alacant, Benicàssim, Castelló, Ontinyent, El Campello o Gandía. La profundidad y personalidad local que no tienen los medios nacionales con implantación en la Comunidad Valenciana, sí la tiene, en cambio, *Vilaweb*. Otro caso de cibermedio nativo con edición autonómica es *Diario Crítico de la Comunidad Valenciana*[12], que nació como *Panorama Actual*[13] y que se unió a *Diario Crítico*[14] a finales de 2008. También cabe citar aquí el cibermedio *El Punt del País Valencià*[15], que, aun teniendo su origen en un semanario en papel,

---

[8]   http://estaticos.elmundo.es/documentos/2009/09/04/PortadaAlicante.pdf

[9]   http://noticias.lainformacion.com/valencia

[10] http://www.soitu.es/soitu/tags/portadilla/comunidad_valenciana

[11] http://www.vilaweb.cat/www/elcampello

[12] http://www.diariocriticocv.com. Según datos de su web, en enero de 2009 tuvo 458.183 usuarios únicos

[13] *Panorama Actual* se creó en 1999 y fue uno de los primeros cibermedios sin referente en papel de la Comunitat Valenciana.

[14] Cuenta con ediciones también en Andalucía, Castilla-La Mancha, Madrid y Cantabria.

[15] http://www.elpunt.cat/municipis.html

recientemente ha dejado de imprimirse para ofrecerse exclusivamente en Internet, dentro del proyecto informativo en catalán de *El Punt*[16].

Finalmente, el tercer tipo de medio nacional que ha intentado hacerse un hueco en Valencia es el de los medios étnicos. El hecho de que la Comunidad Valenciana sea la tercera en número de inmigrantes ha propiciado que los medios étnicos más importantes del país hayan buscado este mercado como modo de expansión. En este sentido, cabe destacar el caso de *Latino*, la publicación que Novapress edita en Barcelona y Madrid y que en Internet tiene un sitio propio para la Comunidad Valenciana[17]. Otro medio étnico importante con edición, tanto en papel como en Internet, para el territorio valenciano es *Sí se puede*[18], publicación que, al contrario que *Latino*, oferta contenidos a otros colectivos inmigrantes importantes en España, además de los latinos, como los rumanos y los magrebíes.

3.1.2. Cibermedios autonómicos

La mayoría de los cibermedios de la Comunidad Valenciana son de ámbito local o provincial, pero también los hay que tienen vocación de cubrir todo el territorio valenciano. Es el caso de los medios públicos valencianos. Por un lado, *Ràdio 9*[19] y *Sí Ràdio*[20], disponen de páginas web independientes, en las que pueden escucharse las emisiones en directo[21]. Por otro lado, *RTVV*[22] incluye en un mismo portal las televisiones *Canal 9*, *Punt2* y *24/9* y ofrece algunos de sus programas a la carta. El canal internacional *TVVI* cuenta con una web propia, en la que se puede seguir su emisión en directo, así como la del canal *24/9*. Estos cibermedios incluyen los mismos contenidos que emiten sus medios de origen, sin añadir ninguna opción de participación o de interactividad.

---

[16]   El acceso a la información se estructura por municipios. Al acceder por primera vez, cada usuario se encuentra una pantalla donde se le pide que escriba el nombre de la localidad que quiere tener como página de inicio y la información se presenta en cuatro bloques: las noticias del municipio, las del País Valenciano, las del resto del dominio lingüístico catalán y las del mundo.

[17]   http://www.latinolevante.com/index.php

[18]   http://www.sisepuede.es/C.-Valenciana

[19]   http://www.radionou.com

[20]   http://www.siradio.com

[21]   La web de *Ràdio 9* permite escuchar también en directo los programas locales de Alicante, Castellón y Valencia.

[22]   http://www.rtvv.es

Desde la iniciativa privada cabe destacar cibermedios nativos como *Pàgina 26*[23], íntegramente en valenciano y que nació en 2007. Se autodenomina "diari electrònic valencià" y ofrece la posibilidad de comentar cada una de las noticias. Aunque no utiliza el hipertexto para "enriquecer" la información, sí que incluye contenido audiovisual en el apartado *Pàgina26TV*[24], con entrevistas y reportajes de producción propia. Por otro lado, con el lema "El periódico digital de la Comunidad Valenciana", desde Burriana se edita, en castellano, *ElPeriodic.com*[25]. Con contenidos que provienen principalmente de agencias de noticias, este ciberdiario incluye ediciones provinciales y locales.

Otros casos de cibermedios nativos son *AnnaNotícies*[26] y *PluraliaTV*. Ninguno de los dos incluye publicidad. El primero, en valenciano, se elabora con aportaciones de los lectores, que habitualmente son organizaciones sociales, políticas y sindicales de izquierdas, con un archivo de noticias desde 2002. El segundo, *PluraliaTV*, es un canal de televisión con información "alternativa" sobre temas sociales. También destacan algunos cibermedios sectoriales, como *Nostresport*[27], con información deportiva en castellano, o *Veintepiés*[28], que muestra información sobre logística y transporte internacional y comercio exterior.

Otros cibermedios de ámbito autonómico son *Levante-emv*[29] y *Las Provincias*[30], que tienen su origen en medios tradicionales. Los contenidos que ofrecen reproducen casi exclusivamente su versión impresa, junto con noticias de agencias y algunos servicios de valor añadido, que son comunes al grupo mediático al que pertenecen[31] y con un diseño común (López García, 2008a: 78). Los dos cuentan con un canal de televisión —que se corresponde con las concesiones de Televisión Digital Terrestre, LevanteTV[32] y Las ProvinciasTV[33]— que aportan contenidos audiovisuales a sus páginas web.

---

[23]   http://www.pagina26.com
[24]   http://www.pagina26.com/pagina26tv.html
[25]   http://www.elperiodic.com
[26]   http://www.annanoticies.com
[27]   http://www.nostresport.com
[28]   http://www.veintepies.com
[29]   http://www.levante-emv.com
[30]   http://www.lasprovincias.es
[31]   *Levante-emv* al grupo Prensa Ibérica y *Las Provincias* a Vocento
[32]   http://www.levantetv.es
[33]   http://www.lasprovinciastv.es

3.2. Valencia

Las comarcas de Valencia concentran más de un tercio de los cibermedios de la Comunidad (98). Cerca de la mitad de ellos tienen un carácter radiofónico, frente a un tercio que procede de medios impresos o sustenta su peso en la información escrita. Las televisiones en la red, en cambio, apenas suman una docena.

Los cibermedios de Valencia responden a diferentes modelos, tanto en contenidos como en profesionalización o convergencia digital. Junto a los especializados en cultura, economía, religión, sociedad, educación o servicios comerciales, destacan los de información general, de ámbito local o comarcal. Pese a la inmediatez que caracteriza al entorno digital, buena parte de estas publicaciones apenas ofrecen una renovación diaria de contenidos, cuando no sirven de mera plataforma de servicios (guía de locales y establecimientos), especialmente en magazines y semanarios (*Hello Valencia, Ribera Magazine*).

En otras ocasiones se trata de un soporte para colgar la edición impresa en formato pdf, desaprovechando las posibilidades del nuevo medio. Esta opción se manifiesta en algunas publicaciones comarcales que se limitan a acompañar la edición en papel de algunas noticias tomadas de agencia o notas de prensa, con una actualización irrelevante. Otro de los modelos opta por la publicación de fotografías, generalmente de actividades lúdicas (culleradigital.com, torrentaunclic.es)

Sin embargo, dentro del núcleo de cibermedios en los que predomina el texto, destacan algunas apuestas más profesionales, en las que, junto a la actualización diaria con ciertos contenidos propios, se observa también un mayor desarrollo de los elementos audiovisuales. Merecen especial atención *Horta Noticias*[34] o *Crónica local*[35]. En términos generales, estos cibermedios tienen aún un largo camino por recorrer, no sólo para explotar las posibilidades hipertextuales y multimedia, sino también las interactivas, una circunstancia llamativa en medios que tienen en la proximidad su razón de ser y que, en buena medida, les aleja de las apuestas de la llamada web 2.0.

Un análisis de la procedencia de las informaciones muestra que la mayor parte de ellas tiene su origen en las agencias de noticias o en comunicados de instituciones. Llama la atención la escasa transparencia de los medios, que en ocasiones remiten a la fórmula "redacción" para no revelar

---

[34]   http://www.hortanoticias.com/
[35]   http://www.cronicalocal.info/

la procedencia. A excepción de los medios indicados, el resto de contenidos propios adolece de una redacción profesional y abundan, en cambio, giros y expresiones poco adecuadas o una clara confusión que trufa de opinión buena parte de las noticias. También brillan por su ausencia los géneros interpretativos, precisamente aquellos que requieren mayor elaboración e investigación.

Como fenómeno interesante destacan las publicaciones digitales de dos barrios emblemáticos en la ciudad de Valencia: el Carmen (Barriodelcarmen. net) y la Malvarrosa/Cabanyal (radiomalvarrosa.wordpress.com). De carácter comunitario y participativo, estos medios están volcados en las reivindicaciones vecinales, así como en la difusión de actos culturales y/o sociales, a modo de agenda. En este sentido, siguen la línea de una emisora emblemática en el panorama de las ondas libres, Radio Klara[36], que en su versión digital ofrece, además del acceso a la programación en directo, artículos de opinión, una dinámica que no suele estar presente en las radios digitales.

La mayor parte del cerca de medio centenar de cibermedios radiofónicos están especializados en distintos géneros musicales, desde ritmos latinos a música electrónica o radiofórmulas. La información constituye apenas un elemento complementario, ya que la mayoría de páginas web simplemente se limita a ofrecer la programación y, en ocasiones, una presentación del equipo de profesionales y un enlace para escuchar el medio. Las noticias de actualidad son excepcionales, incluso en buena parte de las emisoras municipales, donde la proximidad constituye un factor de interés. El diseño y la legibilidad están aún entre los factores a mejorar en la mayoría de cibermedios.

En el caso de los medios audiovisuales, se repite un esquema similar, aunque con un mayor refuerzo de vídeos, de modo que algunas emisoras ofrecen los informativos completos (Telehorta[37], Sueca TV[38]) o ciertas piezas destacadas (Info TV[39] o Comarcal TV[40]), aunque la actualización no es diaria. Cuatro de ellas permiten, además, el acceso a la programación a través de

---

[36]   http://www.radioklara.org/
[37]   http://www.telehorta.es/
[38]   http://www.suecatv.com/
[39]   http://www.infotelevisio.com/
[40]   http://www.comarcal.tv/

internet (Gandia TV[41], Ribera TV[42], Levante TV[43] y UPV RTV[44]), una circunstancia que no está presente en TMV Valencia[45] o Canal 8 Televalencia[46], ya que apenas se limitan a incluir en su web información de los programas y presentadores. Pese a tratarse de medios de proximidad llama la atención que sólo Levante TV incorpore un foro de debate —con participación escasa— y que ninguno de ellos se abra a la colaboración de la audiencia con el envío de material audiovisual.

3.3. Castellón

La provincia de Castellón cuenta con aproximadamente unos cuarenta medios digitales, con características ciertamente heterogéneas en cuanto a su contenido, origen, gestión y ámbito de actuación. Entre los diarios locales que se encuentran presentes en exclusiva en Internet y que se dirigen al conjunto del público de la provincia de Castellón destaca *Ya Castelló*[47]. Este diario digital es un medio con vocación de proximidad que estructura su página principal en tres secciones fundamentales: "Castellón", "Provincia" y "CD. Castellón". Por su parte, la página del cibermedio *Diario Castellón*[48], que apareció en abril de 2006, tiene un espíritu eminentemente local, pese a que sus secciones y contenidos advierten un enfoque, en ocasiones, nacional.

En cuanto a otros proyectos, caracterizados por existir exclusivamente en la red, pero con un ámbito de influencia comarcal, destaca *3x4 Info*[49]. En este sitio para los territorios del norte de Castellón —Maestrat, Els Ports y La Tinença— encontramos los contenidos en valenciano. Se privilegian secciones como gastronomía, cultura o deporte. Otro cibermedio con características similares —también en valenciano y con contenidos determinados geográficamente— y con diez años de trayectoria es *Vinaròs News*[50]. Esta página destaca las noticias del día y ofrece también reportajes sobre Vina-

---

[41]   http://www.gandiatv.com/
[42]   http://www.riberatelevisio.com/
[43]   http://www.levantetv.es/
[44]   http://www.upv.es/entidades/RTV/
[45]   http://www.tmva.es/
[46]   http://www.c8televalencia.tv/
[47]   http://www.yacastellon.com
[48]   http://www.diariocastellon.com
[49]   http://3x4.info
[50]   http://news.vinaros.net/v10

roz, Benicarló, Peñíscola y otros pueblos de la misma comarca castellonense. Otro diario digital para las comarcas del norte de Castellón, especializado en el ámbito deportivo, es *Zonaesport*[51].

Por último, en lo que se refiere a las comarcas del sur de Castellón, podemos destacar *Quince Días Digital*[52], *La Plana al día*[53] y las cabeceras de los diferentes medios impresos y televisiones locales. Quizás el ejemplo más notorio en este sentido es la web que ha puesto en marcha recientemente el *Periódico Mediterráneo*[54], que personaliza las informaciones con secciones específicas para los distintos territorios de la provincia de Castellón.

3.4. Alicante

Las comarcas alicantinas concentran 114 cibermedios. La mayoría son diarios, radios y televisiones locales 'tradicionales' que trasladan sus contenidos a la red, con mayor o menor fortuna, pero también han surgido varios cibermedios nativos. En principio, Alicante no se ha caracterizado por la innovación en sus cibermedios. En cuanto a los que tienen su origen en la prensa, tanto *DiarioInformacion.com*[55] como *LaVerdad.es*[56] siguen mostrando sus contenidos de papel en Internet. Es cierto que cada vez ofrecen más opciones de participación a sus lectores (chats con personajes conocidos, envío de fotos, concursos, etc.), pero la información del día a día sigue siendo la misma que se vende en los quioscos[57].

El ejemplo más claro lo tenemos en la versión digital de *Ciudad de Alcoy*[58], que se limita a 'colgar' en Internet el PDF[59]. Otros ejemplos los encontramos en los 'pequeños' grupos de comunicación que existen en las comarcas alicantinas. Es el caso del grupo Costa Comunicaciones, que publica cinco periódicos gratuitos en la comarca de L'Alacantí[60] y que traslada

---

[51]   http://www.zonaesport.com
[52]   http://www.quincediasdigital.com/index.aspx
[53]   http://www.laplanaaldia.com/
[54]   http://www.redmediterraneo.com/
[55]   http://www.diarioinformacion.com
[56]   http://www.laverdad.es/alicante
[57]   A veces, en las portadas de sus webs se actualizan a lo largo del día algunas noticias, que provienen habitualmente de agencias.
[58]   http://www.ciudaddealcoy.com
[59]   Curiosamente utiliza los SMS para cobrar por el uso de su hemeroteca.
[60]   *El Raspeig* de San Vicente, *Rambla* de Mutxamel, *La Illeta* de El Campello, *El Canelobre* de Bussot y *Rambla* de Sant Joan.

sus contenidos del papel conjuntamente en su web[61]. Un caso semejante es el controvertido Grupo Noticias[62], con sede central en Benidorm, y con implantación en las comarcas de la Marina Baixa, L'Alacantí y el Baix Vinalopó. Este grupo, que edita semanales gratuitos en 17 poblaciones alicantinas[63], recoge sus contenidos también en una única web[64]. Además de reproducir en HTML y PDF las noticias de los gratuitos, incluye contenidos del canal TDT *Noticias Te Ves,* adjudicado al grupo por la Generalitat. Siguen el mismo esquema las versiones digitales de *Canfali Marina Baixa*[65] y *Canfali Marina Alta*[66], así como *El Record del Vinalopó*[67], un semanal deportivo, con sede en Elda, que en su web traduce al inglés algunas de las noticias.

Por otro lado, en las webs de las radios alicantinas el panorama es muy parecido, ya que en muchos casos se limitan a mostrar su programación y —no siempre— la emisión en directo. Entre las grandes cadenas con emisora local destaca *COPE Alicante*[68], que incluye en su web imágenes, encuestas, noticias, así como hemeroteca. Y también podemos citar, por su originalidad, *Radio Millenium*[69], que utiliza una plataforma gratuita de redes sociales para elaborar su web, y que incluye chat, blogs e información propia. Otro caso original es *Radio Cocentaina*[70], que además de la emisión en directo, en valenciano, publica diariamente en un blog[71] los textos de las noticias.

Respecto a las webs de las televisiones, han mejorado en cuanto a tecnología y en muchos casos incluyen la emisión en directo, o como mínimo algunos programas, pero la mayoría son plataformas para mostrar sus contenidos audiovisuales, sin aprovechar las posibilidades de interactividad o hi-

---

[61]   http://www.costacomunicaciones.es

[62]   Su editor, Leopoldo Bernabéu, fue condenado en 2008 por injurias a un ex-edil del Partido Popular de Benidorm y el grupo ha sido acusado en reiteradas ocasiones de favorecer a los ayuntamientos que contratan publicidad en sus medios.

[63]   Alfaç del Pi, Alicante, Altea, Benidorm, Benissa, Callosa d'Ensarrià, Calpe, Campello, Elche, Finestrat, La Nucía, La Vila Joiosa, Mutxamel, Polop, San Vicente del Raspeig, Sant Joan y Santa Pola.

[64]   http://www.prensaynoticias.com

[65]   http://www.canfalimarinabaixa.es

[66]   http://www.canfalimarinaalta.es

[67]   http://www.elrecord.net

[68]   http://www.cope.es/alicante

[69]   http://radiomilleniumdealicante.ning.com

[70]   http://va.cocentaina.es/ver/649/Radio-Cocentaina.html

[71]   http://radiococentaina.wordpress.com

pertextualidad que ofrece Internet. Es el caso de *Información TV*[72] del grupo Prensa Ibérica, *MariolaTV*[73] en Alcoy, *Canal VegaTV*[74] o *Telecrevillent*[75].

Sobre los cibermedios nativos, hay que destacar que Alicante ha sido pionera en este aspecto, ya que en 1997 se creó *VilaWeb Alacant*[76], la primera edición local de *VilaWeb* en la Comunidad Valenciana, y que continúa activa, aunque con una actualización irregular de sus contenidos (Galiana, 1999). En el mismo caso se encuentra *VilaWeb El Campello*, que nació en 1999. Otros ejemplos son *Orihuela Digital*[77] y *Bajo Segura Noticias*, que se limitan a publicar noticias de agencia y comunicados de prensa, desde 2003. Y en ese mismo año se creó *Alcoidigital*[78], un ciberdiario en valenciano que ha consolidado su presencia en el ecosistema informativo local (Llorca, 2008: 151).

Por último, no hay que olvidar los cibermedios que se publican en lenguas extranjeras, en especial en alemán y en inglés, dirigidos especialmente a los residentes europeos. Destacan las versiones digitales de los semanales *Costa Blanca News*[79], *Costa Blanca Nachrichten*[80] y Costa Blanca Zeitung[81], así como *Le@ader*[82].

3.5. Insuficiencias del ciberperiodismo local. El caso de Elche

Es notorio que, salvo contadas excepciones, todavía no ha habido una apuesta por el ciberperiodismo local, como oportunidad para acercarse con el ciudadano y entablar una sincera conversación con él, encontrándose todavía en una fase muy inicial en España. Un ejemplo es la ciudad de Elche, la tercera más importante, en cuanto a población, de toda la Comunidad Valenciana, con más de 240.000 habitantes.

---

[72] http://www.informaciontv.es
[73] http://www.mariolatvalcoy.com
[74] http://www.canalvegatv.com
[75] http://www.crevision.es
[76] http://www.vilaweb.cat/alacant
[77] http://www.orihueladigital.es
[78] http://www.alcoidigital.com
[79] http://www.costa-news.com
[80] http://www.costanachrichten.com
[81] http://www.cbz.es
[82] http://www.theleader.info

Un reciente estudio de la evolución histórica de los cibermedios ilicitanos[83] muestra que Internet es un soporte cada vez más importante para el periodismo local y que su crecimiento es exponencial. Un solo apunte sirve para constatarlo: en el último bienio se han creado dos de los cinco medios que poseen redacción en Elche. Sin embargo, el análisis de sus distintas variables permite subrayar que aún no se ha encontrado un modelo empresarial que los convierta en negocios rentables y que todavía no son capaces de aprovechar las múltiples posibilidades que proporciona la tecnología de la red de redes.

La observación de su estructura empresarial revela que sólo a uno de los cibermedios se le puede considerar como un medio periodístico real, puesto que el resto se apoyan en empresas distintas, normalmente periodísticas, y basan su funcionamiento en la convergencia multimedia, sin prestar atención a la interacción con el ciudadano. Algunos de ellos, incluso, han optado por no hacer uso efectivo de la publicidad, que hasta el momento es la única fuente de recurso viable en la red. Además, hay que señalar que la mayor parte de los contenidos se asemejan notablemente a los de los medios tradicionales, principalmente a la prensa, en cuanto a temática, estilo y diseño. Pero todavía es más llamativo que la hipertextualidad, la multimedialidad y la interactividad, bases del periodismo en Internet, son conceptos poco explorados y que, a juzgar por su evolución, todavía no se les otorga la importancia que merecen.

Por lo tanto, el examen de los cibermedios ilicitanos enseña un panorama con luces y sombras, en el que el tiempo, los movimientos del mercado y, sobre todo, el consumidor, determinarán su auge o su estancamiento; un consumidor-usuario al que todavía no se le coloca en el centro del proceso.

Además de páginas web de las secciones que medios tradicionales como *Información*[84] o *La Verdad*[85] tienen destinadas a Elche u otras generadas a partir de cadenas nacionales con emisoras en Elche: SER y COPE (*Radio Express*), durante los últimos tiempos se han hecho hueco en el mercado ilicitano medios nativos como *Elche Digital*[86] (antes *ésElx*) o *Todo Elche*[87].

---

[83]   GICOV (Grupo de Investigación de la Comunicación en la Comunidad Valenciana). Capítulo sobre ciberperiodismo ilicitano realizado por Félix Arias. Elche, 2009
[84]   http://www.diarioinformacion.com/elche/
[85]   http://www.laverdad.es/alicante/local/elche/
[86]   http://www.elchedigital.es/index.html
[87]   http://www.todoelche.com/

Dentro de este mapa local ilicitano ya comentado destacan los cibermedios surgidos de las cadenas nacionales de radio. En el caso de *Radio Elche*[88], con entidad propia, aunque manteniendo la imagen corporativa de la SER; mientras que *Info Expres*[89] es la 'pata' digital de *Radio Expres* Cadena COPE y *Tele Elx*. En ambos casos se produce una convergencia redaccional bien resuelta, con unos contenidos más que aceptables.

4. LA BLOGOSFERA VALENCIANA

En el marco de la comunicación en Internet, cada vez tiene un peso mayor el intercambio de información mediante herramientas que están al alcance de cualquier usuario de la Red. Una de ellas es el blog. El objetivo de este epígrafe es evaluar la realidad de la blogosfera en la Comunidad Valenciana, y tratar de apuntar brevemente algunas características.

El blog —o weblog— es un tipo particular de página web que es fácilmente identificable. Podemos asumir como blog toda página web que se componga, al menos, de dos elementos básicos: una cabecera con un título que identifica el blog, y una serie de anotaciones o entradas que se encuentren dispuestas en orden cronológicamente inverso.

En nuestro estudio hemos tomado los siguientes criterios para clasificar un blog como blog valenciano: o bien el autor o autores especifican que pertenecen a la Comunidad Valenciana (ya sea por su origen, ya sea por su actual residencia), o bien ha habido una instancia externa que indica que el autor de dicho blog pertenece a la Comunidad Valenciana.

De acuerdo con estas premisas, hemos localizado un total de 605 blogs. Este elenco no pretende ser exhaustivo, en buena medida debido a la dificultad de abarcar totalmente el objeto de estudio. Hemos pretendido, no obstante, que sea suficientemente amplio como para enumerar unos rasgos significativos del estado de la blogosfera en la Comunidad Valenciana[90].

De cada blog hemos estudiado cuatro características: idioma en que está escrito, público al que se dirige, frecuencia de anotaciones y temas principales que trata el blog.

---

[88] http://www.radioelche.com/index.php
[89] http://www.infoexpres.es/
[90] En la web cibermediosvalencianos.es se encuentra el listado de estos blogs.

a) **Idioma**: La mayoría de los blogs que hemos localizado vinculados a la Comunidad Valenciana están escritos en castellano: 498 (82,3%). El número de blogs que emplea el valenciano como único idioma es menor, pero en absoluto desdeñable: 90 (14,8%). Resulta menos significativo el número de blogs escritos en ambos idiomas: sólo 10 (1,6%). Hemos podido identificar un porcentaje mínimo (1,1%) que incluye el inglés, bien sea como lengua única o compartida con el castellano.

Idioma	Total	%
Castellano	498	82,3%
Valenciano	90	14,8%
Valenciano y castellano	10	1,6%
Inglés y castellano	4	0,6%
Inglés	3	0,5%

Tabla 2: Idiomas en que están escritos los blogs valencianos. Fuente: elaboración propia

b) **Público al que se dirige**: Cuando un autor escribe un blog, el alcance de los temas que trata depende de a quién se dirija. Puede ser desde un interés restringido o particular de una familia hasta temas generales de actualidad comunitaria o nacional.

Así, sobresale el número de blogs valencianos que tratan temas de interés nacional, 410 (67,7%). Pero no deja de ser significativo el porcentaje de blogs que tratan temas con un alcance vinculado a la Comunidad Valenciana (17%) y a temas de interés de una localidad concreta (13,5%). Además, hemos localizado 2 blogs que tratan temas relacionados con una familia concreta.

Público	Total	%
Familiar	2	0,3%
Local	82	13,5%
Comunidad Valenciana	103	17%
Nacional	410	67,7%
Global	8	1,3%

Tabla 3: Público al que se dirigen los blogs valencianos. Fuente: elaboración propia

c) **Frecuencia de publicación**: Publicar un blog, a diferencia de lo que ocurre con un medio de comunicación tradicional, no está sujeto a una determinada periodicidad. Las anotaciones aparecerán según el criterio y la disponibilidad del autor. Para este apartado, hemos evaluado la frecuencia con que los blogs estudiados han publicado en el último año.

Conviene destacar que la mayoría de los blogs se actualizan con una frecuencia semanal, esto es, con un número de entradas entre 4 y 15 al mes de media. Esta estimación puede variar en función del momento del año en que se evalúe. En la situación de publicación semanal se encuentra el 35,7% de los blogs listados. El 20% de los blogs estudiados publica con una frecuencia diaria (más de 15 anotaciones mensuales). En conjunto, vemos que los blogs estudiados son bastante activos.

Frecuencia de publicación	Total	%
Diaria	124	20%
Semanal	216	35,7%
Mensual	91	15%
Esporádica	85	14%
Blog parado (desde hace algunos meses)	89	14,7%

Tabla 4: **Frecuencia de publicación de las anotaciones en los blogs valencianos. Fuente: elaboración propia**

Como se aprecia en la tabla, también hemos detectado un porcentaje del 14,7% de blogs que hemos considerado parados en su publicación. Así hemos clasificado a aquellos blogs que no tenían anotaciones desde hacía más de dos meses. Nos ha parecido de interés incluirlos en el estudio, pues lo publicado en un blog no se pierde, independientemente de si hay o no más actualizaciones. Este aspecto constituye una diferencia importante con respecto a los medios de comunicación tradicionales.

d) **Temas**: Por último, hemos visto de cada blog cuál era el tema principal del que trataba. Evaluar este aspecto resulta siempre cuestionable, pues el contenido de un blog responde sobre todo al interés de su autor. Quien publica un blog es quien fija la frecuencia de publicación y el contenido de la anotación. Pero en bastantes casos es posible identificar un tema central, que es compatible con que aparezcan anotaciones de temas diferentes. A pesar de esta consideración, el estudio confirma que un 19,5% de los blogs listados tratan de temas de carácter personal, esto es, el autor o autores publican sus opiniones sobre cualquier ámbito. La siguiente tabla muestra los temas centrales que hemos encontrado en los blogs valencianos.

Tema	Total	%
Personal (lo que opina)	118	19,50
Creaciones artísticas	44	7,27
Tecnología	41	6,78
Política	41	6,78
Profesional	39	6,45
Actualidad	31	5,12
Cultura	30	4,96
Deportes	26	4,30
Ocio	25	4,13
Fotografía	22	3,64
Educativo	17	2,81
Diario personal (lo que hace)	16	2,64
Música	15	2,48
Viajes	14	2,31
Cine	13	2,15
Salud	13	2,15
Economía	12	1,98
Fallas	11	1,82
Recetas	11	1,82
Motor	10	1,65
Resto	56	9,25

Tabla 5: Temas centrales sobre los que se publica en los blogs valencianos. Fuente: elaboración propia

Cabe subrayar que 44 blogs de la Comunidad Valenciana están dedicados a mostrar las creaciones artísticas de los autores, principalmente de carácter literario. A continuación, destacan los blogs que se dedican a tecnología, política y temas profesionales. También las fallas, como fenómeno propio de la Comunidad Valenciana, se encuentran presentes en la blogosfera: hemos identificado 11 blogs que se centran en este tema.

BIBLIOGRAFÍA

FORTUNY, J. (dir.) (2007). *Guia de mitjans de comunicació en català*. Barcelona: APPEC. GALIANA, J.J. (1999). "Cibernoticias". *El País*: 12-03-1999

GARCÍA de TORRES, E. y POU, M. J. (2000). "Interactividad, información, promoción y valor de portal de las televisiones locales en la Red". En *Latina de Comunicación Social* nº 27. Disponible en http://www.ull.es/publicaciones/latina/aa2000tma/132/elvira.html

IGLESIAS GARCÍA, M. (2000). "La nostra experiència a Vilaweb", En *CMO-Cat: Actes de la I Jornada sobre Comunicació Mediatitzada per Ordinador en Català*. Barcelona: Universitat de Barcelona. En http://www.ub.es/lincat/cmo-cat/iglesias.htm

IGLESIAS GARCÍA, M. (2002). "Vilaweb, un mitjà de comunicació 'glocal'". *Congreso de Comunicación Local*. Comloc. Castelló: Publicacions UJI.

IGLESIAS GARCÍA, M. (2008). "Les edicions locals de Vilaweb al País Valencià". En LÓPEZ GARCÍA, G. (ed.). *Comunicación local y nuevos formatos periodísticos en Internet: cibermedios, confidenciales y weblogs*. Valencia: Servei de Publicacions de la Universitat de València. Disponible en http://www.cibermediosvalencianos.es/comloc/Iglesias.pdf. pp. 153-166.

LAUTERER, J. (2006). *Community Journalism. Relentlessly Local*. Chapel Hill: The University of North Carolina Press.

LLORCA, G. (2008). "www.alcoidigital.com: un ejemplo de comunicación [local] en la red Internet". En: LÓPEZ GARCÍA, G. (ed.). *Comunicación local y nuevos formatos periodísticos en Internet: cibermedios, confidenciales y weblogs*. Valencia: Servei de Publicacions de la Universitat de València. Disponible en http://www.cibermediosvalencianos.es/comloc/Llorca.pdf pp. 141-152

LÓPEZ GARCÍA, G. (2006). "Los cibermedios valencianos: evaluación y análisis". Comunicación presentada en el *III Congreso Online del Observatorio para la Cibersociedad* (Noviembre-Diciembre 2006). Disponible en http://www.cibersociedad.net/congres2006/gts/gt.php?llengua=es&id=36

LÓPEZ GARCÍA, G. (2008a). *Los cibermedios valencianos: cartografía, características y contenidos*. Valencia: Servei de Publicacions de la Universitat de València. Disponible en http://www.cibermediosvalencianos.es/cibermedios.pdf

LÓPEZ GARCÍA, G. (2008b). "Los medios valencianos en la Red: orígenes, evolución y balance de conjunto". En LÓPEZ GARCÍA, G. (ed.). *Comunicación local y nuevos formatos periodísticos en Internet: cibermedios, confidenciales y weblogs*. Valencia: Servei de Publicacions de la Universitat de València. Disponible en: http://www.cibermediosvalencianos.es/comloc/Lopez.pdf. pp. 71-82.

LÓPEZ GARCÍA, X. (2008). *Ciberperiodismo en la proximidad*. Sevilla: Comunicación Social.

MARTÍNEZ RUBIO, R. (2008). "La recuperación de la información en los periódicos digitales valencianos".En LÓPEZ GARCÍA, G. (ed.). *Comunicación local y nuevos formatos periodísticos en Internet: cibermedios, confidenciales y weblogs*. Valencia: Servei de Publicacions de la Universitat de València. pp. 99-140. Disponible en http://www.cibermediosvalencianos.es/comloc/Martinez.pdf

PALAU SAMPÍO, D. (2008). "Vicis de Paper en el ciberperiodisme local. Dinàmiques i estils dels mitjans valencians a Internet". En LÓPEZ GARCÍA, G. (ed.). *Comunicación local y nuevos formatos periodísticos en Internet: cibermedios, confidenciales y weblogs*. Valencia: Servei de Publicacions de la Universitat de València. pp. 83-98. Disponible en http://www.cibermediosvalencianos.es/comloc/Palau.pdf

VV.AA. (2006). *La comunicación local por Internet. IV Congreso de Comunicación Local*. Castellón: UJI.

10
GABINETES DE COMUNICACIÓN

Germán Llorca Abad
Universitat de València

Mar Iglesias García
Universidad de Alicante

1. INTRODUCCIÓN. GABINETES DE COMUNICACIÓN

La comunicación es un fenómeno complejo. Es, asimismo, un fenómeno transversal a todas las actividades desarrolladas por las organizaciones, independientemente de su naturaleza y objetivos. La gestión de la comunicación en las organizaciones requiere de un tratamiento específico y profesional. Éste puede ser llevado a cabo desde la propia organización o por una empresa o profesional externa.

De esta breve y aún imprecisa introducción, entendemos que los gabinetes de comunicación son aquellos *departamentos*, integrados por algún especialista del ámbito de la comunicación, desde los que se desarrolla la gestión profesional de la comunicación de las organizaciones. El tamaño, complejidad y nivel de atribuciones de estos departamentos viene determinado por las necesidades concretas de cada organización. Éstas, a su vez, están definidas por la naturaleza de la misma, su tamaño y escala, el ámbito de actuación, el grado o nivel de conciencia de comunicación, etc. (Capriotti, 1999; Villafañe, 1999).

Estas consideraciones nos permiten comprender las dificultades para establecer una definición precisa de qué es un gabinete de comunicación. Almansa (2005a: 119) confirma esta percepción al poner de manifiesto la pluralidad de denominaciones existentes. Una pluralidad que "evidencia, lógicamente, la falta de unidad conceptual y pone de manifiesto, en gran medida, la falta de delimitación funcional". Algunas de las nomenclaturas más habituales que podemos encontrar son: gabinete de prensa, departamento de comunicación, dirección de comunicación, gabinete de relaciones públicas, consultoría de comunicación, departamento de relaciones externas, departamento de relaciones con los medios, gestión de imagen, departamento de publicidad y *marketing*, etc.

A esta pluralidad de nombres, que en definitiva encierra la diferente conceptualización de los gabinetes, cabe añadir la profusa atribución de adjetivos con los que se pueden adornar: institucional, integral, corporativo, protocolario, etc. Son, sin duda, elementos que debemos tener en consideración para definirlos.

El fenómeno de la comunicación en su implicación total se refiere a todas y cada una de estas especialidades. Necesariamente, las funciones ideales de un gabinete de comunicación deberían contemplar la gestión integral de todos los fenómenos de comunicación, incluidas todas las acciones con una dimensión comunicativa. La realidad apunta, sin embargo, a la existencia de una especialización y, por consiguiente, a la fragmentación y la dispersión. En otras palabras, la situación ideal difiere de la real, puesto que en pocas empresas u organizaciones se tiene una perspectiva global del fenómeno comunicativo. La gestión integral de la comunicación está desdeñada, tal y como sugiere la práctica generalizada. No es de extrañar, puesto que cobrar conciencia del fenómeno de la comunicación y de la dimensión comunicativa de todos los componentes de la organización es un proceso complejo.

La definición de los gabinetes de comunicación debe tener en cuenta, al menos, los siguientes aspectos: la posición que ocupan en las organizaciones y qué funciones se les atribuye. Almansa (2005a: 121) sugiere que no se haga la distinción entre los gabinetes de comunicación y las consultoras de comunicación. Esta diferenciación suele utilizarse para determinar si el gabinete es interno o externo. "Los servicios de un gabinete y una asesoría o consultora son prácticamente los mismos". Unos servicios o funciones que, según apunta la autora de manera muy simple, deberían estar planificados desde la coordinación "de todas las acciones de comunicación para que haya coherencia entre unas y otras". (2005a: 124).

Algunos autores (Villafañe, 1999; Martín, 1995; Goretti, 2003) identifican los gabinetes de comunicación principalmente, en efecto, con la función de dirección de las acciones de comunicación de las organizaciones. Sin duda, uno de los papeles fundamentales que deberían desempeñar los gabinetes es el de coordinar dichas acciones. No obstante, limitar la utilidad de los mismos a la organización u orientación de la acción comunicativa, se nos antoja problemático.

También hay que desterrar el mito que todavía pervive en algunos sectores profesionales de vincular la gestión controlada de la comunicación únicamente al entorno de las empresas. Cualquier tipo de organización, desde la más simple a la más compleja, es susceptible de organizar de manera profesional la gestión de sus flujos comunicativos.

La comunicación en las organizaciones desde este planteamiento, tal y como describe Cabrera (2002: 17), es la existencia en el entramado organizacional de "un incesante flujo y reflujo de mensajes que circulan en todas direcciones, por anchas vías o por estrechos y tortuosos carriles, que se proyectan y que ingresan. Así, el modo en que se gestiona la Comunicación, el diferente grado de aprehensión y organización del caos, son los elementos" que colaboran de manera radical en el aporte de coherencia al conjunto". Podríamos concluir esta definición apostillando que son los gabinetes de comunicación, independientemente de su estructura, complejidad y posición respecto a la organización, los que pueden darle coherencia a la comunicación en las organizaciones.

Los recursos destinados a la gestión de la comunicación, la escala de la organización, el nivel de conciencia de comunicación,... Son algunas de las variables que deben tenerse en cuenta para entender la situación. No obstante, en su planteamiento esencial, en la definición de los gabinetes de comunicación deberían distinguirse las funciones reales de las funciones ideales que, en cualquier caso, requieren que la gestión sea llevada a cabo por profesionales del ámbito de la comunicación.

Sería inútil tratar de establecer una definición única de qué es y para qué sirve un gabinete de comunicación, aplicable a la situación actual en la Comunidad Valenciana. Sin embargo, tal y como trataremos de determinar en el siguiente apartado, esta situación no difiere mucho de la de otros ámbitos geográficos en los que la praxis profesional es muy similar. Intentaremos, no obstante, tratar de describir las funciones que de forma, más o menos consciente, desarrollan los gabinetes de comunicación.

2. FUNCIONES

Las distinciones hechas hasta este punto nos obligan a considerar las funciones de los gabinetes de comunicación desde una perspectiva bastante amplia. El papel atribuido a los gabinetes puede variar sensiblemente, puesto que las necesidades de gestión de la comunicación pueden diferir sensiblemente de una organización a otra. En este sentido, trataremos de hacer una propuesta de síntesis que parta del siguiente presupuesto: la distinción entre funciones ideales, es decir, todas aquellas que podría llegar a desempeñar un gabinete de comunicación, y las funciones reales. Al referirnos a las *funciones reales*, trataremos de determinar aquéllas que tienen más presencia en los gabinetes de comunicación en la Comunidad Valenciana.

En primer lugar, las funciones de un gabinete deberían estar encaminadas a la gestión global de todos los flujos de comunicación en relación con los públicos estratégicos de la organización; internos, externos e intermedios (Capriotti, 1999; Losada, 2004). Los públicos son los que determinan las necesidades de gestión y sólo desde esta perspectiva se puede componer una verdadera estrategia integral de comunicación. Si la gestión de la comunicación, en sentido amplio, debe controlar al máximo posible los efectos de todo aquello que comunica o puede comunicar en la organización (Arranz, 2003: 219), entendemos que será necesario el uso combinado de estrategias y herramientas de todas las especialidades del ámbito de la comunicación: diseño, publicidad, relaciones públicas, comunicación corporativa, marketing, etc. Las funciones de los gabinetes de comunicación deberían estar pensadas desde esta concepción holística.

El planteamiento nos obliga a tener en cuenta también las diferentes profesiones en relación con cada una de estas especialidades. No habría que identificar a los gabinetes con ninguna profesión en concreto, puesto que idealmente todas son o pueden ser necesarias: el director de comunicación, el redactor de textos, el redactor de textos multimedia, el diseñador gráfico, el periodista, el programador web, el gestor del archivo, etc. Y no se trata de establecer una enumeración exhaustiva. Sin embargo es imprescindible contar con este punto de vista para entender que cualquier reducción de aspiraciones supone una reducción de las funciones ideales de un gabinete de comunicación.

Tal y como apunta Almansa (2005b), tradicionalmente se identifica los gabinetes de comunicación con la gestión de medios de comunicación. Ni todas las organizaciones necesitan tener presencia en los medios de comunicación [porque no los necesitan como público], ni toda la comunicación de las organizaciones se limita a los medios. En esta versión hiperreducida del fenómeno de la comunicación organizacional vemos representada de manera emblemática nuestra posición. Otro de los ejemplos que podríamos utilizar se refiere a la reducción de toda la gestión a la comunicación corporativa. Para las organizaciones es importante mejorar la percepción social que se tiene de ellas, pero habitualmente se plantea la cuestión desde un punto de vista estrictamente publicitario.

Estos dos ejemplos son fundamentales en nuestra argumentación. Cabrera (2002: 86) nos da la base sobre la que asentar más sólidamente nuestro planteamiento: "[...] habrá una Dirección de Comunicación, cuya responsabilidad es, precisamente, toda la comunicación. La unidad de Relaciones Públicas, que gestiona una de las disciplinas de la comunicación mediante el uso de una serie de herramientas que le son propias, deberá depender de esa área de dirección, en el bien entendido de que se trata aquí de establecer un principio de orden, necesario para controlar una función (las Relaciones Públicas) y un proceso (el de la Comunicación) que concierne a toda la empresa". Nosotros cambiaríamos el tiempo en el inicio de este enunciado [*habrá*] por un *debería haber* y añadiríamos después de [*a toda la empresa*] y *a toda organización*.

En segundo lugar, tal y como hemos sugerido, las funciones reales de un gabinete o departamento de comunicación están determinadas por las necesidades concretas de cada organización. Cabría apuntar, no obstante, que en este aspecto también influyen factores como el grado de conciencia del fenómeno de la comunicación en el seno de las organizaciones (Llorca, 2009), o el tamaño de las organizaciones / empresas. En cualquier caso, nuestro trabajo no persigue llevar a cabo el análisis cualitativo necesario para explicar dichas *variables* en el seno de las empresas y organizaciones valencianas. Por este motivo, trataremos de determinar las funciones reales de los gabinetes de comunicación, teniendo en cuenta los servicios que ofrecen las principales empresas del sector.

Atendiendo a estas premisas y tal y como veremos más adelante, podemos afirmar que los principales servicios ofrecidos giran en torno al diseño publicitario y la gestión de la publicidad en medios de comunicación. Uno de los indicadores de esta realidad es que la mayoría de listados de clasificación generales, tales como las Páginas Amarillas, y específicos, como la Guía de la Comunicación de la Generalitat Valenciana, ordena las empresas de comunicación tras la nomenclatura "Comunicación y Publicidad".

El diseño de identidad corporativa, que no de la gestión de la reputación, seguiría en orden de importancia al de la creatividad publicitaria. De lejos, tendríamos que enumerar las funciones relacionadas con la gestión directa de algunos servicios: realización de páginas web, realización de vídeos promocionales, gestión de notas de prensa, organización de eventos, impresión de cartelería y publicidades, etc.

Puede ser una obviedad afirmar que se trata de servicios muy parciales y enfocados de manera muy fragmentaria a la comunicación con los públicos externos. Es decir, no entendidos como algo global. Esta característica, insistimos, no es exclusiva del área de la Comunidad Valenciana. Si bien el concepto de gestión integral de la comunicación está parcialmente más desarrollado en provincias como Madrid o Barcelona, el problema sigue siendo el mismo (Casas Arriba, 2001; Losada, 2004) en toda España. Más adelante veremos con detalle la especificidad de las empresas de comunicación valencianas.

3. GABINETES DE COMUNICACIÓN EN LA COMUNIDAD VALENCIANA

La creación de gabinetes de comunicación se multiplica desde la década de los 80 en toda España y van teniendo cada vez mayor relevancia en la configuración de la agenda de los medios de comunicación (García Orosa, 2005a: 99). Instituciones y empresas van tomando conciencia de la importancia de canalizar la información hacia sus públicos, se produce una profesionalización y se crean estructuras estables, que utilizan la comunicación como un instrumento para llegar a la opinión pública[1]. La administración autonómica, los ayuntamientos, partidos políticos, sindicatos, asociaciones y empresas de la Comunidad Valenciana no son ajenos a este fenómeno y han ido incorporando gabinetes de comunicación en sus organigramas.

En la actualidad no existe ningún estudio sistematizado en el que aparezcan los gabinetes de comunicación de la Comunidad Valenciana y no existen registros o estadísticas oficiales en este sentido[2]. En consecuencia, en este apartado no se pretende hacer una recopilación exhaustiva de los diversos gabinetes, sino hacer un recorrido por sus características más relevantes, atendiendo a la tipología que propone Txema Ramírez (1995). Así, según la naturaleza de sus usuarios, Ramírez (1995: 125-139) establece una tipología de los gabinetes de comunicación, que divide en gabinetes de comunicación de la administración pública, gabinetes de partidos políticos y sindicatos, gabinetes de empresas, gabinetes de movimientos sociales y ONG, y por último, asesorías de comunicación o gabinetes externos, también llamadas consultorías[3]. A continuación se detallan sus características y se exponen algunos ejemplos de gabinetes de comunicación de la Comunidad Valenciana.

---

[1]   Así lo demuestran varios estudios, como por ejemplo el efectuado por la Asociación de Directivos de Comunicación (DIRCOM) sobre "El Estado de la Comunicación en España" (2001). En ese estudio, el 65% de las empresas consultadas disponen de un responsable de comunicación; en otros casos (el 17,3%) tienen varios y, únicamente un 17,7% carecen de este tipo de profesional. Un estudio posterior, realizado por García Orosa en 2004, indica que el 68,88 % de las entidades tiene gabinete de comunicación (García Orosa, 2005: 99).

[2]   El Instituto Nacional de Estadística (INE), así como el Instituto Nacional de Empleo (INEM), carecen de datos al respecto, por lo que se han que consultado distintos listados y agendas existentes, además de otras fuentes documentales.

[3]   Empresas independientes especializadas en la creación y ejecución de campañas de relaciones públicas y comunicación y que, a diferencia de las anteriores, no están integradas en la estructura del emisor.

3.1. Gabinetes de comunicación de la administración pública

Este primer grupo está compuesto por aquellos gabinetes de comunicación vinculados al denominado sector público, es decir, a la administración y a las instituciones públicas[4], y que ejercen lo que se ha denominado comunicación institucional[5]. En la Comunidad Valenciana, en este grupo se engloban los gabinetes de comunicación pertenecientes al Gobierno central, el Gobierno autonómico, las administraciones provinciales y locales, las universidades y todos aquellos organismos dependientes del sector público. Este grupo es el que cuenta con más gabinetes, ya que en él se incluyen los numerosos gabinetes de los ayuntamientos. Algo lógico, si se tiene en cuenta que los ayuntamientos son las administraciones públicas más numerosas, aunque no todas cuenten con gabinete de comunicación.

Entrando en detalle, y observando en primer lugar la administración central, encontramos que tanto la Delegación del Gobierno en Valencia como las subdelegaciones provinciales de la administración central en la Comunidad Valenciana tienen sus respectivos gabinetes de comunicación. Así, en la Delegación del Gobierno cuentan con una persona responsable del gabinete en Valencia, con la que trabajan dos periodistas y un administrativo. En el caso de las subdelegaciones, Valencia y Castellón cuentan con un periodista, mientras que en Alicante trabajan dos periodistas. Sus funciones se centran en la relación con los medios de comunicación y en el asesoramiento a los cargos políticos, y sus miembros han accedido a su puesto de trabajo en algunos casos por libre designación y en otros por concurso-oposición[6].

---

[4] Las administraciones públicas reconocen la trascendencia que la función de comunicación tiene para sus objetivos y, en esa línea, han consolidado en sus organigramas la figura de un responsable de su gestión y han creado estructuras estables.

[5] La comunicación institucional nace en el momento de la creación de las instituciones, vinculada a la necesidad de transparencia, al derecho de información y acceso a la administración de los ciudadanos. Así, su objetivo sería identificar y desarrollar las relaciones con los ciudadanos y dar a conocer las actuaciones de la administración. Sin embargo, no puede olvidarse que en muchas ocasiones también es percibida como propaganda y que la realidad de algunos gabinetes de comunicación parece estar muy centrada en el fomento y cuidado de la imagen pública del máximo responsable político, en vez de promover la consolidación, el conocimiento y el desarrollo de la institución.

[6] Los datos sobre la estructura y personal contratado de los gabinetes de prensa se han obtenido mediante entrevistas telefónicas con sus responsables en octubre de 2009.

En cuanto a la administración autonómica, la estructura organizativa de la Generalitat Valenciana en cuestiones de comunicación es compleja. En la actualidad existe la Secretaría autonómica de comunicación, la Dirección general de relaciones informativas y la Dirección general de promoción institucional (que dependen directamente de Presidencia). Además, todas las consellerías cuentan con un responsable de comunicación —llamado habitualmente "asesor de prensa"— que se incluye en lo que se denomina "gabinete de prensa". Esta denominación refuerza la idea de que sus funciones se limitan a las relaciones con los medios. También cuentan con "jefes de prensa" otros organismos dependientes de la Generalitat, como por ejemplo el Palau de les Arts Reina Sofia y el Institut Valencià de la Joventut. En la gran mayoría de los casos, estos puestos están ocupados por periodistas con experiencia en los medios de comunicación.

Otras instituciones que cuentan con gabinetes de comunicación ya consolidados son las universidades públicas valencianas. Aunque la denominación y la estructura es diferente en cada una de ellas[7], todos están dirigidos por periodistas, a excepción de la Universidad Politécnica de Valencia, donde está dirigido por un docente. Estos gabinetes se encargan de planificar y poner en práctica políticas de comunicación global, aunque en su mayoría se centran sobre todo en la relación con los medios de comunicación.

Difícilmente se podrían citar aquí todos los organismos públicos que cuentan con gabinete de comunicación; por ello, cerraremos este apartado haciendo referencia a los ayuntamientos. El principal objetivo de estos gabinetes es tener eco en los medios de comunicación, lo que les permite, a su vez, mantener informados a los ciudadanos sobre la labor desarrollada por el ayuntamiento. Su nacimiento viene amparado en la Ley de Base de Régimen Local, en el artículo 69[8], en el que se recoge que las corporaciones locales "facilitarán la más amplia información sobre su actividad y la participación de todos los ciudadanos en la vida local". También se recoge en el Reglamento de Organización, Funcionamiento y Régimen Jurídico de las Entidades Locales[9], en el artículo 230, en el que se expresa que existirá, en la organización administrativa de la entidad, una oficina de información

---

[7]   Por ejemplo, la Universidad de Alicante cuenta con una Oficina Técnica de Comunicación, que depende del Vicerrectorado de Relaciones Institucionales, mientras que en la Universidad Jaume I de Castellón se denomina Servicio de Comunicación y Publicaciones, y depende directamente del Rector.

[8]   http://www.aranzadi.es/index.php/informacion-juridica/legislacion/administrativa/ley-de-bases-del-regimen-local

[9]   http://noticias.juridicas.com/base_datos/Admin/rd2568-1986.html

que canalizará toda la actividad relacionada con la publicidad de las actuaciones municipales.

La presencia o no de gabinetes de comunicación en la administración local está motivada, en gran medida, por su tamaño y sus recursos. Sin embargo, en muchas ocasiones también depende de la voluntad del gobierno de la corporación. Si hace unos años tan sólo Valencia, Alicante y Castellón contaban con gabinete de comunicación, en la actualidad todos los grandes municipios, e incluso muchos municipios pequeños, tienen a alguien contratado con este fin. El tema pendiente en muchos de estos gabinetes es la profesionalización de sus miembros, que está unida a la provisionalidad de sus contratos, ya que suelen ser cargos de confianza que dependen de quién gobierna el consistorio[10].

3.2. Gabinetes de comunicación de partidos políticos y sindicatos

Los partidos políticos y los sindicatos están haciendo un esfuerzo en los últimos años y ya son muchos los que cuentan con gabinetes de comunicación en sus sedes autonómicas, provinciales y, en algunos casos, hasta en las locales. La situación en la Comunidad Valenciana ha mejorado en la última década, especialmente en los partidos políticos, pero aún es frecuente en el ámbito local encontrar que quien se encarga de las tareas comunicativas es un miembro de la ejecutiva, sin formación específica.

En el ámbito autonómico valenciano, todos los partidos políticos con representación parlamentaria tienen gabinete de comunicación, pero en el ámbito provincial y local hay grandes diferencias. Así, los partidos con mayor implantación tienen una mayor infraestructura en materia de comunicación. Es el caso del Partido Socialista (PSPV-PSOE) en el que se ha producido una reciente renovación del gabinete de comunicación, que ha pasado a tener nueve periodistas en Valencia[11], que se encargan tanto de la comunicación externa como interna. Este partido político cuenta en Alicante con cinco profesionales[12], y en Castellón son dos los periodistas con-

---

[10]   También hay excepciones. Por ejemplo, municipios como Finestrat o Benifaió han profesionalizado su gabinete de comunicación con plazas estables, que no dependen de los cambios de gobierno.

[11]   Antes contaba con cinco periodistas.

[12]   Dos periodistas y un encargado de documentación en el grupo municipal y dos periodistas en el grupo de la Diputación Provincial.

tratados. Por su parte, el Partido popular (PPCV) cuenta en Valencia con cuatro periodistas en el denominado Gabinete de Prensa, en el que también colaboran becarios, y que se encarga especialmente de las relaciones con los medios. En cuanto a Alicante, coincide que la Secretaría de comunicación está dirigida por una periodista, al igual que en Castellón, que además cuenta con un periodista contratado.

Otro modelo distinto es el de Esquerra Unida (EUPV), que tiene centralizada la mayor parte de las tareas de comunicación en el Gabinete de Prensa de Valencia, en el que hay un responsable político y un periodista contratado. Tanto en Alicante como en Castellón, se encargan de la comunicación miembros del partido, que también realizan otras funciones. En el mismo caso se encuentra el Bloc Nacionalista Valencià (BNV), que tiene un profesional contratado en Valencia, mientras que en Alicante y Castellón tiene la figura del secretario de comunicación. En todos los casos, al frente de estos gabinetes se encuentran personas de confianza del partido, y es poco habitual que existan profesionales sin ningún tipo de afiliación política.

En cuanto a los sindicatos, suelen tener sus gabinetes de comunicación menos organizados que los partidos políticos[13], y la mayoría cuentan sólo con profesionales contratados en Valencia. Así, CGT-PV tiene una persona contratada, que coordina el gabinete de prensa de toda la Comunidad, y en Alicante y Castellón hay sendos secretarios de comunicación, que son miembros de la ejecutiva del sindicato. Otro caso es UGT-PV, que cuenta con un gabinete de comunicación en Valencia, formado por dos periodistas, y con otro periodista en Castellón, mientras que en Alicante las tareas de comunicación las realiza un miembro de la ejecutiva. También es habitual que todas las tareas de comunicación las realicen miembros del sindicato, como es el caso de Intersindical Valenciana, que tiene personal liberado, pero no profesional.

Nos encontramos con que tanto los partidos políticos como los sindicatos de la Comunidad Valenciana dan una gran importancia a la comunicación, y que sus actividades son sobre todo de relaciones externas, y en ocasiones puntuales de comunicación interna. En el caso de los partidos políticos, en muchas ocasiones se contrata a profesionales si la financiación proviene de una entidad pública, como es el caso de asesores municipales o provinciales. En el caso de los sindicatos, por falta de recursos económicos, la mayoría concentran sus gabinetes en Valencia, desde donde coordinan a personal polivalente del propio sindicato en sus oficinas comarcales y locales.

---

[13]   También cuentan con menos recursos económicos.

3.3. Los gabinetes de comunicación de movimientos sociales y ONGs

Las Organizaciones No Gubernamentales (ONGs) suelen ser organizaciones sin muchos recursos económicos pero, al mismo tiempo, encuentran en la comunicación una herramienta indispensable para dar a conocer y desarrollar su trabajo. A pesar de ser muy conscientes de esta necesidad, sus limitados recursos les impiden en muchos casos contar con gabinetes de comunicación profesionalizados. Intentan llevar a cabo una política comunicativa más o menos adecuada, pero en muchos casos realizan esa labor los voluntarios (algunos comunicadores, otros no), o personal de la organización, que se ocupa de la comunicación y de otras tareas, y no suele tener formación específica.

Así, en la Comunidad Valenciana existen grandes diferencias entre las ONGs en cuanto a la capacidad y a la forma de gestionar la comunicación. Hay un pequeño grupo que cuenta con personal dedicado específicamente a ello, remunerado y con dedicación exclusiva o de media jornada, que lleva la responsabilidad de la comunicación en la entidad, pero en la mayoría de los casos la comunicación se lleva desde diferentes áreas y de manera poco sistemática. Sólo las organizaciones más grandes y con más recursos tienen gabinetes profesionalizados.

Es el caso de Cruz Roja Española, que cuenta con un departamento de comunicación de ámbito autonómico. Este departamento está formado por cuatro personas[14], una en la Oficina Autonómica de la Comunidad Valenciana[15] y una en cada Oficina Provincial de Alicante, Castellón y Valencia[16]. La comunicación se trabaja en red en el ámbito provincial y autonómico, así como estatal. Este departamento cuenta con un Plan de Comunicación y las tareas que desarrolla son tanto de comunicación externa como interna. Por un lado, las tareas que se realizan en comunicación externa son: elaboración de estrategias de comunicación, notas de prensa, ruedas de prensa, desayunos de trabajo, organización de actos con otros departamentos, colaboración con otros gabinetes de prensa de instituciones, empresas o de ONG,

---

[14]   La persona responsable del departamento autonómico de Comunicación es licenciada en Periodismo, así como la de Castellón, mientras que en Alicante se trata de una persona licenciada en Publicidad y RRPP y en Castellón es licenciada en Administración de Empresas.

[15]   Este departamento existe formalmente desde 1996.

[16]   Los departamentos de Castellón y Valencia se denominan de Comunicación y Captación de fondos, ya que compatibilizan las dos tareas.

relación institucional con periodistas y asociaciones profesionales, acuerdos con medios de comunicación, protocolo y fotografías. Por otro lado, las funciones a realizar en cuanto a comunicación interna son: gestión y supervisión de materiales de difusión, gestión de la imagen corporativa de Cruz Roja Española (con herramientas como el Manual de Imagen Institucional o la Guía de Publicaciones y Publicidad), participación en la Revista dirigida a socios y voluntarios, elaboración de la Memoria Anual y formación para los miembros de comunicación (cursos de portavoces principalmente).

Este caso, que podría considerarse ejemplar, no se corresponde con la gran mayoría de ONGs implantadas en la Comunidad Valenciana, en las que los gabinetes de comunicación están estructurados de forma desigual. Por ejemplo, Intermón-Oxfam[17], que cuenta con personal contratado en Madrid y Barcelona, tiene en la Comunidad Valenciana una red de profesionales de la comunicación que son voluntarios. El caso más habitual es el de ONGs como COCEMFE-CV[18], en el que las tareas de comunicación las realizan miembros de la organización no profesionales. Se observa de nuevo que la falta de recursos económicos condiciona la creación de gabinetes de comunicación profesionales, también en este ámbito, y que estas carencias se suplen con miembros que realizan otras tareas en las ONGs.

3.4. Gabinetes de comunicación de las empresas

El mundo empresarial también ha ido incorporando departamentos de comunicación dentro de su estructura, sobre todo en las empresas más grandes. Según el último estudio realizado por la Asociación de Empresas Consultoras en Relaciones Públicas y Comunicación[19] el 88,6% de 500 grandes empresas españolas cuenta con un departamento interno que desarrolla las labores de comunicación, mientras que un 48,9% contrata los servicios de consultorías y un 12,8% utiliza colaboradores puntuales.

Los empresarios son cada vez más conscientes de que una política de comunicación eficaz tiene una importancia fundamental para sus organizaciones. Saben que tienen que cubrir sus necesidades comunicativas, tanto internas como externas, si desean alcanzar el rendimiento deseado. Todos

---

[17]   La sede de Valencia coordina los comités de Alicante, Castelló, Gandía y Murcia.
[18]   Confederación de Personas con Discapacidad Física y Orgánica de la Comunidad Valenciana
[19]   "La Comunicación y las Relaciones Públicas. Radiografía del Sector 2004" en http://www.adecec.com

quieren transmitir a la opinión pública una imagen positiva y para ello es muy importante la forma de gestionar la comunicación. Aun así, en el sector empresarial valenciano, diverso y heterogéneo, suelen ser las grandes empresas las que crean sus propios departamentos de comunicación (Bancaixa y Mercadona, por ejemplo) y cada una de ellas desarrolla un modelo en función de sus necesidades.

Según Enrique y Morales (2007: 88) existen dos modelos básicos en la comunicación empresarial: el de comercialización o marketing y el de comunicación integral. La utilización de uno u otro modelo depende, en gran medida, de la naturaleza y el perfil de la empresa a la que corresponde. Por un lado, el modelo de marketing es aquel que utiliza la comunicación como una técnica necesaria para alcanzar unos objetivos concretos, que son mayoritariamente cuantitativos y están relacionados con la implantación de productos en el mercado. Por otro lado, el modelo de comunicación integral da un sentido más global, gestionando todas las acciones de comunicación, concentradas en una misma estructura y responsabilidad. Existe una tendencia cada vez más generalizada a estructurar la comunicación teniendo en cuenta esa visión de globalidad y coherencia. No obstante, no existen soluciones universales para estructurar la comunicación, sobre todo porque cada empresa desarrolla un modelo en función de sus necesidades (Enrique y Morales, 2007: 91).

No existen datos sobre la implantación de los gabinetes de comunicación en las empresas valencianas, pero la situación más frecuente es que en la pequeña y mediana empresa estos departamentos dispongan de poco personal, y que los profesionales contratados se encarguen de gestionar la subcontratación de las necesidades de comunicación con empresas especializadas.

3.5. Empresas de Comunicación

Según las cifras aportadas en la Guía de la Comunicación de la Comunidad Valenciana de 2009, la distribución geográfica de las empresas de comunicación de la comunidad valenciana indica una concentración en la provincia de Valencia. Alrededor del 65% de las empresas se aglutinan en torno a la capital de la comunidad. Alicante y su provincia, con un 25%, se situaría en segunda posición y Castellón, con un 10%, en tercer lugar. Esta concentración se hace especialmente patente en las empresas de elaboración de contenidos audiovisuales.

Los datos preliminares sólo nos sitúan ante un escenario de reparto territorial desigual, posiblemente relacionado con el peso demográfico de cada provincia. En cuanto al tipo de empresa y las funciones o servicios que prestan, puede establecerse un reparto igualitario. En este sentido, la ubicación geográfica de la empresa no implica un mayor o menor número de prestaciones o una incidencia específica en sus niveles de profesionalidad. Asimismo, cabe destacar que en esta aproximación sólo hemos tenido en cuenta aquellas empresas cuya actividad principal contiene claramente el componente de la comunicación. En otras palabras: no hemos valorado la existencia de otras empresas cuya mayor especialización [corrección de textos, redacción multimedia, fotografía de estudio, etc.] las excluye de una aproximación global al fenómeno de la comunicación organizacional.

La clasificación que podemos llevar a cabo de las empresas resultantes de esta discriminación se limita a dos grandes áreas: comunicación y publicidad y servicios audiovisuales. En la primera categoría encontramos fundidas especialidades de la comunicación tan próximas pero dispares como la gestión publicitaria [Lógica Publicidad, La Agencia Planificación Publicitaria, Antaviana Publicidad, etc.], el diseño publicitario [B Diseño Gráfico, Nombela Diseño, Publisafor, etc.], gestión de estrategias de marketing [Marketing y Comunicación 2003, Accesi Consulting de Marketing, Amida Imatge i Marketing, etc.], gestión de medios de comunicación [Lobby & Comunicación, Masmedios para la gestión de la información, Media Planning Levante, etc.], organización de eventos y protocolo [Estratega Comunicación y Eventos, Mec Events, CIVA Grupo de Comunicación, etc.], asesorías de comunicación [Asesores de Comunicación y Medios, Backspin Consultores, Gimeno 111 Consultores de Comunicación, etc.], incluso empresas de gestión de la reputación corporativa [Komunico Imagen Corporativa, Indovinello, 2DC Estrategias de Comunicación, etc.]. En la segunda categoría, tampoco se establece una distinción clara entre las diferentes especialidades dentro de la producción audiovisual [vídeo, animación, cine, televisión, etc.]. Aunque en la práctica sí que estén especializadas en un sector específico, no es infrecuente encontrar colaboraciones, uniones temporales, o intercambio de clientes.

Esta indefinición nos da una pista clara sobre lo que apuntábamos líneas atrás en relación con la falta de una perspectiva holística de la comunicación en el entorno de las empresas y las organizaciones. No existe ninguna empresa del ámbito privado que pueda ofrecer la totalidad de servicios que, en función de lo que hemos defendido en el punto 2, implicaría la gestión de un gabinete de comunicación. Con frecuencia, las empresas deben recurrir a la subcontratación de servicios a otras empresas o profesionales para suplir sus carencias de base. Probablemente, la lectura de este hecho no es única. Por un lado, las grandes empresas de la Comunidad Valenciana que serían susceptibles de necesitar todos los servicios potenciales de un gabinete de comunicación cuentan con sus propios departamentos [Mercadona, Lladró, Ford, etc.]. Por otro lado, las grandes empresas de comunicación radicadas en Madrid, Barcelona u otras de ámbito internacional también trabajan en la Comunidad Valenciana.

En este sentido, las empresas del sector de la comunicación empresarial comparten muchas de las características de las empresas de servicios. Según el reciente estudio dirigido y revelado por el CGCE[20], el sector terciario avanzado en la Comunidad Valenciana tiene una fuerte presencia de pymes y estructura similar a la de sus principales clientes, que también son pymes en el 55% de los casos. Un 63% del sector es autónomo, un 31% tiene menos de cinco empleados y sólo el 1% cuenta con más de 20 trabajadores. Estas cifras nos dan una idea muy certera de la capacidad real del sector. Asimismo, las empresas se caracterizan por su gran capacidad de adaptación, flexibilidad y creatividad, ya que deben competir con empresas de mayor tamaño y con muchos más recursos. Por este motivo, ocho de cada diez empresas consultadas durante la elaboración del informe se muestran dispuestas a establecer alianzas y acuerdos de cooperación con otras consultoras para acceder a grandes proyectos y ampliar sus mercados. Sin embargo, desconocen los cauces para poner en marcha este tipo de colaboraciones y, aun así, el 64% se decanta por prescindir de intermediarios. El estudio también revela que las empresas centran su actividad en los servicios de consultoría (54%) y en los servicios de comunicación y publicidad (25%). Ofrecen una media de dos líneas de servicio, siendo las principales los recursos humanos y la formación (37%), el asesoramiento en imagen y comunicación (25%), el asesoramiento de nuevas tecnologías y comunicaciones (15%), la consultoría estratégica y de dirección (15%), publicidad y diseño publicitario (9%) entre otros.

En cuanto al volumen real de negocio de las empresas, la actividad privada genera el 75% del total de negocio y la administración pública el 25% restante. La mayoría de las empresas se orientan al mercado local, en menor medida al nacional y excepcionalmente al internacional, aunque el informe también muestra que desean crecer en estos dos últimos mercados. Finalmente, el perfil del cliente de las empresas de comunicación de la Comunidad Valenciana pertenece al ámbito local, es una empresa de pequeño tamaño y con necesidad de madurar en los servicios avanzados de gestión y mejorar su competitividad.

---

[20] Centro de Gestión del Conocimiento Empresarial. http://www.cgce.es

Con respecto a los principales problemas que deben afrontar las empresas de comunicación de la Comunidad Valenciana, cabe destacar la necesidad de mejorar la comunicación con el empresariado valenciano para que éste conozca los distintos servicios que en materia de comunicación ofrecen, y el valor añadido que como gestión de intangibles suponen. Una inversión que no siempre es percibida como necesaria.

3.6. Asociaciones profesionales y asociaciones empresariales

A diferencia de lo descrito en el apartado anterior, en el ámbito del asociacionismo sí que existe un mayor grado de especialización. En este sentido, tanto las empresas como los profesionales que trabajan en el ámbito de la comunicación suelen estar aglutinados en torno a la especialidad que mejor se identifica con su actividad. Debemos distinguir, sin embargo, las asociaciones empresariales [AE] de aquellas estrictamente profesionales [AP], en las que los miembros asociados no lo están por su pertenencia a una empresa determinada. Al igual que destacábamos al inicio del capítulo, cabe decir que ninguna de las asociaciones responde al 100% a la definición ideal de asociación empresarial de gabinetes de comunicación.

Respecto a las asociaciones profesionales, el Club Valenciano de la Comunicación Estratégica representaría de manera emblemática la especialidad profesional de los gabinetes de comunicación. La asociación, cuya historia se remonta a tres años, reúne a casi un centenar de directores de comunicación de grandes empresas e instituciones valencianas. En este sentido, podría considerarse como la AP que mejor representa el concepto de gabinete de comunicación. El resto de AP relevantes las podemos clasificar en función de la proximidad profesional de sus miembros a la de gabinete de comunicación. Destacan en esta línea la Asociación Valenciana de Especialistas en Información, la Asociación Valenciana de Doctores y Licenciados en Ciencias de la Información y la Asociación Club Marketing Valencia.

En el campo de los colegios oficiales, la Comunidad Valenciana sólo cuenta con el Colegio Oficial de Publicistas y Relaciones Públicas de la Comunidad Valenciana. Debe ser mencionado, no sólo por ser el único de estas características, sino porque las principales competencias desarrolladas en el campo de los gabinetes de comunicación tienen su origen académico en la licenciatura de Publicidad y Relaciones Públicas. Esta especialidad se imparte en las Universidades de Alicante, Jaume I de Castellón y CEU San Pablo de Valencia. En el ámbito académico, pero sin rango de colegio oficial, encontramos la Fundación COSO para el Desarrollo de la Comunicación y la Sociedad.

Las asociaciones vinculadas al ejercicio del periodismo, por su número, son muy relevantes en el ámbito de la Comunidad Valenciana. No hay que desdeñar el hecho de que numerosos periodistas ejercen su trabajo en el ámbito del asesoramiento de la comunicación, muchas veces con el cargo de directores de comunicación. Mencionaremos las más importantes: Asociación de la Prensa de Alicante, Unión de Periodistas Valencianos, Asociación de Periodistas Independientes Valencianos, Asociación de Periodistas de Castellón, o la Asociación de Periodistas Gráficos de la Comunidad Valenciana.

Del ámbito de la comunicación, las AP con mayor presencia en la Comunidad Valenciana se vinculan a profesiones artísticas o auxiliares de la industria audiovisual: actores, actrices, dobladores, técnicos, traductores, asesores lingüísticos, etc. Por este motivo no les prestaremos una mayor atención.

Respecto a las asociaciones empresariales, éstas siguen un patrón, como decíamos, muy vinculado con la principal especialidad desarrollada por las empresas que las constituyen. En el área de comunicación destaca la Asociación de Empresas de Consultoría y Terciario Avanzado de la Comunidad Valenciana, por su vinculación a la comunicación en un sentido más amplio. Por orden de importancia, quizá deberían situarse las AE aglutinantes de las diferentes especialidades del campo de la publicidad: 361º - Asociación de Empresas de Publicidad de la Provincia de Alicante y la Asociación de Agencias de Publicidad de la Comunidad Valenciana.

Probablemente más alejadas del concepto de empresas de gestión de gabinetes de comunicación, encontramos la Asociación Valenciana de Productores Independientes, Asociación Valenciana de Productores de Animación Audiovisual, la de Productores Audiovisuales Valencianos, Empresas Audiovisuales Valencianas Federadas y la Asociación de Empresas de Servicios de Vídeo, Cine y Televisión de la Comunidad Valenciana. Como puede comprobarse, todas ellas centradas en el negocio audiovisual en sus diferentes vertientes.

4. INCIDENCIA DE LAS TECNOLOGÍAS DIGITALES

Las nuevas tecnologías han supuesto sin duda un gran avance en la gestión de la información desde los gabinetes de comunicación[21]. Internet

---

[21] Ocho de cada diez directores de comunicación señalan a Internet como una de las grandes transformaciones registradas por los gabinetes de comunicación durante los últimos años, según datos de García Orosa (2005). Además, según el "Estudio

se ha convertido en un nuevo canal de comunicación, además de ser ya la primera fuente de documentación, y la realidad de los gabinetes no es ajena a esos avances, que presentan nuevas formas de relación con sus diferentes públicos. Por un lado, las nuevas tecnologías condicionan las formas de trabajo, ya que surgen nuevas necesidades, como actualizar una web, y por otro lado han creado nuevas formas de trabajar, por ejemplo, utilizando el correo electrónico en vez del fax. Ya no es suficiente con organizar una rueda de prensa, sino que además procede realizar la grabación en audio y vídeo, procesar la información, distribuirla, ponerla en Internet, y después realizar un seguimiento de las apariciones mediáticas. Pero además un gabinete de comunicación on line no es sólo la traslación de la comunicación a Internet, sino que modifica sus rutinas, sus objetivos y sus dinámicas (García Orosa, 2005b: 198). Hay que adaptar y amplificar los mensajes del mundo analógico al mundo digital. Entender cómo se han transformado los elementos básicos de la comunicación (emisor, receptor, lenguaje, canal y mensaje) ante los nuevos modelos de información digital.

Según un estudio realizado por García Orosa (2005b: 201), la radiografía que se obtiene de los gabinetes de comunicación on line es similar a la situación registrada en relación con los gabinetes de comunicación tradicionales. Así, como se ha destacado anteriormente, las grandes diferencias están marcadas por las dimensiones de la entidad y por sus recursos. Explica García Orosa que "mientras que la entrada de los departamentos on line en las entidades de menores dimensiones es casi inexistente, en el caso de las principales empresas, administraciones públicas y organizaciones del tercer sector la presencia en Internet es inevitable. Todas ellas ofrecen un servicio de actualidad, de noticias sobre la entidad y un contacto con los medios de comunicación" (García Orosa, 2005b: 204). Así, la práctica totalidad de organizaciones cuentan con web y correo electrónico, que utilizan diariamente, pero es escaso el número de gabinetes que intentan dar un paso hacia la interactividad, con instrumentos como los foros o sistemas de alertas. Por lo tanto, muchos aún no se han adaptado al nuevo entorno tecnológico y los nuevos modelos de comunicación. Los contenidos, en muchos casos, suelen ser estáticos o poco actualizados, sin aprovechar los recursos que ofrece la red.

---

sobre el uso de la red en los medios de comunicación" de Deloitte&Touche (2002), el 90% de los periodistas considera Internet imprescindible; de estos, el 71% creen que una sala de prensa on line es de mucha utilidad, con todas las herramientas que puede ofrecer ésta, dossiers informativos, material gráfico, notas de prensa.

García Orosa (2005b: 203) explica que la mayoría de los departamentos de comunicación tienen dos grandes espacios en las páginas web de la entidad. Por un lado, un espacio en la portada, en el que aparecen las últimas noticias y/o notas de prensa, y por otro lado, un espacio dedicado a los medios de comunicación, es decir, un gabinete de comunicación on line. Es el caso que encontramos en la mayoría de las webs de gabinetes de comunicación valencianos, en las que se puede encontrar fundamentalmente la agenda, que puede ser informativa o simplemente la agenda de actos de los altos cargos, notas y comunicados de prensa, discursos y comparecencias de los dirigentes, dossier con información más amplia y con temas de interés para los medios de comunicación. Entre los elementos que posibilitan la interactividad destaca el uso de la dirección de correo electrónico y, en algunas ocasiones, la utilización de blogs, foros o chats.

La incorporación de las nuevas tecnologías a las rutinas productivas de los gabinetes de comunicación está teniendo también una influencia favorable para la comunicación interna, ya que muchas organizaciones informan a sus públicos internos a través de Internet. Informar a través de la web y enviar correos electrónicos es sencillo y rápido, lo que favorece la consolidación de la comunicación interna en los gabinetes.

5. CONCLUSIONES

En la Comunidad Valenciana nos encontramos con un panorama similar al resto de España, en el que las administraciones públicas tienen el mayor número de gabinetes de comunicación, seguido del sector empresarial, mientras que el sector social (partidos políticos, sindicatos y ONGs) cuenta con menores recursos humanos y materiales para la gestión de la comunicación.

Los gabinetes de comunicación han evolucionado y se ha producido una transformación desde aquellos primeros que se ocupaban sólo de mandar información a los medios de comunicación, hasta las actuales estructuras, mucho más complejas. Sin embargo, el proceso de consolidación no se puede dar por cerrado. En la Comunidad Valenciana todavía hay muchas organizaciones que no cuentan con los servicios de un gabinete de comunicación, y en aquellas que lo tienen, se observa que siguen preocupándose más por la comunicación externa, sin ocuparse de otras funciones que les son propias, como la comunicación interna. Aún queda camino por recorrer y la consolidación pasa por la profesionalización de quienes en ellos trabajan y la especialización de los servicios que ofrecen para poder hacer frente a las nuevas necesidades del mercado.

Los originarios gabinetes de prensa surgieron para satisfacer las necesidades comunicativas con los medios de comunicación, pero la propia demanda social ha ido incorporando nuevas funciones y nuevos trabajos a estos gabinetes, por lo que hoy se debería hablar de comunicación en el sentido más amplio. Ya no basta con tener una buena relación con los medios de comunicación, por lo que se deben cuidar y atender debidamente al resto de públicos. Los gabinetes de comunicación deben ocuparse de las relaciones informativas, la comunicación corporativa, la comunicación interna y las relaciones públicas en general. Así, un gabinete no se puede limitar a las relaciones informativas con los medios, ya que no deja de ser una más de sus funciones. Los medios de comunicación deberían ser un público más para cualquier gabinete. Por ello, no debe abandonarse la comunicación interna, que en muchas ocasiones continúa siendo la gran olvidada. En este sentido, las nuevas tecnologías pueden y deben jugar un papel importante, que también requiere nuevas formas de trabajar y de crear estrategias de comunicación.

BIBLIOGRAFÍA

ADECEC (2004). "La Comunicación y las Relaciones Públicas. Radiografía del Sector 2004". En http://www.adecec.com.

ALMANSA, A. (2005a). "Relaciones Públicas y Gabinetes de Comunicación". *Anàlisi*, Número 32. pp. 117-132.

ALMANSA, A. (2005b). "Fortalezas, debilidades y tendencias en los gabinetes de comunicación". En VVAA. *Tendencias actuales en las relaciones públicas*. Sevilla: Universidad de Sevilla.

ARRANZ, J.C. (2003). "Relaciones públicas e identidad corporativa. Dos historias paralelas". En BARQUERO y BARQUERO [Coords.]. *Manual de relaciones públicas, comunicación y publicidad*. Gestión 2000, Barcelona pp. 215-236.

CABRERA, J.A. (2002) *Las Relaciones Públicas en la Empresa*. Madrid: Acento.

CAMPILLO, C. (2009). "Comunicación pública y gestión estratégica municipal. Un estudio exploratorio sobre la agenda temática". Tesis doctoral Universidad de Alicante

CAPRIOTTI, P. (1999). *Planificación Estratégica de la Imagen Corporativa*. Madrid: Ariel.

CASAS ARRIBA, R. (2001). "Las Consultoras de Relaciones Públicas". En *Laurea*, Monografía n°. 1. pp. 41-56.

GARCÍA OROSA, B. (2005a). *Los altavoces de la actualidad: radiografía de los gabinetes de comunicación*. A Coruña: Netbiblo.

GARCÍA OROSA, B. (2005b). "Gabinetes online y redes sociales virtuales". En LÓPEZ GARCÍA, G.(ed). *El ecosistema digital: modelos de comunicación, nuevos medios y público en Internet.*

GENERALITAT VALENCIANA (2009). *Guia de la Comunicació.* València: Generalitat Valenciana.

GORETTI, P. (2003). *Gabinets de Comunicació.* Barcelona: Pòrtic.

ENRIQUE, A.M. y MORALES, F. (2007). "La figura del Dircom. Su importancia en el modelo comunicación integral". En *Anàlisi,* número 35.

HERRANZ DE LA CASA, J. M. (2007). "La gestión de la comunicación como elemento generador de transparencia en las organizaciones no lucrativas". En *CIRIEC-España, Revista de Economía Pública, Social y Cooperativa,* n° 57, pp. 5-31.

LLORCA ABAD, G. (2009). "La Comunicación Interna en la Comunicación Corporativa". En *Las Relaciones Públicas en la Gestión de la Comunicación Interna.* pp. 107-117. Sevilla: AIRIP.

LOSADA DÍAZ, J.C. (coord.) (2004). *Gestión de la Comunicación en las Organizaciones.* Madrid: Ariel.

MARTÍN, F. (1995). *Comunicación en Empresas e Instituciones.* Salamanca: Ediciones Universidad.

RAMÍREZ, T. (1995). *Gabinetes de comunicación: funciones, disfunciones e incidencia.* Barcelona: Bosh.

VILLAFAÑÉ, J. (1999). *La Gestión Profesional de la Imagen Corporativa.* Madrid: Pirámide.

11
LA INDUSTRIA CULTURAL VALENCIANA: DIVERSIFICACIÓN Y CRISIS

Guillermo López García
Universitat de València

Manuel de la Fuente Soler
Universitat de València

Germán Llorca Abad
Universitat de València

Emilio Sáez Soro
Universitat Jaume I

1. INTRODUCCIÓN

Integrar, en un libro de estas características, un capítulo dedicado a la industria cultural puede parecer un ejercicio de redundancia. ¿No forman también parte, acaso, los sectores que estamos analizando en otros capítulos, de la industria cultural? En un sentido extensivo, que es el que se ha impuesto, definitivamente, tanto en la consideración académica como en la práctica profesional, sin duda así es. No obstante, preferimos, por cuestiones de claridad conceptual, y también de oportunidad, presentar un enfoque más claramente centrado en los medios de comunicación valencianos, sin que esto supusiera dejar totalmente de lado a los demás sectores adheridos al marco común de la industria cultural.

Dicha industria, además, ha experimentado en las últimas décadas un profundo proceso de cambio, con un énfasis inicial en lo tecnológico (el paso de lo analógico a lo digital) que ha acabado teniendo enormes repercusiones en la relación de los consumidores con los productos culturales y en la propia naturaleza de dichos productos. En este proceso, que en modo alguno ha finalizado, sino que está adaptándose y reconfigurándose constantemente, también cambia la composición de los sectores que conforman la industria cultural, algo que es fácilmente visible en el sector de los medios de comunicación, pero también en otros como el de la música o la ficción audiovisual. El proceso de cambio, por último, supone también la aparición de nuevos sectores, genuinos productos de la digitalización, que ya cuentan con una presencia muy importante en el mercado del ocio y que probablemente estén llamados a un crecimiento aún mayor.

Hablamos, en concreto, del sector de los videojuegos, que analizaremos específicamente en el último apartado del capítulo, junto con otros tres que cuentan con un peso indudable: el mercado editorial, las artes escénicas y la música. Naturalmente, somos muy conscientes de que esta selección, toda selección, comporta dejar de lado otros sectores relevantes, como el cómic (de enorme tradición en la Comunidad Valenciana). Hemos optado aquí por ofrecer una visión general que luego quedara condensada en los que entendemos que son los sectores más representativos de la industria (excepción hecha de los que ya son analizados en otros capítulos del libro, como los medios de comunicación), con la mirada puesta en futuras revisiones del trabajo en las que podamos incorporarlas explícitamente.

En lo que se refiere a la Comunidad Valenciana, Rausell (2007: 2-7) destaca la concentración de las actividades culturales en torno a distintos polos de población. La mayor parte de la actividad se desarrolla, al igual que ocurre en las principales CCAA (Madrid y Cataluña), en la capital y ciudad más poblada, Valencia, y secundariamente en Alicante y Castellón. En un segundo plano, cabe destacar también algunos polos poblacionales de relevancia (Alcoi, Elche, Gandía), así como algunas ciudades con una cierta singularidad en términos artísticos e históricos (Morella).

En cifras, el sector de la industria cultural movió en 2005 el 2,59% del PIB total (ligeramente por debajo de la media española, situada ese año en un 2,7%), y concentraba el 2,3% de la población activa. Por sectores, el consumo de productos culturales es menor que la media española en cuanto a compra de libros y asistencia a salas de cine, pero mayor en el sector de las artes escénicas, la música y el equipamiento y ocio audiovisual.

Es decir, se trata de un panorama bastante homologable a otras CCAA de nuestro entorno, en el que conviene recordar dos factores ya trabajados en el capítulo 2 uno específico, el bilingüismo castellano-valenciano, que —sobre todo a partir del final de la dictadura y la instauración del Estado de las Autonomías— propicia el desarrollo de productos culturales en las dos lenguas; otro, genérico, derivado del proceso de globalización —y, en particular, globalización de la cultura—, tendente a la homogeneización cultural en torno a unos pocos actores mayoritarios dirigidos a un público de masas, que tienden a arrinconar a los actores locales, de manera que el mercado valenciano lo es en mayor medida de consumidores que de creadores.

2. LA MÚSICA: DE LAS SOCIEDADES MUSICALES A LA ESCENA ROCK

Uno de los aspectos culturales distintivos de la Comunidad Valenciana es la presencia de la música, que cuenta con una fuerte tradición popular. La progresiva implantación de diversas agrupaciones musicales a lo largo de los últimos 150 años ha derivado en una situación peculiar: la existencia en la actualidad de más de 500 sociedades musicales es un dato que habla claramente de la música como auténtico motor cultural en nuestras tierras.

Las sociedades musicales son entidades culturales sin ánimo de lucro, de carácter eminentemente municipal, con dos funciones principales: la formación de músicos como herramienta básica para la preservación del patrimonio musical local; y la organización de conciertos y certámenes, así como la participación en actos festivos, una parte muy importante para garantizar la pervivencia de este movimiento cultural.

De hecho, el éxito de las sociedades musicales, y del movimiento musical en la Comunidad Valenciana, radica precisamente en su estrecha ligazón con la sociedad en que se desarrolla. Y su surgimiento, en el siglo XIX, se explica como reflejo tanto de un entorno social en transición hacia la modernidad, acompañado de una preocupación por el mantenimiento de las tradiciones y del acervo cultural autóctono, como de las tensiones políticas y militares de la época.

Así, las sociedades musicales son una expresión de este momento histórico. Es algo que se ve, por ejemplo, en la Sociedad Musical La Artística de Buñol, creada en 1883 con el propósito de festejar la inminente llegada del ferrocarril a la localidad[1]. En otros casos, los orígenes tienen una explicación castrense: tal es el caso de la Sociedad Musical La Artística de Chiva, surgida a mitad del siglo XIX como consecuencia de la celebración musical de las fiestas patronales, llevada a cabo por una banda militar del ejército de Isabel II, que contaba en el municipio con un destacado centro de operaciones[2]. Y no conviene olvidar el influjo de la religión en la sociedad española de la época: la Banda Primitiva de Llíria, la más antigua de todas, fue fundada en 1819 por el franciscano Antonio Albarracín[3]. De hecho, gran parte de las bandas surgen a partir de los "ministriles", músicos que acompañaban

---

[1] Así aparece reflejado en la página web de la asociación: http://www.laartistica.org

[2] Ésta es una de las hipótesis más factibles para explicar la historia de la banda, tal y como se lee en su página oficial: http://www.laartisticadechiva.com

[3] http://www.bandaprimitiva.org

la celebración de los actos religiosos (Ruiz Monrabal, 1993: 32). En cualquier caso, los orígenes, tanto militares como civiles o religiosos, tienen un componente común: son organizaciones que entienden la música como una actividad lúdica, y de ahí la paulatina implantación de sociedades musicales en las localidades más importantes de la Comunidad Valenciana.

Las cifras actuales son concluyentes. La Federación de Sociedades Musicales de la Comunidad Valenciana (FSMCV) agrupa a 517 asociaciones y a un total de 40.000 músicos. El número de miembros oscila en cada asociación, y muchos municipios cuentan con diversas entidades: tal es el caso, por ejemplo, de Llíria, en la que, junto con la Banda Primitiva, convive la Unión Musical de Llíria, con 1.500 socios[4]. Además, existen alrededor de 400 escuelas de música, que guardan un estrecho vínculo con las sociedades musicales y aportan la función complementaria de la formación de nuevos músicos. Así, el objetivo último, tal y como se expresa en la FSMCV, es el de "promover, difundir y dignificar la afición, enseñanza y práctica de la Música, potenciar el asociacionismo y proporcionar a la sociedad civil un medio de desarrollo y articulación cultural"[5].

Este movimiento musical de base es clave para explicar el surgimiento de entidades musicales de carácter profesional. En el caso de la Comunidad Valenciana se ve con claridad que el proceso se ha edificado sobre los cimientos de las distintas agrupaciones locales. Así, en 1943 se creó la Orquesta de Valencia, y en 2006, la Orquesta de la Comunidad Valenciana, con vocación de participación en los circuitos internacionales. Formaciones que suponen la parte más visible de la extensísima red musical de la Comunidad Valenciana, conformada también por conservatorios, agrupaciones corales y academias de música, baile y danza, reforzadas, además, por el papel activo de los medios de comunicación y por la publicación regular de revistas y boletines informativos por parte de las mismas entidades (López-Chavarri, 1978: 114-115).

Este carácter transversal en el panorama musical valenciano, en el que las iniciativas de la sociedad civil van por delante del poder político, tiene también su correspondencia en la escena rock. El momento de redefinición que vive la industria musical, con la crisis provocada por su inmovilismo ante los cambios que introducen las nuevas tecnologías, ha potenciado las escenas locales, y la valenciana no ha sido una excepción. En un contexto en que el grueso del negocio pasa de la venta de música grabada a la

---

4   Datos obtenidos en http://www.unionmusicaldeliria.com
5   Se puede ver en la web de la Federación: http://fsmcv.org

realización de conciertos, ello ha repercutido en una mayor existencia de grupos, estilos y salas de conciertos. La ciudad de Valencia, por ejemplo, ha visto cómo, en los últimos años, diversas salas no previstas en principio para la realización de conciertos han elaborado programaciones estables de actuaciones musicales. Ejemplos tan heterogéneos como un centro comercial (el Forum de la FNAC) o un colegio mayor (el Colegio Mayor Luis Vives) son prueba de ello.

En una comunidad alejada de los centros de las multinacionales, los sellos independientes han llenado el hueco: discográficas como Absolute Beginners, Hall of Fame Records, Malatesta Records o Comboi Records son algunas de los que funcionan en la actualidad con la producción y distribución de artistas y grupos locales. Sin embargo, ante un panorama industrial tan inestable, algunos sellos han tenido que cerrar en los últimos años (Pardo, 2004: 480). El desplazamiento de la atención de la industria a la celebración de conciertos hace que destaquen las productoras dedicadas a este fin, como Tranquilo Música, fundada en 2005, que en 2008 organizó cerca de 70 actuaciones en directo, una cifra que ha consolidado en 2009. Por su parte, los diarios de referencia en la Comunidad Valenciana han compartido mercado, con sus suplementos especiales, con revistas especializadas que siguen de cerca el panorama musical valenciano, como *Efe Eme* o *MondoSonoro*.

Toda esta efervescencia de actuaciones en directo de la música rock independiente ha tenido su más clara plataforma publicitaria en el Festival Internacional de Benicàssim, el FIB. Festival de música al aire libre que se viene celebrando en la localidad castellonense desde 1995, su creciente número de asistentes (ha pasado en poco más de diez años, de 10.000 personas a más de 150.000) ha demostrado el interés por la música independiente en la Comunidad Valenciana, convirtiendo al encuentro en un importante factor turístico para la localidad, así como un festival de referencia en el ámbito internacional. Una muestra más de esa vigencia de la cultura musical de base en el territorio valenciano.

3. LAS ARTES ESCÉNICAS

En el ámbito de las artes escénicas, nos interesa circunscribir la producción de obras en la Comunidad Valenciana al teatro y la danza. No hacemos distinción entre los diferentes géneros que dos ámbitos tan grandes de la producción cultural podrían generar. En este sentido, en el espacio reservado tan sólo nos referiremos a las grandes cifras de la producción teatral y de danza. Siendo conscientes de estas limitaciones, esperamos hacer una cartografía lo suficientemente completa de este ámbito de las industrias culturales valencianas. Para un conocimiento más exhaustivo, son indispensables los trabajos de Rausell Köster (2005, 2007).

Los espectáculos escénicos, desde esta perspectiva, tienen un recorrido claro en cuanto a ideación, producción y realización. El sector de la gestión pública tiene una especial relevancia. Teatres de la Generalitat, organismo heredero del desaparecido Institut Valencià d'Arts Escèniques, Cinematografia i Música (IVAECM), impulsa y gestiona de manera indirecta una parte importante de la producción teatral y de danza de la Comunidad Valenciana.

En 2008, el *circuit* aglutinó las representaciones llevadas a cabo en los espacios escénicos de 63 ayuntamientos, con una cifra superior a los 310.000 espectadores. De las 1.133 representaciones contabilizadas, 723 correspondieron a compañías teatrales profesionales valencianas. El presupuesto financiero sumó un total cercano a los 4'7 millones de euros, de los que la inversión directa de Teatres sumó 1 millón de euros.

El total de espectadores del circuito teatral valenciano (CTV), que incluye aquellos de producciones no valencianas dentro del *circuit*, ha oscilado entre los 350.000 del año 2007 y los 310.000 mencionados de 2008. La estabilidad de la cifra de espectadores es asimilable a la estabilidad del conjunto de los datos aportados por Teatres. El número de representaciones, por ejemplo, se ha estabilizado en torno a 720 desde 2006. En opinión de Rausell Köster (2007), a nivel general las cifras de la Comunidad Valenciana se mantienen, en un nivel proporcional a la población, similares a las de otras comunidades autónomas. Sin embargo, la Comunidad Valenciana sólo recoge un exiguo 7% del total de compañías profesionales registradas en España.

En cualquier caso, tal y como se puede comprobar más adelante, la difusión a través del canal público que supone CTV representa casi una cuarta parte del total de las representaciones en la Comunidad Valenciana.

Respecto a las cifras manejadas por el sector privado, AVETID, la Asociación Valenciana de Empresas de Teatro y Circo, aglutina el 90% del sector profesional de la Comunidad. Esto significa un total de 29 compañías de teatro y danza. En 2003 la asociación contaba ya con 26 compañías profesionales asociadas, prácticamente el doble que las poco más de 15 registradas a mediados de la década de los 90.

Por consiguiente, AVETID concentra la mayor parte de la producción en el ámbito de las artes escénicas. Tal y como recoge el informe presentado a finales de 2009 por la asociación para la nueva temporada teatral (*Europa*

Press, 2009), se han producido un total de 28 estrenos absolutos, lo que supone 14 menos que en el mismo periodo del año anterior. La cifra, por sí misma, representa alrededor de un 50% menos de espectáculos nuevos.

No obstante, en el apartado de las obras de repertorio de las compañías integrantes de la asociación, se produce un incremento de 32, hasta llegar a las 98 totales. Esta cifra conlleva, implícitamente, que las compañías han optado por la prolongación de la vida de algunos de sus espectáculos. Esta circunstancia, sin embargo, podría considerarse eventual, consecuencia directamente relacionada con la situación de crisis económica experimentada en el periodo 2008/2009.

Hay que resaltar el interés del sector por el público infantil y familiar. Un total de 17 obras, el 60% de las nuevas producciones, se dirige hacia esta clase de espectador. Este giro se ve también reflejado, progresivamente, en la programación de algunos de los festivales de teatro celebrados en la Comunidad Valenciana, como la Mostra de Teatre d'Alcoi o la Mostra Internacional de Mim de Sueca; así como, de manera específica, la Feria de Teatro Infantil Contaria.

En cuanto a la asistencia del público, se estima que un total de 3 millones de espectadores asistieron a alguna representación de montajes valencianos en 2006. Esta cifra incluye a los espectadores ubicados en otras comunidades autónomas y países y supone un incremento notable respecto a los 2 millones de espectadores contabilizados en 2003. Desde 2006 no ha habido cambios significativos. Se debe indicar que hubo presencia de obras valencianas en todas las comunidades autónomas, con especial incidencia en Madrid, Cataluña y País Vasco y con un número de representaciones ligeramente superior a las 3.000 (Rausell Köster, 2007).

Estas cifras deben complementarse con las aportadas por la asociación MIREU (Associació Valenciana de Teatre per a Infants i Joves), que desde 2006 aglutina a las compañías profesionales con una orientación específica hacia el público infantil. MIREU está integrada por un total de 7 compañías. Las cifras del informe anual presentado en 2007 reflejaban que las compañías que integran la asociación acumularon 731 funciones a lo largo de dicho año. Las representaciones supusieron una facturación cercana a los 1'2 millones de euros por el conjunto de las compañías. Cabe destacar que un 15% de dicha facturación fue destinado a gastos sociales. Recientemente la actividad de la asociación se ha concentrado alrededor del espacio FIRA-MIREU, donde las compañías de creadores de teatro para niños y jóvenes muestren sus propuestas en valenciano.

Por último, aun a modo de mera referencia, es importante subrayar la presencia del teatro y danza no profesionales en los escenarios de la Comunidad Valenciana. En este sentido, la Federación Valenciana de Teatro Amateur, con sede en Carcaixent, coordina la actividad de más de 100 asociaciones teatrales valencianas, que realizan actividades culturales a través del teatro.

4. EL MERCADO EDITORIAL

El sector de la edición, en España, ha estado siempre concentrado en torno a dos grandes polos de atracción, Madrid y Barcelona, donde se ubican las grandes editoriales y las obras de mayor tirada. De hecho, las comunidades autónomas de Cataluña y Madrid representan el 65,0% del total de la producción, con una participación muy similar: Cataluña, el 33,1%, y Madrid, el 31,9%. A continuación figuran Andalucía (11,2%) y la Comunidad Valenciana (5,5%), con 5771 libros publicados en 2008 (para un total de 104223, según los datos del Ministerio de Cultura[6]). Una mayoría de estos títulos (4211) se publican en la provincia de Valencia, frente a 985 en Alicante y 575 en Castellón. Por último, cabe destacar que una cuarta parte de los libros con ISBN (1488 títulos) se publicaron en valenciano.

Podemos completar esta primera panorámica con los datos aportados por Pau Rausell (2007: 9-10), que destaca la discrepancia entre el porcentaje de títulos publicados desde la Comunidad Valenciana y la tirada de los mismos, que asciende a un escasísimo 1,7% del total de España (para un 5,1% de los títulos —los datos se refieren a 2005). Por último, Rausell aporta otro dato revelador: la cuota de mercado de la Comunidad Valenciana asciende al 9,2% (2006), es decir, un porcentaje muy superior a los de títulos editados y tirada de ejemplares. Y unas cifras, asimismo, mucho más cercanas al peso específico de la Comunidad Valenciana en el conjunto de España, que se ubicaría, tanto en población como en PIB, ligeramente por encima del 10%.

Esta discrepancia obedece, según muestran los datos, y como lamentan los trabajos que se han referido a esta cuestión en los últimos años (Herráez y Veres, 2000; Rausell, 2007), al "raquitismo" del sector editorial valenciano, su debilidad endémica (y, además, creciente), sólo paliada en parte por la actividad, también creciente, de las instituciones públicas, sobre todo la Generalitat Valenciana y las universidades, en dicho sector.

---

[6]   http://www.mcu.es/libro/MC/PEE/index.html

Las editoriales privadas, en cambio, suelen ser de pequeño tamaño, especializadas en un nicho de mercado específico (y, en muchos casos, circunscrito a la publicación de libros de texto), y sin demasiadas posibilidades de competir con los grandes sellos editoriales de Madrid y Barcelona. De hecho, Rausell estima la cuota de mercado de las editoriales valencianas en un ridículo 1%, para un 7,8% del total de editoriales españolas, en 2005. Es decir, nos encontramos ante un sector atomizado, con bastantes editoriales, pero pocos títulos por editorial y con tiradas comparativamente más pequeñas aún.

De nuevo podemos cuantificar su incidencia, en este caso gracias a los datos aportados por la Conselleria de Cultura de la Generalitat Valenciana[7], en cuyo registro figuran actualmente 108 editoriales, 99 privadas y 9 públicas. Por provincias, y en correspondencia con los datos que veíamos anteriormente, la mayoría (87) se encuentran en Valencia, por 14 en Alicante y 7 en Castellón.

Entre las editoriales privadas, podemos destacar sellos clásicos como Aitana, en Alicante, o Pre-Textos, Tirant lo Blanch, Tres i Quatre, Bromera, Nau Llibres, ... Todos ellos radicados en Valencia, además de las que se centran en la edición de libros de texto, como es el caso de Ecir (también en Valencia).

Las principales editoriales públicas, como indicábamos anteriormente, derivan del Gobierno autonómico y las Universidades públicas valencianas. También cabría hacer mención a la labor editora de dos organismos públicos ligados a sendas diputaciones provinciales: el Instituto Juan Gil-Albert (Diputación de Alicante) y la Institució Alfons el Magnànim (Diputación de Valencia).

Por último, y siempre según los datos de la Conselleria de Cultura, la Comunidad Valenciana cuenta con 123 librerías (76 en Valencia, 35 en Alicante y 12 en Castellón), número ciertamente reducido que quizás obedezca, al menos en parte, a deficiencias en el registro o a la naturaleza variada de algunos comercios (que son, por ejemplo, papelerías además de librerías, o centros comerciales de otra clase); pero que, en cualquier caso, es también manifestación de una imparable tendencia hacia la homogeneización y la apropiación del mercado por parte de las grandes superficies (FNAC, El Corte Inglés, la Casa del Libro, ...), frente a la figura clásica del librero de barrio (Herráez y Veres, 2000: 275).

---

[7]   http://dglab.cult.gva.es/Libro/li-editorialesvalenbd_e.htm

En cuanto a la edición en valenciano, ésta se ha visto fuertemente fomentada en las últimas décadas, a raíz del proceso de normalización democrática que permitió recuperar el estatuto del valenciano como lengua de cultura, de la promoción de las instituciones públicas —que condensan una parte sustancial de los títulos publicados en valenciano (Herráez y Veres, 2000: 270)— y de su presencia cada vez mayor en los distintos niveles educativos (y, en consecuencia, en la edición de libros de texto).

La importancia del valenciano quedaría atestiguada por datos como el que aporta el *Estudio de Comercio Interior del Libro en la Comunidad Valenciana* (2007), desarrollado por la empresa Conecta para la AEPV (Associació d'Editors del País Valencià) y la Direcció General del Llibre de la Generalitat Valenciana. Este informe estima el volumen de la edición de libros en valenciano en un 36,2% del total de títulos (once puntos más que los datos aportados por el ISBN). Y, lo que es más importante, detecta una tirada media de los libros publicados en valenciano significativamente mayor que el promedio (2467 ejemplares frente a 1759 de media).

Sin embargo, conviene interpretar estos datos en el contexto general del sector de la edición en el territorio valenciano. Un contexto, como ya hemos señalado, caracterizado por la debilidad y la marginalidad de las editoriales valencianas frente a los grandes sellos editoriales, que queda atestiguada en toda su crudeza en el *Informe sobre el mercado editorial español* de 2007, publicado por la Federación de Gremios de Editores de España. Dicho informe asigna un paupérrimo 1,9% a la lectura de libros en valenciano en la Comunidad Valenciana respecto del total de la edición (incluyendo al grueso del mercado, esto es, a las editoriales del resto de España). Un porcentaje que es, además, sensiblemente menor que en otras comunidades autónomas: "en Cataluña el 21,6% de los lectores leen habitualmente en catalán. En el País Vasco, el 6,4% tiene al euskera como idioma habitual de lectura y en Galicia, el 4,9% de los lectores leen en gallego habitualmente, mientras que el 1,9% lee en valenciano en la Comunidad Valenciana" (2008: 14).

En resumen: el sector del libro en la Comunidad Valenciana, a pesar del indudable aumento cuantitativo en lo que se refiere a los títulos publicados, sobre todo merced a la actividad de las editoriales institucionales y a la recuperación de la edición en valenciano, parece abocado a una presencia en el mercado que casi cabría calificar de escuálida, frente al enorme peso específico de las grandes editoriales.

Éstas tienden a integrar todo el circuito (edición, distribución, promoción y —aunque en España es mucho menos habitual— incluso venta al público), a través de medios de comunicación y empresas distribuidoras y puestos de venta que también son de su propiedad o con los que tienen algún acuerdo. Podríamos citar los casos, sin ir más lejos, de los dos principales grupos mediáticos españoles, PRISA y Planeta, ambos nacidos a partir de una editorial (que, en el caso de Planeta, sigue concentrando la mayor parte de su facturación) y posteriormente diversificados. Frente al universo de las grandes editoriales, los bestsellers, los centros comerciales y los suplementos literarios que alaban sin rubor las obras editadas por el mismo grupo mediático, posiblemente, sea difícil luchar. Incluso desde la perspectiva de los autores valencianos, algunos de los cuales han alcanzado grandes cotas de éxito de público y crítica[8], que tienden indefectiblemente a publicar sus obras en dichas editoriales.

5. LOS VIDEOJUEGOS

Hasta hace poco hubiese resultado extraño incluir el sector de los videojuegos en un estudio sobre la estructura de los medios de comunicación. Sin embargo, en los últimos años los videojuegos han ampliado sus dimensiones en múltiples factores, desde su formato a sus usos. Así, desde la introducción de técnicas de animación, vídeo, musicales y de funcionamiento en red, los videojuegos del siglo XXI no se parecen en nada a los del siglo XX. De tal forma que al final el elemento que atrae todas las atenciones, las interesadas en el objeto y las indiferentes al mismo, ha sido el volumen económico alcanzado, que supera el de muchas otras actividades tradicionales, como el cine y la música. Sin embargo, el importante "consumo" económico que representa este sector no tiene su correlato en la producción de estos productos, ni en España ni en la Comunidad Valenciana.

Plantearse, no obstante lo anterior, que en las pocas y pequeñas empresas que ya existen en nuestro entorno está el germen de lo que puede ser un futuro y floreciente sector de producción del videojuego en nuestra comunidad, no deja de ser una hipótesis plausible si se dan unas circunstancias que aunque difíciles no resultan imposibles. En esta breve revisión contrastamos esta reflexión con la visión de Ramón Nafría, presidente de

---

[8]   Podríamos citar, entre otros, a Juan José Millás, Vicente Molina Foix, Manuel Vicent, Ferran Torrent, Francesc de P. Burguera, Enric Cerdán Tato, Martí Domínguez,, Alfons Cervera, Isabel-Clara Simó, y el éxito más reciente de la escritora de literatura infantil y juvenil Laura Gallego

DOID[9] y el estudio a fondo de las webs empresariales y de productos de las empresas que desarrollan su actividad en la Comunidad Valenciana.

A diferencia de otros sectores mediáticos, el producto videojuego que se trabaja en la Comunidad Valenciana no se presenta como un producto valenciano en sentido amplio, sino que la orientación es la de un mercado deslocalizado, tanto en el tipo de productos como en los estándares con los que se realiza. El mercado de los videojuegos está totalmente deslocalizado y este rasgo evidentemente marca la orientación de cualquier empresa que quiera subsistir en este territorio virtual de la economía global. No se compite especialmente con las empresas más cercanas, sino que, bien al contrario, la posibilidad de colaborar con las mismas supone una gran oportunidad. La principal competencia se establece con aquellas empresas especializadas productos de la misma línea y que ofrecen mejores relaciones calidad-precio.

Tal como expresa Ramón Nafría, la competencia se constata de forma global porque el mercado para el que trabajan las empresas valencianas no es otro que el mercado mundial de videojuegos, tanto en la distribución física como *online*. En principio, los productos mayoritarios que se producen en las empresas de la Comunidad Valenciana son los videojuegos para móviles y para la web. Se trata de productos muy demandados y que suponen unas exigencias tanto de recursos humanos como tecnológicas más reducidas que los productos para consolas y ordenadores.

El punto de partida de la producción de videojuegos se ha venido desarrollando a través de los productos que podríamos denominar ligeros. Así, la mayoría de empresas han trabajado produciendo videojuegos para teléfonos móviles, videojuegos en *flash* para la web en distintas modalidades, frecuentemente vinculadas a la publicidad (*advergaming*) y también juegos para plataformas portátiles como las diferentes *Nintendos*. Los juegos para PC también han tenido una presencia relevante y de alguna manera se dan la mano con los juegos para la web. Sin embargo comienzan a aparecer empresas (Shanblue[10]) que inician sus pasos invirtiendo en las plataformas dominantes, que son las consolas de sobremesa y especialmente hacia la Wii de Nintendo.

En la medida en la que el mercado de videojuegos se ha diversificado, también muchas de estas empresas están preparadas para responder con

---

[9]   Asociación de Desarrolladores de Ocio Interactivo Digital. Http://www.doid.org

[10]   http://www.shanblue.com

una importante variedad de productos para diferentes plataformas o modalidades de juego, así como servicios vinculados al mundo del videojuego, con mención especial de los juegos para la educación y el *advergaming*. Son empresas pequeñas, con pocas intenciones de crecer de forma significativa, pero con necesidad de contar entre sus colaboradores habituales con autónomos especialistas en programación y diseño para atender los picos de demandas que se pueden presentar.

La necesidad imperiosa de flexibilidad en las relaciones laborales que tienen las empresas de videojuegos en la Comunidad Valenciana está relacionada con su pequeña dimensión y con el gran riesgo que les supone crecer de forma importante para afrontar proyectos puntuales de mayor calado. El hecho de que los encargos sean de naturaleza errática, tanto en su frecuencia como en su dimensión, dificulta la consolidación de plantillas más numerosas. Se puede entender que el potencial y capacidad de estas empresas para afrontar grandes proyectos es muy limitada, dado que incluso teniendo la inversión necesaria esa resistencia a crecer condiciona la captación puntual de todo el personal y estructura técnica necesarias para afrontar dichos proyectos.

Tanto la orientación de mercado como de RRHH está direccionada a una perspectiva internacional, en la medida en la que este tipo de productos no tiene unos condicionamientos espaciales para su mercado y el terreno cultural en el que juega ya está marcado por unas líneas bien definidas y que son comunes. La deslocalización de la producción se afianza aún más con un producto especialmente propicio para distribuirse por la red. La circulación de trabajadores y empresas entre diferentes países, el *outsorcing*, colaboraciones entre empresas complementarias, así como muchas otras fórmulas que permiten flexibilizar la producción están al orden del día en este sector.

Las iniciativas para generar alianzas entre las empresas españolas en principio están resultando exitosas, ya que en estos momentos existen dos asociaciones de empresas desarrolladoras de videojuegos: DOID y DEV[11]. Estas asociaciones agrupan entre las dos treinta y tres empresas, en su gran mayoría pequeñas empresas, pero que a través de estos vínculos pueden mejorar su comunicación, relaciones e interlocución ante la administración.

La repercusión social de esta actividad está alcanzando niveles desconocidos anteriormente. La actividad, además de haber extendido su uso a

---

[11]   Asociación Española de Empresas Desarrolladoras de Videojuegos y Software de Entretenimiento. (http://www.dev.org.es)

grupos sociales antes ajenos al uso de este tipo de productos, obtiene por otro lado cifras económicas impensables hace algunos años. La combinación de estos hechos ha hecho que se preste atención al videojuego desde la política, teniendo su máximo exponente en la declaración unánime en el Congreso de los Diputados como producto de interés cultural. Comienzan a aparecer eventos empresariales promovidos por las instituciones en los que el videojuego comienza a tener peso.

Sin embargo, en la Comunidad Valenciana, a pesar de ser una de las que más actividad empresarial comienza a tener en este tema en comparación con otras, no hay eventos de relevancia al respecto, como por ejemplo el *Gamelab* que se celebra en Asturias, comunidad que comparativamente con la valenciana no tiene apenas actividad en el sector (una única empresa). Esto nos descubre también un diferente y en cierto modo caprichoso interés de las instituciones por el apoyo a este sector.

BLACK MARIA	Animación, multimedia y diseño web. Valencia
DEVILISH GAMES	Videojuegos. Alicante 10 años. Advergaming, teléfonos y juegos de PC.
EXELWEIS	Advergaming, Multimedia, juegos móvil, multijugador, PC. Valencia.
LEMONTEAM	Juegos para Mac y Iphone. Alicante. (vocación internacional, web en inglés)
NERLASKA	Juegos plataformas, PC, móvil, flash, etc Páginas web. Moncofar. Castellón
SHANBLUE INTERACTIVE	En trámites para Nintendo Wii, Xbox y Play 3. Valencia
AKAONI STUDIO	Juegos para WII Valencia
ANYPLAYS	Sucursal en Valencia. Juegos Flash y móvil. Madrid.
BLUE STUDYO	Gráficos para videojuegos. Juegos PC. Vall de Uxo. (Desarrollo en Madrid)
KITMAKER	Juegos para móviles, advergaming. Villarreal. Castellón
NATYGAMES	Juegos para móvil. Alicante

Tabla 1: Empresas y productos relacionados con el sector en la Comunidad Valenciana. Fuente: elaboración propia

BIBLIOGRAFÍA

CONECTA (2007). "Informe de comercio interior 2007. Comunidad Valenciana". Disponible en http://dglab.cult.gva.es/Libro/Informes/InformeCI2007C.Valenciana_V2.pdf

EUROPA PRESS (2009) "La Asociación Valenciana de Teatro y Circo celebra su Gala de Inicio de Temporada en el Musical de E". El Economista.es, 18 de Octubre. http://ecodiario.eleconomista.es/cultura/noticias/1624842/10/09/COMUNIDAD-VALENCIANA

FEDERACIÓN DE GREMIOS DE EDITORES DE ESPAÑA (2008). "Informe sobre el sector editorial español. Año 2007)". Disponible en http://www.federacioneditores.org/0_Resources/Documentos/Informe_Sector_Editorial_Espanol2007.pdf

HERRÁEZ, M. y VERES, L. (2000). "El mercado editorial valenciano: antecedentes y realidades en los noventa". En LAGUNA, A. (coord.). *La comunicación en los 90. El Mercado Valenciano*. Valencia: Fundación Universitaria San Pablo CEU. pp. 269-278.

LÓPEZ-CHAVARRI, Eduardo (1978): *100 años de música valenciana, 1878-1978*, Valencia: Caja de Ahorros de Valencia.

PARDO, Juan A. (2004): "La escena valenciana de los 2000", en SERRADOR, Raül, ed. (2004): *Historia del rock en la Comunidad Valenciana. 50 años en la colonia mediterránea*, Valencia: Avantpress, págs. 476-493.

PUCHADES, Xavier (2006). "Nuevas Promociones de Autores Dramáticos en el Teatro Valenciano". *Stichomythia*, Núm. 4.

RAUSELL, P. (2007). "Cultura en la Comunidad Valenciana". En VVAA. (2007): *La Comunidad Valenciana en el Siglo XXI. Estrategias de Desarrollo Económico*. Valencia: Servei de Publicacions de la Universitat de València. Pp 495-525. Disponible en http://www.uv.es/~econcult/pdf/CulturaComunidadValencianaPauRausell.pdf

RAUSELL, Pau y MARTÍNEZ TORMO, José (2005). "Política Cultural en València: Patrimonio, Recursos y Participación Ciudadana" *Braçal*, Núm. 31-32. *Actas 2º Congreso sobre Patrimonio Cultural Valenciano*.

RUIZ MONRABAL, Vicente (1993): *Historia de las sociedades musicales en la Comunidad Valenciana*, 2 vol., Valencia: FSMCV.

SERRADOR, Raül, ed. (2004): *Historia del rock en la Comunidad Valenciana. 50 años en la colonia mediterránea*, Valencia: Avantpress.

TEATRES DE LA GENERALITAT (2008) *Circuit Teatral Valencià: Informe Anual*. València: Generalitat Valenciana.

12

CONVERGENCIA DE MEDIOS EN LA COMUNIDAD VALENCIANA: CASOS Y ESTRATEGIAS PREDOMINANTES

José Alberto García Avilés
Universidad Miguel Hernández

Miguel Carvajal
Universidad Miguel Hernández

Este capítulo aborda el trabajo de los periodistas en las redacciones que elaboran contenidos para múltiples medios: prensa, radio, televisión, internet y otros. De forma específica, el estudio explora los cambios en las prácticas periodísticas y el flujo de trabajo en las redacciones de cinco empresas de comunicación en la Comunidad Valenciana: *Las Provincias multimedia, La Verdad, Información, Grupo Teleelx* y *Radio Televisión Valenciana*. Los resultados plantean la existencia de diferentes estrategias de convergencia de redacciones, que oscilan entre la integración completa, la colaboración entre distintas redacciones y la coordinación de medios aislados, cada uno con su propia organización y nivel de polivalencia periodística.

1. BREVE APROXIMACIÓN A LA CONVERGENCIA DE MEDIOS

Durante los últimos años, un buen número de medios de comunicación en todo el mundo han desarrollado procesos de convergencia que despiertan algunas incógnitas acerca del futuro del periodismo. La convergencia alude a "un tipo de combinación de tecnologías, productos, personal y espacios entre departamentos de prensa, televisión y periodismo online previamente diferenciados" (Singer, 2004:3). El fenómeno puede ser analizado desde al menos cuatro perspectivas: tecnológica, empresarial, comunicativa y profesional, estrechamente ligadas entre sí en un entorno mediático cambiante (García Avilés, 2006). El proceso ha sido descrito "en términos de una cada vez mayor colaboración y cooperación entre redacciones de medios, antiguamente separadas, y otras secciones de los nuevos medios" (Deuze, 2004: 140).

Los medios comenzaron a colaborar entre sí cuando el impulso de la tecnología digital permitió a los periodistas producir noticias para distintos soportes multimedia. Las alianzas son cada vez más atractivas en la medida en que desciende la difusión de la prensa y ésta se ve obligada buscar nuevas formas de distribuir su producto entre las audiencias que la televisión e Internet han conseguido atraer. La digitalización de los procesos de producción es el fundamento tecnológico de la convergencia de los medios. Aunque la digitalización no implica necesariamente la cooperación entre varios medios, ofrece múltiples posibilidades de interacción, ya que la producción digital permite compartir contenidos en formatos adecuados para su posterior edición o re-empaquetado.

Con el propósito de ofrecer una definición que abarque todos los ámbitos de este fenómeno, varios autores han descrito la convergencia periodística en los siguientes términos (García Avilés et al., 2008a):

> Un proceso multidimensional que, facilitado por la implantación generalizada de las tecnologías digitales de telecomunicación, afecta al ámbito tecnológico, empresarial, profesional y editorial de los medios de comunicación, propiciando una integración de herramientas, espacios, métodos de trabajo y lenguajes anteriormente disgregados, de forma que los periodistas elaboran contenidos que se distribuyen a través de múltiples plataformas, mediante los lenguajes propios de cada una.

Desde un enfoque empresarial, los directivos con frecuencia consideran la convergencia de redacciones como una oportunidad de revisar su modelo de negocio y adaptarlo a las nuevas necesidades de los consumidores (Chan-Olmsted y Chang, 2003). Desde el punto de vista de la gestión, la estrategia más frecuente es la colaboración y algún tipo de acuerdo entre diferentes medios. En este sentido, los directivos han implantado procesos de convergencia para rentabilizar la producción de noticias en distintos soportes, con decisiones corporativas que afectan a varias unidades de negocio, tales como la organización, el marketing, la distribución y los recursos humanos.

Los procesos de convergencia conllevan costosas inversiones, porque cualquier cambio tecnológico provoca que se queden obsoletas las infraestructuras tecnológicas utilizadas hasta ese momento; y también porque aparecerán otros gastos derivados de la presentación de los nuevos productos o servicios. En consecuencia, el núcleo actual de la convergencia tecnológica no reside ni en las puras transformaciones tecnológicas de la infraestructura de los medios de comunicación, ni en la mera integración de sus equipos y componentes técnicos, sino sobre todo en la explotación de sus contenidos y servicios a través de múltiples plataformas de difusión (Kilebrew, 2005).

Desde la perspectiva periodística, la convergencia de redacciones influye en las estrategias de producción de noticias y de organización del trabajo, como muestran varios casos de estudio en Europa Central y España (García Avilés y Carvajal, 2008, García Avilés et al., 2009). Un muestreo de los casos de convergencia en nuestro país (Domingo et al., 2007) revela que los grupos multimedia han puesto en marcha diversas estrategias de convergencia, tales como la reproducción del contenido o la promoción de la marca en distintos soportes; la cooperación, la colaboración y creación de valor añadido entre medios; y el trabajo conjunto entre distintos soportes. En Cataluña, el análisis de los nuevos perfiles profesionales en el panorama informativo audiovisual y multimedia revela el incremento de la convergencia y polivalencia periodísticas (Scolari et al, 2006; Masip y Micó, 2009). Asimismo, destacados medios catalanes, como *La Vanguardia* y la CCMA, han iniciado recientemente procesos de convergencia de redacciones (Masip, 2008).

Diversos estudios sobre la convergencia muestran una creciente preocupación entre los periodistas, porque perciben que se genera ansiedad, tensión y saturación de trabajo (Deuze, 2004). Los redactores polivalentes acumulan más presiones a las ya tradicionales, aunque saben que en sí misma la convergencia no es un problema. Singer (2006: 47-50) señala que los periodistas se preocupan por el deterioro de la calidad, por la independencia y por las decisiones editoriales acerca de los contenidos que se publican. En cierto modo, la convergencia está reconfigurando las relaciones fundamentales entre periodistas, sus fuentes y sus audiencias. De acuerdo con Salaverría y García Avilés (2008), la convergencia plantea "la necesidad de actualizar la formación de los periodistas en destrezas de redacción, locución, edición, grabación y publicación multimedia, y también de compensar su trabajo, que se ha visto incrementado por la exigencia de producir contenidos para varias plataformas".

2. ANÁLISIS DE CASOS

2.1. Las Provincias Multimedia

Las Provincias Multimedia[1], uno de los grupos regionales de Vocento, edita el diario líder de la provincia de Valencia *Las Provincias*, con una

---

[1]   Las entrevistas realizadas a profesionales de *Las Provincias Multimedia* forman parte del Proyecto coordinado de I+D que lleva por título "Convergencia digital en los medios de comunicación en España", de cuyo equipo investigador forman parte los

difusión de 38.278 ejemplares (OJD, 2008). La edición digital del periódico, lasprovincias.es, en la actualidad mantiene su liderazgo en el conjunto de medios digitales valencianos, con 837.412 usuarios únicos en enero de 2009 (OJD). En 2004, la empresa comenzó su diversificación multimedia, siguiendo la estrategia corporativa de Vocento. Cuenta con una televisión y una radio local, que pertenecen a la red del mismo nombre de la empresa matriz. Las Provincias Televisión es un canal de televisión autonómico privado que emite en la Comunidad Valenciana. Se integra en la red de televisiones locales de Vocento, Punto TV, por lo que comparte gran parte de su programación. Las Provincias TV, conocida hasta 2008 bajo la denominación comercial de LP TeVa (Las Provincias Televisión Valenciana), emite por TDT para toda la Comunidad Valenciana.

La estructura de *Las Provincias Multimedia* se diseñó con el objetivo de generar sinergias entre todos los soportes, especialmente en la promoción cruzada, en la producción informativa y en la gestión publicitaria. Los primeros frutos de la convergencia se recogen en la edición online, que publica noticias y reportajes de la edición del papel y una selección diaria de vídeos elaborados para su televisión.

La redacción de *Las Provincias Digital* está integrada por diez profesionales: tres redactores, un informático, un editor de diseño gráfico, otro editor para Canales y otras tres personas que se encargan de contenidos también para Canales, cada uno en su especialidad. La sección de internet trabaja junto a la redacción del papel; hasta hace poco se limitaba a actualizar el sitio web, y a cargar diariamente los vídeos producidos tanto por sus colegas, como por la agencia de noticias televisiva del grupo, Atlas. Las redacciones son plenamente independientes, pero el flujo de noticias de *Las Provincias* permite que cada soporte comparta información recogida por su socio multimedia y la publique después de ser empaquetada en su formato por sus propios periodistas. Este trabajo conjunto permite además compartir la cobertura de noticias o asistir a las sesiones de planificación del otro soporte. Según uno de los redactores del diario, "si tienes una información que puede servir, la pasas a la web. O si hay una rueda de prensa en la que no has podido estar, a la que ha asistido alguien de la radio, utilizas la información". Los directores y editores del papel, de Internet y del audiovisual se reúnen regularmente para intercambiar ideas, aportar feedback u ofrecer

autores del capítulo y también la persona encargada de realizar dichas entrevistas, Guillermo López García. Se trata de un Proyecto financiado por el Ministerio de Educación y Ciencia (2006-2009, Referencia SEJ2006-14828-C06-02) material de las noticias, planificar reportajes conjuntamente o repartir el coste de proyectos especiales.

Gradualmente se está implantando una política de exclusivas que establece que la información que capte el redactor tenga que ir primero a la web. Según un periodista del diario, "ello entraña problemas: pierdes tiempo a la hora de redactar esa información para mandarla a la web, y también para poder recabar más información. Sabes que es una información propia, y tienes tu celo, tu orgullo de que esa información sea publicada en tu medio, y no quieres que mañana la tengan todos los medios porque la han publicado en la web".

No obstante, la convergencia en *Las Provincias Multimedia* en estos momentos es escasa; los responsables de algunas secciones lo consideran un proceso de colaboración, en el que los periodistas del papel aportan informaciones a la web. Otro periodista lo define como "coordinación": "coordinarnos todos los redactores de prensa, radio y televisión para que la información pueda ser transmitida a la web, y en cierta manera adelantada, porque es más directa. Más directa en relación con prensa, y quizás televisión". La convergencia se entiende como un proceso que permite que el trabajo periodístico se pueda realizar en múltiples lenguajes, convergiendo en diferentes usos para distintas plataformas. Que el contenido pueda adaptarse tanto para la radio como para la televisión, la web y el papel. En estos cuatro medios surge la necesidad de coordinar el mensaje y, a partir de ahí, la convergencia se traduce en medidas para optimizar que la información llegue a cada uno de los canales de la mejor manera posible. Y, empresarialmente, con mejores costes de producción y calidad en la información que se está haciendo llegar a la audiencia. La comercializadora de publicidad integra todos los medios en propuestas multimedia, para darle el mismo sentido.

Los periodistas entrevistados admiten que la convergencia no está teniendo demasiada repercusión laboral en el trabajo de la mayoría de los redactores, sino que de momento se limita a algunas personas. En el día a día, existen una serie de reuniones diarias de los responsables de los diferentes medios, junto con la comunicación habitual entre redactores y responsables y, por supuesto, la puesta en producción de todo ello: por ejemplo para incorporar los contenidos audiovisuales al producto informativo en la web, y así sucesivamente con todos los medios. Un caso concreto de polivalencia se da en la subsección de "Fallas", que ofrece información de fiestas y folklore. A la persona que lleva esa sección se le encargó que tuviese contacto directo y permanente con la web para circular la información. Y se le dejó una cámara con el único objetivo de que pudiera pasar rápidamente las fotografías a la web.

Uno de los responsables considera que la convergencia no va en detrimento de la calidad ni de la estabilidad laboral. "No estoy nada de acuerdo con que la convergencia sea precariedad. Probablemente haya personas muy concretas, quizá de una situación estable desde hace muchísimos años, donde sus condiciones no estén excesivamente actualizadas, y de alguna manera sus funciones tampoco. Pero, en la situación actual, creo que la convergencia, para lo que le puede servir, es justamente para ayudar a mejorar sus condiciones laborales. Que, en el momento en que se especialice en algo, efectivamente dé buenos resultados, que mejore el producto informativo que se tiene, y que él sea una persona muy capaz para llevar a cabo esa labor, y que no se encuentre fácilmente en el mercado ese perfil. Eso lo único que hará es que sus condiciones laborales puedan mejorar".

La convergencia en un grupo multimedia como *Las Provincias* implica que los redactores conozcan las posibilidades de esta estructura: promociones internas, cruce de contenidos o la colaboración entre los equipos. En palabras de uno de sus profesionales, "se pretende que la audiencia que consultaba diariamente un soporte acceda a cinco soportes. Creo que esto es positivo y creo que la audiencia ahora conoce muchísimo mejor los medios y los canales de los que puede recibir información".

2.2. La Verdad en Alicante

Hasta agosto de 2009, el diario *La Verdad* de Murcia disponía de tres ediciones en la provincia de Alicante: Elche, Alicante y Vega Baja. Sin embargo, desde septiembre de 2009, *La Verdad* sólo cuenta con una edición única en Alicante. Debido a una reestructuración de los multimedia regionales del grupo Vocento, los directivos han fundado una nueva sociedad llamada Corporación de Medios Alicantinos. Esta sociedad cuenta con una nueva redacción con sede en Alicante donde están integrados todos los redactores de las delegaciones anteriores de *Las Provincias, La Verdad, Qué!* y *Abc*.

En sus antiguas dependencias, las delegaciones alicantinas del grupo *La Verdad Multimedia* contaban con menos recursos editoriales y empresariales. La corporación murciana edita la cabecera líder del sureste, *La Verdad* (con ediciones en Murcia, Alicante y Albacete) y alcanza una difusión media de 38.900 ejemplares al día (OJD, 2009). Su edición online, laverdad.es, nació en 1998 y goza de un índice de 2.140.000 usuarios únicos mensuales (OJD, diciembre 2008). *La Verdad*, como el resto de las corporaciones regionales de Vocento, desarrolla una estrategia de diversificación multimedia desde el primer lustro de 2000. Así, en su cartera de medios hay una televisión y una radio local (Punto TV y Punto Radio), integradas ambas en la red del grupo. Este punto es distinto en la provincia alicantina, donde la única licencia de Punto TV en TDT es la autonómica de *Las Provincias*. Por eso, en la delegación de *La Verdad* en la provincia de Alicante trabajan exclusivamente en las ediciones del diario y no cuentan con otros soportes donde distribuir contenidos informativos, más allá de las versiones online.

Las delegaciones alicantinas de *La Verdad* nacieron a mediados de los sesenta tras la expansión informativa y empresarial de la cabecera murciana. En una situación de descensos de ventas de ejemplares, mantienen 5.700 ejemplares diarios en la provincia (OJD, 2009). Tras la integración de los equipos de *La Verdad* y *Las Provincias* en Corporación de Medios Alicantinos cuentan con una redacción en plantilla de 14 periodistas. La reestructuración de ambos configura un grupo de 7 redactores, 2 editores jefe, 2 editores de mesa, 1 diseñador, 1 fotógrafo, 1 para Internet y el director de la delegación.

La nueva redacción en Alicante se ha convertido en la matriz de las oficinas de Elche, Orihuela y Marina Alta. A diferencia de la sede de *La Verdad* en Murcia, integrada por dos redacciones separadas para televisión y radio y papel, esta delegación cuenta con una única plantilla para trabajar tanto para el diario como para las ediciones de *Las Provincias* y *La Verdad* en Internet. Por tanto, la convergencia de estos medios es prácticamente nula, salvo las colaboraciones con la edición online, que publica contenido del papel y una selección diaria de vídeos. La actividad se limita a la actualización del sitio web y a la subida de los vídeos producidos por otras redacciones o por la agencia de noticias del grupo, Atlas.

Los periodistas de esta delegación no se encuentran bajo la misma presión multimedia que sus colegas de Murcia, que han ido poco a poco adquiriendo hábitos y rutinas de polivalencia. La puesta en marcha de la nueva redacción de Alicante ha generado cierto malestar entre los redactores por la reducción de puestos de trabajo y la saturación laboral. Desde un solo grupo, deben cubrir toda la información local de varios diarios.

2.3. Información

El diario *Información* es el líder en difusión en la provincia de Alicante con un promedio mensual de 30.000 ejemplares diarios (2009, OJD). Es una cabecera provincial y, aparte de Alicante, cuenta con ediciones en

Elche, Benidorm, Denia, Alcoy, Vega Baja y Elda. *Información* pertenece al grupo Prensa Ibérica, que también edita el diario *Levante* en la Comunidad Valenciana. Prensa Ibérica se fundó en 1984 con la adquisición de tres diarios en varias provincias, entre ellos al decano de la provincia de Alicante, *Información*.

Como Vocento, Prensa Ibérica también desarrolla una estrategia de diversificación multimedia y, en consecuencia, el diario *Información* lanzó en 2008 Información TV. Aparte, Vocento y Prensa Ibérica son socios en Localprint, empresa que gestiona el mayor centro de impresión de España, situado en el polígono industrial de Torrellano (Elche).

El diario *Información* tiene una plantilla de 50 redactores repartidos en las distintas secciones y áreas informativas del diario. El equipo está gobernado por ocho jefes: el director, los subdirectores y los distintos redactores jefe. Como *La Verdad*, cuenta con numerosos colaboradores. En 2008, *Información* creó una nueva redacción asumiendo algunas tareas que la empresa Recursos en la Red, del grupo Prensa Ibérica, ofrecía al diario. Gracias a este impulso editorial, la web diarioinformación.es alcanzó 467.000 usuarios únicos mensuales en agosto de 2009 (OJD).

La sección exclusivamente dedicada a Internet la integran cinco periodistas, algunos de ellos procedentes del papel. Este equipo está adscrito a una sociedad limitada distinta y tienen unas condiciones laborales peores que la redacción del papel. La relación entre ambos equipos es escasa, aunque uno de los redactores de la edición online, que hace las funciones de jefe, participa en la reunión *de primera* de cada día. En ocasiones, el director del diario interviene en la gestión cotidiana de la web para priorizar, jerarquizar o enfatizar alguna información. Pero generalmente la tarea de los redactores es actualizar con notas de agencia y otros recursos la web del diario, generando pocos contenidos de cobertura propia. La sección está formada por periodistas jóvenes con capacidad de reciclarse para la web.

La televisión del diario, Información TV, propiedad también de una sociedad limitada distinta al papel, cuenta con una redacción de ocho periodistas: un jefe de informativos, tres redactores, un redactor para fin de semana, un jefe de deportes, más dos redactores de deportes. Además, en la sección de programas hay dos presentadores y dos de producción. A este grupo se le añade el equipo técnico formado por realizadores, postproducción, continuidad y cámara (siete personas). Como es una empresa ajena al papel, cuentan con su propio departamento de administración y comercialización.

Al igual que ocurre con la web, los redactores del papel apenas tienen relación con Información TV. Se dan colaboraciones a título individual y sin remuneración específica, sugeridas por los directores del periódico. Por ejemplo, puede colaborar un redactor de deportes o de local en una de las tertulias de los lunes o los viernes. Información TV ha comenzado con una plantilla eminentemente joven, formada por periodistas de otros medios audiovisuales de la zona.

2.4. RTVV

La Radiotelevisión Valenciana (RTVV) está integrada por varios canales. Canal 9 es el primer canal de la televisión pública de la Comunidad Valenciana. Punt 2 es el segundo, con una programación basada en contenidos de producción propia y mayoritariamente en valenciano. TVVi (Televisió Valenciana Internacional) fue creada para acercar y difundir información sobre la Comunidad Valenciana y promocionar la cultura, la geografía, la economía, el tejido social, el deporte y cualquier otro ámbito de interés propio. Ràdio Nou, principal cadena del ente público, emite una programación continua y en valenciano para todo el territorio. El 3 de febrero de 2009, RTVV lanzó 24/9, un canal 24 horas de noticias para la TDT.

No puede decirse que exista una estrategia de convergencia en RTVV. Se pretende, en cambio, el desarrollo de los servicios informativos basados, cada vez más, en contenidos temáticos, en detrimento de la estructura actual basada en plataformas de emisión. La confluencia de los servicios informativos no debe suponer la integración de las redacciones. Los profesionales continuarán trabajando preferentemente para un medio, aunque se pretenda fomentar la participación voluntaria en las diferentes plataformas. El nivel de integración actual no contempla, al menos a medio plazo, la fusión de redacciones. Las redacciones de los tres medios mantendrán plena autonomía, aunque se persigue que puedan compartir información y recursos, complementarse y promocionarse mutuamente. Para ello es imprescindible el establecimiento de mecanismos de coordinación entre las redacciones.

Con el objetivo de lograr la máxima difusión de los contenidos, y mejorar su rentabilidad, RTVV está estudiando la creación de un servicio de distribución multiplataforma. Juana Lara, directora del gabinete de I+D+I (Investigación, Desarrollo e Innovación), se encuentra actualmente al frente de dicho proyecto.

Gracias a la implantación de los procesos de digitalización audiovisual, el periodista de RTVV ha incrementado su nivel de polivalencia. El redactor edita el vídeo y puede llegar a subtitularlo. También se ha mejorado el acceso instantáneo al archivo audiovisual. Desde el 15 de julio de 2007 los materiales audiovisuales de los informativos diarios emitidos y de los programas en directo son transferidos del sistema de redacción y del servidor del archivo al sistema de gestión Tarsys. De este modo, el documentalista de RTVV "organiza la información, la estructura, la sistematiza y la hace entendible al usuario. En este colectivo reside el conocimiento para estructurar metadatos y medios, y hacer posible su recuperación eficaz. El programa de consulta Tarsys permite visualizar las imágenes en formato Windows Media y en forma de guión gráfico o story board desde cualquier equipo de la redacción de informativos, deportes, programas, etc." (Alfonso, 2009: 340). La transformación actual es laboriosa y difícil, y se está alternando con la normal producción de televisión, programas, difusión, realización, creación de nuevos canales, conexión con entorno web y creación de la televisión a la carta.

La puesta en marcha de 24/9, un canal 24 horas de noticias, supuso *de facto* el incremento de la colaboración entre las distintas redacciones de informativos. El 24/9 ofrece espacios elaborados por los Servicios Informativos de RTVV las 24 horas, así como una serie de rondas (boletines) que completan las informaciones del resto de los informativos y que incorporan cualquier noticia de última hora. El canal cuenta con una mínima redacción y se abastece de los contenidos que proporcionan las redacciones de informativos de Canal 9 y Punt 2. La base de la rejilla son las rondas informativas de 30 minutos que se van actualizando a las horas en punto y a la media. Así se consigue el efecto de inmediatez: dar la noticia prácticamente en el momento que se produce.

Las redacciones de la televisión y de la radio se mantienen separadas. Sin embargo, existe un amplio nivel de colaboración, de forma que los redactores de televisión pasan cortes de las ruedas de prensa a los compañeros de radio. Los profesionales coinciden en denigrar la figura del "periodista orquesta", que acude a las ruedas de prensa con cámara, grabadora y ordenador para captar la información y elaborar la pieza para la web, la radio y televisión. La mayoría de los periodistas no están de acuerdo con la idea de aprender destrezas de polivalencia en la elaboración de contenidos multimedia. Temen que ello produzca una excesiva "tecnificación" de su trabajo, en detrimento de los valores periodísticos y de la calidad de las informaciones.

Las dificultades manifestadas por los periodistas de RTVV sobre la polivalencia tienen que ver con el empeoramiento de las condiciones laborales. Por un lado, se apunta a que la acumulación de tareas (edición, rotulación) puede ir en detrimento de la calidad del producto informativo. Algunos redactores consideran que se tiende a homogeneizar el discurso informativo presente en las múltiples plataformas (informativos de Canal 9, noticias de 24/9, informativos de Radio Nou). Los periodistas han de ajustarse a los lenguajes propios de cada medio; en el caso de que no dispongan de estas destrezas, resulta más complicado que adquieran la formación necesaria para el trabajo multiplataforma. Al mismo tiempo, se expresa el temor a que se incremente la carga laboral y se lleve a cabo una reducción de plantilla.

2.5. Teleelx, Radio Expres, Infoexpres

TeleElx es una de las primeras televisiones locales de la Comunidad Valenciana y del conjunto del Estado. Se trata de una empresa exclusivamente local. Nació en marzo de 1987, como una emisora cuya distribución se realizaba a través del cable. En la actualidad, TeleElx se ha quedado fuera del múltiplex de la TDT en la Comunidad Valenciana, tras una discutida adjudicación de los canales. Vinculada a Teleelx, nació Radio Expres, asociada en un principio con Antena 3 Radio. Tras la desaparición de esta red de emisoras, en 1992, pasó a formar parte de la red de emisoras de la Cadena Cope.

Tanto Radio Expres como TeleElx cuentan con sendas webs propias, con contenidos específicos de la ciudad de Elche, a través del portal multimedia www.infoexpres.es. Esta web recoge, además, información local actualizada diariamente. Se trata de un nuevo portal, que ha obligado, como apunta su directora, a que la empresa adquiera una mayor inmediatez y agilidad a la hora de informar. Según la directora de TeleElx, "Internet es en sí una ventaja y apenas existen inconvenientes". Para ella, el concepto de convergencia significa que los redactores cubren las noticias para la televisión y, posteriormente, las reescriben para el diario digital. También se les pide que tomen las fotografías que después se publicarán en la web. "En una televisión con pocos recursos como la nuestra, todo el mundo tiene que ser polivalente. Nuestros periodistas escriben varias noticias al día, y si llega el caso, las montan e incluso a veces las graban. En nuestro medio no se contempla ningún tipo de compensación económica por esta convergencia, aunque se procura compensar este trabajo extra con horas o días libres", señala la directora.

La redacción de Radio Expres Cadena COPE comparte el espacio físico con Teleelx, por lo que los redactores realizan labores para ambos medios. Por ejemplo, los periodistas suelen aprovechar en la radio y en la televisión la información que recaban en las ruedas de prensa. Desarrollan estas tareas sin demasiados problemas, porque han conseguido acostumbrarse, aunque no cobran ninguna compensación económica adicional. Radio Expres "contrata al periodista para que trabaje, independientemente del soporte. Debe saber un poco de cada tema y estar preparado para cubrir todo tipo de noticias; la flexibilidad es una de las características más importantes del redactor", apunta el director de la emisora. Añade que buscan "profesionales polivalentes, que sepan desenvolverse con soltura en cualquier situación", ya que "su trabajo va más allá de lo meramente periodístico: hay que saber un poco de todo y no se puede tener miedo a equivocarse".

La programación local informativa de Radio Expres consta de ocho desconexiones, que se dividen en dos espacios deportivos, un magacín, cuatro informativos breves y otro más extenso. En todos ellos, la información política, social y cultural tiene una gran importancia, pero también se le presta atención a la música y al entretenimiento. Sin embargo, como en el resto de empresas de comunicación, la contratación publicitaria ha disminuido por la crisis económica y les ha obligado a reducir la plantilla. Con estas medidas han logrado aligerar sus cuentas, pero también se han visto obligados a ampliar el horario de los profesionales. Por el momento no prevén llevar a cabo más recortes, pero el director reconoce que la situación "es muy complicada".

Radio Expres posee un organigrama sencillo, que consiste en el director, una subdirectora y una plantilla integrada por cuatro redactores, cuatro administrativos y cinco comerciales. Según el director de la emisora, este tipo de organización les permite "adaptarse a las circunstancias del momento y cubrir todo tipo de informaciones". En la información local, los redactores han de tratar temas muy dispares y flexibilizar sus horarios. Además, algunos de los redactores trabajan también para TeleElx, el otro medio del grupo, y también introducen sus informaciones en la red. De esta manera, funcionan de forma polivalente y logran reducir costes. Los periodistas realizan las labores técnicas con el apoyo de una persona procedente de la empresa nacional, mientras que los asuntos informáticos los dirige un especialista. Además, cuentan con una serie de colaboradores habituales que tratan temas específicos. El equipo se ha reducido considerablemente debido a la disminución de ingresos publicitarios que ha registrado Radio Expres. En los últimos meses han despedido a tres redactores, por lo que los periodistas en plantilla afrontan cierta sobrecarga de trabajo.

La rutina de trabajo en la redacción de la radio y la televisión consiste en que cada periodista se dedica a una parcela distinta de información, ordenadas de la siguiente manera: Ayuntamiento y política; sucesos, tribunales, educación y sanidad y, en tercer lugar; sociedad, cultura y economía. Esta especialización en las diferentes áreas o secciones permite, según la directora, que los redactores conozcan mejor los antecedentes de los temas que desempeñan. La plantilla está constituida por nueve redactores, seis técnicos, tres comerciales, tres administrativos y un director. Asimismo, al contar con su propio sitio web, la radio utiliza los mismos recursos que para la televisión, especializando a determinadas personas en este medio.

"La convergencia es la base y la condición indispensable para que exista Infoexpres. En estos momentos en los que tenemos dificultades económicas, todos los periodistas de esta empresa trabajan de manera coordinada para proporcionar información a todos los soportes. Y, en medio de este proceso, el portal es uno de los más beneficiados", señala el director de Radio Expres. "Para que esto sea posible, los redactores tienen que dedicarle cierto tiempo a adaptar los contenidos a la web. Sin embargo, se han adaptado muy bien y no les supone un impedimento para realizar su labor con eficacia en los otros dos soportes. Hemos logrado trabajar en equipo, y eso es bueno para todos".

3. CONCLUSIONES: LUCES Y SOMBRAS DE LA CONVERGENCIA

Entre los factores que han impulsado la convergencia de medios en la Comunidad Valenciana destacan el descenso paulatino de la circulación de prensa, una feroz competencia por los ingresos publicitarios, el incremento del número de usuarios de internet, los recortes presupuestarios que han introducido numerosos medios y la necesidad de producir contenidos para varias plataformas que pertenecen a la misma empresa.

El análisis de las iniciativas de convergencia en la Comunidad Valenciana neutraliza el determinismo tecnológico, que defiende que la integración plena es la etapa final en cualquier proyecto de convergencia. Ninguna empresa (con la excepción de Teleelx-Radio Expres) ha implantado la integración de redacciones, mientras que la mayoría tiende a impulsar estrategias graduales. Aunque en algunos casos el rediseño de la redacción implica cambios de los estándares tecnológicos y une a periodistas de diferentes medios en el mismo espacio, en otros la plantilla se muestra reacia a la convergencia y los planes de formación son escasos.

Más allá de la nueva estructura física, que conlleva la reorganización del espacio y de los puestos de los periodistas en la redacción, la convergencia de redacciones trae consigo un cambio de mentalidad en distintos niveles de producción. En un diario, la implementación de un proceso de convergencia implica que los periodistas de la redacción impresa (los del "papel", como se les denomina en la jerga) y los de la edición en internet trabajan de forma conjunta. Las empresas con más de dos soportes, que también llevan a cabo procesos de convergencia, contemplan estrategias de colaboración entre los periodistas de las distintas redacciones, más que de integración de las mismas. En el caso de la integración entre el papel e internet, algunos abogan por la progresiva extinción de la separación entre ambos tipos de periodismo, actualmente diferenciados en función de la plataforma.

Buena parte de los medios analizados introducen estrategias para la distribución conjunta de contenidos y el aprovechamiento de recursos, mediante la planificación de coberturas especiales, el incremento de periodistas polivalentes, el uso conjunto de imágenes y archivo y las promociones cruzadas de contenidos.

En algunos casos se detecta el aumento de la precariedad del trabajo: medios que recortan sus plantillas o reducen el número de periodistas y de recursos. Se mantienen salarios bajos, que en muchas ocasiones no llegan ni al de un obrero no cualificado. Algunas empresas de comunicación aspiran a obtener una posición competitiva en el mercado y para ello recurren a medidas como contener los costes salariales e implantar jornadas laborales de diez horas y contratos temporales.

El análisis podría confirmar los pronósticos más pesimistas sobre el fundamento economicista de la convergencia multimedia. El objetivo del rediseño estratégico ha sido cambiar las redacciones, aportar por las versiones digitales y hacer periodismo de proximidad. El resultado, en cambio, avala la tesis de la 'reinvención obligada': unir medios para facilitar o excusar los recortes laborales (colaboradores y administración); exprimir a los redactores para dotar de contenidos a varios soportes (web incluida); armar la delegación de jóvenes más polivalentes y 'jubilar' a los clásicos del papel.

La convergencia no sirve para todos los temas y suscita el riesgo de que los contenidos se vuelvan más homogéneos en las distintas plataformas, porque son producidos y empaquetados por un número cada vez más reducido de productores. Ello puede conducir a un periodismo menos crítico, más empaquetado, más simple. El entorno multimedia y polivalente parece haber reducido la capacidad de los periodistas para conocer a fondo los temas y usar más fuentes propias. Crece la necesidad de preparar a un profesional que sabe redactar para el diario y para la web, crea y edita contenido multimedia, conoce el periodismo participativo y maneja sistemas de administración de contenidos.

En cualquier caso, se deben evitar análisis simplificadores: la convergencia periodística no debe despreciarse como un simple efecto de las tendencias en la estrategia corporativa o en la renovación tecnológica. La innovación se apoya en las decisiones profesionales y empresariales y los periodistas adaptan las nuevas herramientas a sus propias expectativas, técnicas y rutinas. Por tanto, la convergencia periodística no se debe considerar como un proceso liderado por la tecnología, sino como un proceso que usa la innovación tecnológica para alcanzar objetivos específicos en entornos particulares, y por eso cada proyecto de convergencia alcanza distintos resultados.

De las conversaciones con los profesionales de los medios en la Comunidad Valenciana se desprende que la convergencia es un fenómeno polifacético y complejo. Ni la disposición espacial de la redacción es crucial, ni la integración de redacciones resulta imprescindible para generar sinergias. En todos los modelos, la producción informativa para diferentes medios influye en las condiciones del trabajo y en la organización de la redacción. Para gestionar de forma adecuada este fenómeno, los profesionales deben aprender a tener en cuenta las demandas cambiantes de las audiencias y los efectos en su trabajo sobre la calidad de los contenidos.

Bibliografía

ALFONSO NOGUERÓN, L. (2009). "De la videoteca al robot pasando por *Tarsys*. Nuevos sistemas de gestión multimedia en *Radiotelevisión valenciana*. En *El Profesional de la Información*, Vol. 18, 3, pp. 333-340.

CHAN-OLMSTED, S. M. y CHANG, B. H. (2003) "Diversification Strategy of Global Media Conglomerates: Examining Its Patterns and Determinants". En *The Journal of Media Economics*, Vol. 16, 4, pp. 213-233

DEUZE, M. (2004) "What is Multimedia Journalism?". En *Journalism Studies*, Vol. 5, 2, pp. 139-152.

DOMINGO, D. *et al.* (2007) "Four Dimensions of Journalistic Convergence: A preliminary approach to current media trends at Spain". 8th International Symposium on Online Journalism. Austin, Texas (EEUU): 30 y 31 marzo 2007. Disponible en online.journalism.utexas.edu/2007/papers/Domingo.pdf

GARCÍA AVILÉS, J. A. (2006) *El periodismo audiovisual ante la convergencia multimedia*. Elche: Ed. Universidad Miguel Hernández.

GARCÍA AVILÉS, J. A. y CARVAJAL, M. (2008) "Integrated and Cross-Media Newsroom Convergence". En *Convergence. The International Journal of Research into New Media Technologies*, Vol. 14 (2), pp. 221-239.

GARCÍA AVILÉS, J. A.; SALAVERRÍA, R.; MASIP, P. (2008) "Convergencia periodística en los medios de comunicación. Propuesta de definición conceptual y operativa". *I Congreso de la Asociación Española de Investigadores en Comunicación*, Santiago de Compostela, 30 enero-1 febrero de 2008.

GARCÍA AVILÉS, J. A., K. MEIER; A. KALTENBRUNNER; M. CARVAJAL y D. KRAUS
(2009). "Newsroom Integration in Austria, Spain and Germany: models of media
convergence". En *Journalism Practice*, Vol. 3, N. 3, pp. 285 -303
KILLEBREW, K. C. (2005). *Managing Media Convergence*. Iowa: Blackwell Publishing.
MASIP, P. (2003) "Presencia y uso de Internet en las redacciones catalanas". En *ZER*,
Vol. 14, pp. 127-141.
MASIP, P. (2008) "El ciberperiodismo en Catalunya: apuntes sobre el estado de la
cuestión". En LÓPEZ GARCÍA, G. (ed.) (2008). *Comunicación local y nuevos formatos periodísticos en Internet*. Disponible en http://cibermediosvalencianos.es/
comunicacion-local-y-nuevos-formatos-periodisticos-en-internet/
MASIP, P. y MICÓ, J. LL. (2009) "El periodista polivalent en el marc de la convergèn-
cia empresarial". En *Quaderns del CAC*, N. 31-32, pp. 85-92.
SALAVERRÍA, R. y GARCÍA AVILÉS, J. A. (2008). "La convergencia tecnológica en
los medios de comunicación: retos para el periodismo". En *Trípodos*, Vol. 23, pp.
31-47.
SCOLARI, C.; H. NAVARRO, H. PARDO KUKLINSKI J. L. MICÓ y I. COLL (2006). "Nous
perfils professionals de l'actual panorama informatiu audiovisual i multimèdia
de Catalunya". Grup de Recerca d'Interaccions Digitals (GRID): Universitat de Vic.
Disponible en http://www.portalcomunicacion.com/pdf/CAC_UVIC.pdf
SINGER, J. B. (2004). 'Strange Bedfellows? The Diffusion of Convergence in Four
News Organizations'. En *Journalism Studies*, Vol. 5, (1), pp. 3-18.
SINGER, J. B. (2006). "Partnerships and Public Service: Normative Issues for Jour-
nalists in Converged Newsrooms". En *Journal of Mass Media Ethics*, Vol. 21(1),
pp. 30-53.

PROFESIONALES ENTREVISTADOS

Vicente Agudo, redactor de la sección de "Comarcas", "Las Provincias"*
Francisco Romero, jefe de la sección de Economía, "Las Provincias"*
David Benito, director gerente de "Las Provincias" digital*
María José Hervàs, editora web - redactora de "Las Provincias" digital*
Conchi Álvarez, directora de Teleelx, Elche**
José María Priego, director de Radio Expres, Elche***
Periodistas de Canal 9, Teleelx, Información y La Verdad, que han preferido perma-
necer en el anonimato.

*Entrevistas realizadas por Guillermo López.
**Entrevista realizada por Alicia de Lara.
*** Entrevista realizada por Félix Arias.